AF587577

La buena voluntad | 25

Ingmar Bergman

La buena voluntad

TRADUCCIÓN DE MARINA TORRES

ILUSTRACIONES DE CUBIERTA
DE MANUEL MARSOL

FULGENCIO PIMENTEL
La principal

Prefacio

Los Åkerblom eran una familia muy amiga de fotografiarse. A la muerte de mis padres, heredé un buen número de álbumes; los primeros, de mediados del siglo XIX; los últimos, de principios de los años sesenta. Hay sin duda una enorme magia en esas imágenes, sobre todo si se examinan con ayuda de una lupa gigantesca: rostros, rostros, manos, posturas, ropas, joyas, rostros, animales domésticos, vistas, luces, rostros, cortinas, cuadros, alfombras, flores de verano, abedules, ríos, peinados, granos malignos, pechos que despuntan, majestuosos bigotes, esto puede continuar *ad infinitum*, así que será mejor parar. Pero, sobre todo, los rostros. Me meto en las imágenes y toco a las personas, a las que recuerdo y a aquellas de las que no sé nada. Esto es casi más divertido que los viejos filmes mudos que han perdido sus textos explicativos. Yo me invento mis propias pautas.

Ya desde la autobiográfica *Linterna mágica* me ha venido rondando la idea de hacer una película sobre los años jóvenes de mis padres, sobre los comienzos de su matrimonio, sus esperanzas, sus fracasos y su buena voluntad. Miro las fotografías y siento una fuerte atracción hacia esas dos personas que en casi todos los aspectos son tan diferentes de los seres medio esquivos y de míticas dimensiones que dominaron mi niñez y mi juventud.

Puesto que el cine y la imagen son mi forma especial de expresarme, empecé a dibujar de modo bastante vago un modelo de acción basado en testimonios, documentos y, como ya he dicho, fotografías. En mi representación anduve por las calles de Upsala cuando Upsala era una pequeña ciudad universitaria, apartada y medio dormida. Estuve en Dufnäs, en Dalecarlia, cuando Våroms, la finca de veraneo de mis abuelos maternos, era todavía un paraíso especial e ilusorio alejado de las carreteras.

Escribí como estoy acostumbrado a hacerlo desde hace cincuenta años: de forma dramática, cinematográfica. En mi representación los actores pronunciaban sus réplicas en un escenario intensamente iluminado, rodeados de unos decorados algo difuminados pero maravillosamente claros. En el centro de esta notable puesta en escena se movían mi madre y mi padre, personalizados por Pernilla Östergren y Samuel Fröler.

No pretendo afirmar que haya sido siempre respetuoso con la verdad en mi narración. He exagerado, añadido, quitado y cambiado de orden. Pero, como suele ocurrir en este tipo de juegos, el juego ha resultado seguramente más claro que la realidad.

Como, sin el menor asomo de amargura, sabía que no iba a dirigir mi saga, fui más minucioso que de ordinario en mis descripciones, hasta en las de detalles bastante insignificantes, incluso en cosas que nunca podría registrar una cámara, salvo, tal vez, como sugerencias a los actores.

De esta manera se fue desarrollando la historia durante un verano en Fårö. Fui tocando con cuidado los rostros y los destinos de mis padres y me parece que aprendí mucho de mí mismo. Mucho que ha estado escondido bajo capas de represiones polvorientas y formulaciones conciliadoras carentes de sentido.

Este libro no se ha adaptado ni en una sola coma a la película. Se ha mantenido como fue escrito: las palabras se yerguen incontestables y ojalá vivan su propia vida, como una representación propia en la mente del lector.

Ingmar Bergman
Fårö, 25 de agosto de 1991

I

Elijo un día de invierno primaveral a principios de abril de 1909. Henrik Bergman acaba de cumplir veintitrés años y estudia Teología en la Universidad de Upsala. En este momento va subiendo por la calle Östra Slottsgatan camino de Drottninggatan y el hotel Stad, donde va a encontrarse con su abuelo paterno. Aún queda nieve en la cuesta del castillo, pero el aguanieve corre por los arroyos y las nubes desfilan en procesión.

El hotel es un edificio alargado de dos plantas, agazapado bajo la catedral. Los grajos graznan alrededor de las torres y un pequeño tranvía azul va bajando la cuesta con cuidado. No se ve un alma. Es sábado por la mañana, los estudiantes duermen y los profesores preparan sus conferencias.

Sentado en la recepción hay un hombre entrado en años y de mirada distinguida, leyendo el periódico *Upsala Nya*. Hace esperar a Henrik un conveniente número de instantes, dobla a continuación la página y dice con cortesía nasal que sí, que el abuelo del señor lo espera en la habitación 17, por la escalera de la izquierda. Seguidamente se ajusta los quevedos y vuelve a la lectura. Se oyen ruidos y voces de mujer en la cocina. Un olor acre a cigarro apagado y a arenque frito se funde con el humo de una poderosa estufa de carbón que retumba en un rincón.

El impulso de Henrik es huir, pero las piernas lo suben por la crujiente y alfombrada escalera de madera y lo conducen a través del pasillo amarillento hasta la puerta 17. Junto al umbral están las botas recién lustradas del abuelo. Henrik respira profundamente antes de llamar. Una voz sonora, bastante clara, dice pasa, pasa, está abierto.

La habitación es grande, con tres ventanas que dan al patio empedrado, a las cuadras y a los todavía desnudos olmos. En la pared larga hay dos camas con los cabeceros de caoba. En la pared de enfrente campea el lavabo con la palangana, las jarras y unas toallas bordadas en rojo. El mobiliario se completa con un tresillo y una mesa redonda sobre la que hay una bandeja de desayuno. Sobre las tablas nudosas del suelo se extiende una gastada alfombra de incierta procedencia oriental. En el empapelado marrón y de suave dibujo de las paredes cuelgan grabados de cobre con motivos de caza.

Fredrik Bergman se levanta trabajosamente del sillón y va al encuentro de su nieto. Es un hombre alto, más alto que el muchacho, fuerte y huesudo, de nariz grande, pelo gris y corto, patillas, pero sin barba ni bigote. Tras la montura de oro de las gafas miran los ojos azul oscuro con los cercos un poco enrojecidos. Extiende una mano fuerte con las uñas rotas, pero limpias. Ambos hombres se saludan sin sonreír. El viejo le señala a su nieto una silla de gastada funda y patas torneadas.

Fredrik Bergman permanece de pie contemplando a Henrik con curiosidad, pero sin complacencia. Henrik mira a través de la ventana. Un carro arrastrado por dos caballos rueda con estrépito sobre los adoquines del patio. Cuando se calla el ruido, toma el abuelo la palabra. Habla de modo meticuloso y claro, como quien está acostumbrado a hacerse entender y obedecer.

FREDRIK BERGMAN: Como ya sabrás, tu abuela está enferma. La operó hace unos días el doctor Oldenburg en el Hospital Clínico. Dice que no hay ninguna esperanza.

Fredrik Bergman calla y se sienta. Sigue con la punta del bastón los dibujos de la alfombra, parece muy interesado en ellos. Henrik endurece su corazón y se muestra indiferente. Su hermoso rostro está tranquilo, los ojos grandes de un azul suave, la boca fuertemente apretada bajo el cuidado bigote: yo no diré ni una palabra, yo a escuchar, ese hombre que está ahí no tiene nada importante que decirme. El abuelo carraspea, la voz es firme; el habla, lenta y clara con una sombra de acento.

FREDRIK BERGMAN: Tu abuela y yo hemos hablado bastante de ti estos últimos días.

Alguien ríe en el pasillo andando a paso rápido. Un reloj da los tres cuartos.

FREDRIK BERGMAN: Tu abuela dice, y lo ha dicho siempre, que cometimos una injusticia con tu madre y contigo. Yo sostengo que cada uno tiene que asumir la responsabilidad de su vida y de sus propios actos. Tu padre rompió con nosotros y se trasladó a otro sitio con su familia. Fue su decisión y su responsabilidad. Tu abuela dice, y lo ha dicho siempre, que debíamos habernos ocupado de ti y de tu madre cuando murió tu padre. Mi opinión era que él había hecho su elección, tanto para sí mismo como para su familia. La muerte, a ese respecto, no cambia nada. Tu abuela siempre ha dicho que hemos sido despiadados, que no nos hemos comportado como buenos cristianos. Ese es un razonamiento que yo no entiendo.

HENRIK (de súbito): Si usted me ha llamado para explicarme su postura respecto a mi madre y a mí, le diré que la sé y la he sabido siempre. Cada cual responde de sí mismo. Y de sus actos. En eso estamos de acuerdo. ¿Puedo irme ahora? Es que tengo que preparar un examen. Siento que mi abuela esté enferma. Quizás usted sea tan amable de saludarla de mi parte.

Henrik se levanta y mira a su abuelo con un desprecio tranquilo y sincero. Fredrik Bergman hace un gesto de impaciencia que se propaga a través de todo su corpachón.

FREDRIK BERGMAN: Siéntate y no me interrumpas. No voy a extenderme mucho. ¡Que te sientes, digo! Tal vez no tengas ningún motivo para quererme, pero eso no significa que tengas que ser maleducado.

HENRIK (se sienta): ¿Y bien?...

FREDRIK BERGMAN: Tu abuela me ha dicho que hable contigo. Dice que es su último deseo. Dice que vayas a verla al hospital. Dice que quiere pedirte perdón por todo el daño que yo y ella y nuestra familia os hemos hecho a ti y a tu madre.

HENRIK: Cuando yo era un recién nacido y mi madre viuda, hicimos el largo camino desde Kalmar hasta su finca en busca de ayuda. Nos asignaron dos cuartuchos en la ciudad de Söderhamn y una pensión de treinta coronas al mes.

FREDRIK BERGMAN: Fue mi hermano Hindrich quien se ocupó de las cosas prácticas. Yo no tuve nada que ver con el arreglo económico. Tu abuela y yo vivíamos en Estocolmo durante el año legislativo.

HENRIK: Esta conversación no tiene el más mínimo sentido. Además, es penoso tener que ver cómo un señor mayor, al que siempre he respetado por su falta de humanidad, pierde la cabeza de repente y se pone sentimental.

Fredrik Bergman se levanta y se coloca frente a su nieto. Se quita las gafas de oro con un gesto iracundo.

FREDRIK BERGMAN: No puedo volver al lado de tu abuela diciéndole que te niegas. No puedo volver junto a ella diciéndole que no quieres ir a verla.

HENRIK: Pues a mí me parece que no hay otra salida.

FREDRIK BERGMAN: Voy a proponerte una cosa. Yo sé que tus tías, las de Elfvik, os han concedido un préstamo para que puedas arreglártelas aquí, en Upsala. También sé que tu madre se gana la vida dando clases de piano. Te ofrezco la cancelación del préstamo y una pensión adecuada para tu madre y para ti.

Henrik no contesta. Contempla la frente del anciano, sus mejillas, la barbilla en la que hay una pequeña herida producida al afeitarse por la mañana. Observa la gran oreja, el pulso que late en la garganta por encima del cuello almidonado.

HENRIK: ¿Qué quiere usted que le conteste?

FREDRIK BERGMAN: Te pareces mucho a tu padre, ¿sabes, Henrik?

HENRIK: Eso dicen, sí. Mi madre lo dice.

FREDRIK BERGMAN: Yo nunca pude entender por qué me odiaba tanto.

HENRIK: Ya me he dado cuenta de que usted nunca lo entendió.

FREDRIK BERGMAN: Yo fui campesino y mi hermano sacerdote. Nadie nos preguntó nunca lo que queríamos o lo que no queríamos. ¿Por qué ha de tener tanta importancia?

HENRIK: ¿Importancia?

FREDRIK BERGMAN: Yo nunca he sentido ni odio ni amargura hacia mis padres. O tal vez lo haya olvidado.

HENRIK: ¡Qué práctico!

FREDRIK BERGMAN: ¿Qué dices? ¡Ah!, práctico. Sí, ¿por qué no? Tu padre tenía unas ideas muy vivas sobre la libertad. Siempre estaba diciendo que debía «tener su libertad». Y así se convirtió en un boticario arruinado en Öland. A eso se redujo su libertad.

HENRIK: Está usted burlándose de él. (Silencio).

FREDRIK BERGMAN: Bueno, ¿qué dices de mi oferta? Yo costeo tus estudios, le paso una pensión mensual y vitalicia a tu madre y os cancelo el préstamo. Lo único que tienes que hacer es ir al Hospital Clínico, a la sección doce, y reconciliarte con tu abuela.

HENRIK: ¿Cómo puedo fiarme de que no me engaña?

Fredrik Bergman se ríe brevemente. No es una risa amable, pero hay aprecio en ella.

FREDRIK BERGMAN: Mi palabra de honor, Henrik. (Pausa). Te lo daré por escrito. (Alegremente). Hagamos un contrato. Tú decides las cantidades y yo firmo. ¿Qué te parece, Henrik? (Súbitamente). Tu abuela y yo hemos vivido juntos casi cuarenta años. Y ahora duele, Henrik. Duele mucho. Los dolores físicos son enormes, pero pueden calmárselos en el hospital, al menos por ahora. Lo difícil es que sufre espiritualmente. Y lo que yo te pido es un minuto de compasión. No para mí, no. Para ella. Vas a ser sacerdote, ¿no, Henrik? Algo sabrás del amor, del amor cristiano. Para mí eso no es más que palabrería y subterfugios, pero para ti eso del amor tiene que ser real. Apiádate de un ser humano, enfermo y atormentado. Te daré lo que quieras. Tú decides cuánto. No regateo. Pero tienes que ayudar a tu abuela en su sufrimiento. (Pausa). ¿Oyes lo que digo?

HENRIK: Vaya junto a la mujer que llaman mi abuela y dígale que vivió toda su vida al lado de su esposo sin ayudarnos ni a mi madre ni a mí. Sin enfrentarse a usted. Sabía de nuestra indigencia y nos mandaba pequeños regalos para las fiestas de Navidad y los cumpleaños. Dígale a esa mujer que ha elegido su vida y su muerte. Mi perdón no lo tendrá nunca. Dígale que la desprecio a causa de mi madre y de mí mismo de la misma manera que lo aborrezco a usted y a la gente de su calaña. Yo nunca seré como usted.

Fredrik Bergman agarra con fuerza el brazo del muchacho y lo sacude despacio. Henrik lo mira.

HENRIK: ¿Piensa pegarme, abuelo?

Se libera y sale lentamente de la habitación, cierra la puerta con cuidado y se aleja por el oscuro pasillo. Unas lámparas de gas parpadean en la tenue luz diurna desde tres ventanas sucias allá arriba, bajo el tejado.

La primera semana de mayo Henrik se va a examinar de Historia de la Iglesia con el temible profesor Sundelius.

Son las cinco y media de la mañana de un lunes. El sol luce con fuerza tras la persiana raída en el sencillo alojamiento del joven, donde cabe una cama desvencijada, una mesa raquítica, desbordada de libros y compendios, una silla de escritorio, una librería llena hasta los topes que ha visto tiempos mejores pero no mejores libros, un lavabo con la palangana desconchada, la jarra a juego, cubo y orinal, y una butaca con tres patas apoyada en cuatro volúmenes de la ilegible *Exégesis* de Malmström. Dos lámparas de queroseno (¡sorprendente lujo!), una en el techo, bajo y lleno de manchas de humedad que dibujan continentes; la otra en el escritorio, velando dos fotografías: la madre, cuando todavía era joven y atractiva, y la novia, blanca y hermosa, de mirada clara y amplia sonrisa. En el piso, irregular, unas cuantas alfombras de trapo de calidad irrompible. En los abollados papeles que cubren las paredes, reproducciones de motivos bíblicos. En el rincón junto a la puerta se eleva una estrecha estufa de azulejos floreados. Este habitáculo estudiantil respira pobreza, pureza luterana restregada con jabón verde y tabaco de pipa agrio. La vista al patio consiste en una pared medianera y siete retretes que se apoyan con zozobra unos en otros y en el muro. En los tilos casi abiertos alborotan los pájaros. El hombre de la leña ya ha empezado a aserrar en el sótano. En algún lugar grita un niño de pecho pidiendo teta. Son, pues, las cinco y media y Henrik se despierta con un hachazo en el estómago: el examen de Historia de la Iglesia. El temible profesor Sundelius

Justus Bark entra sin llamar. Tiene la misma edad que Henrik pero es bajo y corpulento, de ojos oscuros, nariz grande, pelo negro. Habla con acento de la región de Hälsingeland y tiene los dientes mellados. Va pulcramente vestido con un traje oscuro, camisa blanca, cuello y puños postizos, corbata negra y zapatos desesperadamente brillantes, pero gastados.

JUSTUS: *Ecclesia invisibilis, ecclesia militans, ecclesia pressa, ecclesia regnans* y, finalmente y sobre todo, *ecclesia triunphans.* ¿Sabes qué es lo peor de todo con el viejo Sundelius? Me lo contó Gyllen ayer por la tarde. Gyllen falló en lo ecuménico porque no sabía que la Iglesia católica romana había celebrado veinte concilios, pero que la Iglesia católica griega solo reconocía los siete primeros. ¿Qué concilios reconocían los griegos?

HENRIK: Nicea, año 325; Constantinopla, 381; Éfeso, 431; Caledonia, 451. Constantinopla, otra vez años 553 y 680; y Nicea, 787.

JUSTUS: Bravo, bravo, señor bachiller. Gyllen no lo sabía y el temible Sundelius le suspendió. Primera pregunta, respuesta errónea, fuera. Ahora tenemos miedo, miedo de verdad, he tomado demasiado café, de ese brebaje que llaman café. ¿Tienes unas hojas de té que prestarme? Me arde el estómago como el infierno.

HENRIK: En el armario, Justus. Nos vemos dentro de diez minutos. Abajo, al pie de la escalera. Y despiertos.

JUSTUS: Gyllen es rico. Le suspende Sundelius a los tres minutos de examen, se encoge de hombros y se va de vacaciones después del baile de la primavera. Y se prepara la Historia de la Iglesia para Navidad. ¿Me harías el favor de...?

HENRIK: No, gracias. *Amicus.*

JUSTUS: ¿Qué es ese cardenal que tienes en el pecho?

HENRIK: Es Frida. Muerde.

JUSTUS: Nos vemos dentro de diez minutos.

HENRIK: *Pax tecum.*

Cuando Justus abandona la habitación, Henrik se queda desnudo unos instantes en la intensa luz solar, trata de respirar despacio y dice en voz muy baja: ¿Me ayudarás, Señor? Como salga mal hoy, será una catástrofe. Ya se podía poner enfermo el viejo Sundelius y mandar al bueno del auxiliar. No sería la primera vez.

Pero justamente esa mañana, el temible profesor Sundelius no está en absoluto enfermo, más bien al contrario. A las ocho menos diez hay tres examinandos esperando sentados en el espacioso vestíbulo. Porque el profesor se ha casado con una mujer rica y vive en un suntuoso piso de doce habitaciones en la plaza Vaksala. La puerta del comedor está abierta, dos sirvientas uniformadas de azul y blanco quitan la mesa del desayuno. La esposa del profesor, majestuosa pero algo coja, se deja ver durante unos segundos. Echa una mirada rápida e impertinente a los pálidos examinandos que se levantan y se inclinan respetuosamente con lisonjera sonrisa —como si fuera a servirles de algo—. El reloj de la sala da las ocho con sordas campanadas: «No escuches el reloj de tu sepulcro que te llama a comparecer ante Dios o ante Satán», piensa Henrik citando a Macbeth, acto segundo, primera escena. El secretario del profesor (porque tiene secretario, es muy rico, se dice que será ministro en la próxima remodelación del Gobierno), el secretario, pues, es una persona bastante desabrida, sufre de soriasis, tiene los ojos acuosos y disfruta en secreto del terror que propaga cuando, con humilde entonación, llama a los tres jóvenes al despacho del profesor.

El profesor Sundelius es un hombre gallardo de unos cincuenta años, con un rostro franco, cutis sonrosado, abundante pelo entrecano y barba. Viste un bien cortado batín que pone de relieve lo proporcionado de su figura. Anda a paso rápido sobre la alfombra oriental, extiende sonriendo una mano musculosa y saluda cordialmente a los delincuentes.

El despacho es grande pero bastante oscuro. Pesados cortinajes dejan fuera el luminoso día de primavera. Aquí dentro imperan los olores y el silencio de los libros. Un escritorio enorme como un castillo. Muebles de piel. Tres sillas barnizadas de oscuro con asiento de mimbre y respaldo recto, preparadas, lámparas brillantes, oscuros cuadros de marcos dorados y un tenue resplandor de cuerpos femeninos.

El catedrático se sienta ante el escritorio e invita a los jóvenes a hacer lo propio en las tres sillas. Escoge un habano (el primer habano después del desayuno) de una caja de plata, le corta cuidadosamente la punta y lo enciende.

PROFESOR SUNDELIUS: No hay nada comparable al puro del desayuno. En confianza les diré que este es un habano auténtico. Fíjense lo bien que prende. Fíjense lo bien que absorben el fuego los finos nervios de la hoja de tabaco y lo suavemente que se convierten en ceniza.

El catedrático y sus examinandos meditan unos segundos acerca de la belleza de fumar puros, seguidamente Sundelius se inclina y extiende en silencio su manaza. Los estudiantes entienden al momento que deben entregarle sus boletines de notas. El profesor los coloca en fila sobre la carpeta.

PROFESOR SUNDELIUS: ¿Quién de ustedes quiere empezar? ¿Quién quiere parar el primer golpe? Como ustedes seguramente saben, tengo fama de exigente. No es mala voluntad, sino una actitud bien pensada que, con los años, me ha proporcionado muchos epítetos poco halagüeños. Bueno, sea por lo que sea, la cuestión es que hay demasiados teólogos vagos, torpes y mal formados. Yo quiero contribuir a mejorar la fama y la situación de ustedes manteniendo unas exigencias razonables. Con frecuencia se dice: un sacerdote es un pastor de almas, ¿de qué le sirve a sus feligreses que sepa algo de Bonifacio VII y de la que armó? Ese es un razonamiento capcioso y erróneo. Un buen dominio de la Historia de la Iglesia exige aplicación, interés, visión de conjunto, buena memoria y disciplina. Cualidades todas ellas buenas en un sacerdote. Yo manejo una criba para que no pasen los idiotas, los vagos y los charlatanes. Algo es algo, ¿no les parece, señores?

Tres pálidas sonrisas y algunos asentimientos ahogados; después, silencio. El tercero de los tres, Baltsar, carraspea. No hay mucho que decir de él. Es uno del grupo que va a comer a Kalla Märta, está delgado y tiene la piel de un amarillo enfermizo, ojos saltones, apagados y mal aliento. Baltsar ya no se cuenta entre los vivos. Apenas un año después de este día se introdujo un cartucho de dinamita en la boca y explotó entre los famosos y recién abiertos lirios del valle de la ciudad. No quedó mucho que enterrar.

PROFESOR SUNDELIUS (de buen humor): Bien, muy bien, señor Bejer. Vamos a hablar de escolástica, materia amplia y rica donde las haya, y vamos a empezar por la llamada escolástica primitiva, cuyos primeros representantes fueron…

BALTSAR: …Juan Escoto Eríugena y Anselmo de Canterbury. En la Alta Edad Media. Año 900.

P. SUNDELIUS: Más o menos. Sí. ¿Y qué es lo que caracterizaba a estos dos señores?

BALTSAR: Juan Eríugena sostenía que la verdadera religión y la verdadera filosofía son una misma cosa. Anselmo de Canterbury afirmaba que los conceptos universales, es decir, las ideas, son realidades y no solo palabras. *Credo ut intelligam.*

P. SUNDELIUS: … *Nihil credendum nisi intellectum.*

BALTSAR: Eso no lo dijo Anselmo sino, en cierto modo, su adversario Abelardo. Según él, la razón desempeñaba un papel fundamental. Pretendía limitar la fe en la autoridad que juzgaba peligrosa. Eso le ganó poderosos enemigos.

P. SUNDELIUS: Volveremos a la antigua escolástica y a Tomás de Aquino enseguida. Señor Bergman, su tema será lo apostólico. ¿Quiere enumerar algunos de los padres apostólicos? ¿Qué autores se consideran los primeros discípulos de los apóstoles?

HENRIK: Bernabé.

P. SUNDELIUS: Exacto. Pero hay algunas otras figuras muy importantes.

HENRIK: Clemente de Roma. (Pausa). Policarpo.

P. SUNDELIUS: Otros tres, señor Bergman.

HENRIK: Pues… no.

P. SUNDELIUS: ¿Qué significa una «congregación apostólica»?

HENRIK: Son las congregaciones que los propios apóstoles fundaron en Roma, Éfeso y Corinto.

P. SUNDELIUS: ¿Otras?

HENRIK: Éfeso.

P. SUNDELIUS: Éfeso ya lo ha dicho.

HENRIK: Alejandría.

P. SUNDELIUS: Alejandría, no; Antioquía, Jerusalén.

HENRIK: ¡Ah, sí!

P. SUNDELIUS: ¿Qué quiere decir «símbolo de los apóstoles»?

HENRIK: Es algo que tiene que ver con la fe, pero no sé más.

Henrik se mira las uñas. La catástrofe es un hecho. Baltsar y Justus ni respiran. El profesor Sundelius guarda silencio. Una soñolienta mosca primaveral zumba en el delgado rayo de sol que dejan pasar los pesados cortinajes de la ventana.

Casi un minuto completo se pierde en la eternidad. El catedrático mira con atención al aspirante Bergman. Se vuelve hacia el escritorio y hojea el boletín de notas, que le entrega a continuación a Henrik.

PROFESOR SUNDELIUS: Vaya usted a darse un buen paseo por el Jardín Botánico. Hay mucho de lo que maravillarse en esta época primaveral. O se cree en el Dios sapientísimo o no se cree. Adiós, señor Bergman, y sea usted bienvenido a finales de noviembre. Tal vez debo añadir que mi alocución preliminar no se refiere a usted. Yo creo que usted va a ser un buen sacerdote, independientemente del símbolo de la fe o de los santos apóstoles.

El profesor inclina la cabeza, indicando así que Henrik debe retirarse. No puede afirmarse que el Temible sonría, pero contempla a Henrik con algo parecido a la curiosidad. Es el final. Salir por la puerta, atravesar el comedor cuyo suelo de parqué están encerando de rodillas, el vestíbulo para agarrar la gorra de bachiller. Bajar las escaleras de mármol, que resuenan. La enorme puerta retumba. En medio de la calle desfila una banda de música que toca como puede, sol deslumbrante, la gente se para a mirar o anda al compás. Un joven larguirucho, sin sombrero, con pelo oscuro y ralo, ojos oscuros y cuidado bigote, se detiene frente a Henrik y le toca el brazo con su elegante bastón.

ERNST: ¡Hola, Bergman! No te olvidarás del ensayo del coro esta noche, ¿eh? Va a venir Hugo Alfvén. Después iremos de juerga.

Hace una inclinación de cabeza y desaparece.

Vamos a hablar ahora de Frida Strandberg, novia de Henrik desde hace dos años. Verdad es que se trata de un noviazgo extraordinariamente secreto, solo los más íntimos lo saben, ni la madre de Henrik ni las tías de Elfvik están informadas. La familia de la muchacha, allá en la provincia de Ångermanland, tampoco sabe nada. Y sin embargo es un noviazgo en toda regla, con anillos de compromiso, promesas sagradas, velas y tiernos besos.

Frida es tres años mayor que su novio y trabaja como camarera en el hotel Gillet, uno de los más elegantes de la ciudad. Como muchos de los otros empleados, vive en uno de los míseros cuchitriles expuestos a las corrientes de aire, en lo más alto de la buhardilla superior de la mole del edificio. Las consecuencias morales de esta promiscua forma de vivir no le preocupan a la dirección del hotel, pero las correrías nocturnas están prohibidas. La única entrada de personal que existe está bajo la vigilancia de un cancerbero y su esposa, a quienes se considera carentes de la necesidad de sueño normal.

Frida es una mujer guapa, alta, algo huesuda, con los pechos altos y las caderas redondas bajo la larga y estrecha falda. Lleva el pelo rubio ceniza peinado en un tupé sobre la frente y recogido en un moño sencillo en lo alto de la cabeza. Sus ojos son grandes, casi redondos, observadores, apreciativos, curiosos. Tiene la risa fácil, sorprendentemente grande, los labios bien dibujados pero delgados, la barbilla redonda y firme. Da la impresión de ser decidida, con esa barbilla. La nariz es larga y bien formada. Habla deprisa y con mucho acento, se mueve con vivacidad, tiene un andar airoso lo mismo cuando lleva pesadas bandejas en el comedor del hotel que cuando sale a pasear los domingos por el parque Fyris con su novio.

Se conocieron por casualidad. A uno de los compañeros de Henrik, de los que iban a los comedores de Kalla Märta, le había tocado una herencia de una tía muerta y quiso celebrarlo. Fueron al restaurante Flustret, junto al estanque de los Cisnes. Frida hacía una suplencia durante el verano en el piso superior, donde estaban los reservados. Era una noche cálida, las ventanas abiertas dejaban entrar pesados aromas balsámicos y música militar del templete.

Todos acabaron borrachos, Henrik el que más. Cuando el grupo decidió irse al burdel de Svartbäcken no hubo manera de reanimar al teólogo, así que lo dejaron en manos de su destino o de Frida, quien más tarde (una vez terminado su trabajo, a las dos de la madrugada) buscó un coche. Consiguió a fuerza de melindres la dirección y, con ayuda del cochero, subió a rastras al estudiante, que seguía borracho como una cuba, por las escaleras hasta su habitación. Lo único que ocurrió esa noche fue que Henrik vomitó en la falda de Frida, se dio con la cabeza en el borde de la mesa y sangró bastante.

Dos días después Henrik se encaminó hacia el restaurante Flustret con un costoso ramo de flores. La encontró en la destartalada parte de atrás, donde descansaba un momento con una taza de café y un cigarrillo. Ambos se sintieron sumamente turbados. Henrik se disculpó por su vituperable comportamiento y exigió sufragar los costos de Frida por la limpieza de la falda. Ella no supo qué contestar, porque la falda no se podía lavar, se había estropeado. Al mismo tiempo se dio cuenta de que Henrik apenas tenía dinero para comprar otra.

Frida terminó el café, apagó el cigarrillo y guardó la colilla en una cajita de estaño. Luego se levantó y dijo que se le había acabado el descanso, pero que si quería que se vieran, ella terminaba a las dos. Él se sentó en un velador de mármol, fuera, en uno de los grandes cenadores de lilas, pidió un agua mineral y se quedó mirando a la gente y oyendo la música del regimiento, los graznidos de los gansos y la corriente bajo el puente Island.

Cuando llegó la hora acompañó a Frida hasta el hotel Gillet y allí le besó la mano, cosa que había aprendido de su madre. Le explicó además que estaba solo en Upsala, en Suecia, en el mundo y en el universo. Frida se reía asombrada y un tanto desconcertada, y le propuso hacer una excursión a Graneberg. El próximo domingo estaba libre.

Así empezó una relación que no tardó en convertirse en convivencia. A Henrik le atormentaban el remordimiento de los pecados, la lujuria y unos celos salvajes. Frida se valía de astucias, sentido común, mentiras blancas y estrategia para calmar a esta criatura excitada y confusa. Le enseñó también qué tenían que hacer para evitar consecuencias, lo que a su vez desencadenó un ataque de celos retrospectivos. Frida era dulce y suave, y Henrik armaba escándalos. Pronto fueron inseparables.

Poco después se prometieron, en secreto. Henrik no se atrevió a hablar con su madre de Frida, pero Frida no se enfadó. Ella esperaba su momento. Convertirse en la acomodada esposa de un sacerdote podía ser un buen porvenir. Soñaba con frecuencia y de buena gana con una vida así, pero esos sueños los guardaba para sí misma. Frida sabía mucho de la vida y era lo bastante sensata para sacar conclusiones y hacer planes. Henrik en cambio no sabía nada, porque una montaña de exigencias le ocultaba el panorama. Vivía hundido en sus propias coerciones y en expectativas ajenas. Al lado de Frida podía sentir súbitas punzadas de felicidad o como se llamara ese sentimiento desconocido que le sorprendía y le hacía brotar cálidas lágrimas bajo los párpados.

Cuando Frida llegó a casa de Henrik la noche del examen, ya era bastante tarde. Había conseguido cambiar un turno con el indulgente permiso del jefe de comedor. Dieron las diez en la catedral y se encontró la puerta abierta y el cuarto casi a oscuras. Henrik estaba en la cama con un brazo sobre el rostro. Al acercarse ella despacio, él se sentó.

FRIDA: Pasó Justus y me lo contó. ¿Has comido? ¿No has comido nada en todo el día? Ya me lo temía yo, así que me he traído una cerveza y unos fiambres de la cocina. La señorita Hilda, ya sabes, aquella que nos encontramos en el concierto de la iglesia de la Trinidad, te manda saludos. Dice que le pareciste muy guapo, pero demasiado delgado. Déjame encender la lámpara para poner la mesa. Tendré que apartar un poco los libros.

Desempeña sus tareas silenciosa y tenazmente. Henrik la mira sintiendo pesar y alivio a un tiempo. Además, tiene unas ganas de orinar terribles.

HENRIK: Tengo que bajar a mear. Es que no he meado en todo el día.

FRIDA: ¡No se puede estar tan triste como para no mear!

Henrik sonríe a medias, desaparece por el pasillo y se le oye bajar la escalera. Frida sirve la cerveza en el vaso de lavarse los dientes, se sienta a la mesa, enciende un cigarrillo y contempla la fotografía de la madre de Henrik. Su mirada va a través de la ventana hacia la pared medianera y el patio. Allí está Henrik, a la débil luz de la farola del portal. Se está abotonando los pantalones y debe de sentir que ella lo está mirando, porque alza la cara hacia la luz de la ventana y la ve allí, enmarcada por el cuadrilátero amarillo. Ella sonríe, pero él no contesta a su sonrisa. Entonces ella le hace señas de que suba, levanta el vaso y bebe. Luego se abre la blusa, se baja la camiseta y descubre su seno derecho.

De madrugada Frida se levanta para irse a su casa.

FRIDA: No, no te levantes. No tardará en amanecer, y a mí me gusta andar por la orilla del río cuando la ciudad está en silencio y vacía.

HENRIK: Tengo que irme a casa la próxima semana. ¿Puedes imaginarte lo que va a ser eso? Mi madre, gorda y expectante, en el andén. Yo me acerco y le digo que no pude aprobar el examen. Y ella se echa a llorar.

FRIDA: ¡Pobre Henrik! Puedo ir contigo.

Ríen sin mucha alegría de lo impensable de semejante plan. Henrik se levanta rápidamente de la cama y se viste. Van andando a través de la fría y quieta mañana de mayo. Cuando llegan al puente Nybron se paran a mirar las oscuras aguas que fluyen con fuerza.

HENRIK: Cuando era pequeño mi madre le encargó un altarcito a un carpintero. Hizo un mantel de encaje y compró una imagen de yeso del Cristo de Thorvaldsen, puso dos candelabros del comedor en el altar. Los domingos celebrábamos misa solemne, yo hacía de sacerdote, revestido y todo. Mi madre y una señora mayor del asilo de ancianos eran la feligresía. Mamá tocaba el órgano y cantábamos salmos. Tomábamos incluso la comunión, figúrate. Más adelante tuve que pedirle a mi madre que acabáramos con ese vergonzoso teatro. Me dio por pensar que estábamos cometiendo un pecado terrible —todo era tan ridículo y tan humillante—, yo creía que Dios iba a castigarnos. Mi madre es, en cierto modo, tan irreflexiva… Se puso muy triste, claro. Había hecho todo aquello por mí, y yo, por lo menos los últimos años, lo había hecho por ella. Fue una pena. Y entonces, un día como hoy, pienso si voy a hacerme sacerdote por darle gusto a mi madre y porque mi padre no quiso serlo pese a que toda la familia decía que debía ser cura. Y me gustaría saber lo que pensaba cuando dejó los estudios que tan prometedores habían sido. Me gustaría saber lo que pensaba. Boticario. Se hizo boticario. ¿Te imaginas al abuelo y al resto de la familia? ¡Y la vergüenza, claro!

FRIDA: ¿Por qué no ibas tú a ser sacerdote, Henrik? Es un buen oficio. Honrado, bueno y sólido. Puedes ganarte la vida y mantener a una familia. Y, sobre todo, a tu madre.

Frida lo ha dicho en broma, no cabe la menor duda. O tal vez es su acento el que hace que el problema parezca insignificante. O es la propia Frida la que piensa que su teólogo se embrolla. No es fácil saberlo.

El señor director de Tráfico, Johan Åkerblom, está descansando. Eso significa abreviar con dignidad el aburrimiento de la tarde echando una cabezadita. El señor director tiene, además, todo el derecho a descansar. Ha cumplido setenta años y se ha retirado de los puentes de ferrocarriles, apartaderos ferroviarios y sistemas de señales construidos y levantados durante la gran expansión del tráfico sobre raíles. Siendo muy joven, y con el flamante título de ingeniero recién sacado, se colocó en los Ferrocarriles del Estado, donde pronto dio que hablar por sus ideas expeditivas y prácticas. Avanzó con rapidez y facilidad. A los veinticuatro años se casó con la hija de un acaudalado mayorista, compró el edificio que se acababa de construir en el número 12 de la calle Trädgårdsgatan y se instaló en un piso de diez habitaciones de la primera planta. Casi seguidos nacieron tres hijos: Oscar, Gustav y Carl. Después de veinte años de éxito social y de turbación matrimonial, murió su enfermiza esposa. Johan Åkerblom se quedó solo y sin saber qué hacer con tres hijos a medio criar y supereducados. El hogar estaba en manos de las sirvientas y la desintegración se acercaba a pasos agigantados.

El señor director tocaba el violoncelo en sus ratos libres y se veía con los Calwagen, cuyo cabeza de familia había escrito una gramática alemana para uso escolar que iba a torturar a los niños suecos durante generaciones: *Die Heringe der Ostsee sind magerer als die der Nordsee.* Y así todo.

Junto con el señor director, formó un cuarteto de cuerda que, si lo deseaban, podía convertirse en quinteto, ya que la hija mayor, Karin, era una aplicada pianista aficionada que suplía la falta de musicalidad con entusiasmo y determinación. Karin experimentaba una profunda simpatía por el viudo, que le llevaba casi treinta años. Veía con claridad el desmoronamiento del hogar después de la muerte de la esposa. Un día de primavera ella le propuso sin ambages que se casaran. Abrumado por tanta generosidad y energía, Johan, conmovido, no pudo hacer más que aceptar tartamudeando. Se casaron a los seis meses y, después de una, para la época, breve luna de miel en un nuevo nudo de comunicaciones en la ciudad de Halle, Karin, con veintidós años y rebosante de buena voluntad, se instaló en el piso de la calle Trädgårdsgatan.

Los tres hijos, que tenían prácticamente su misma edad, reaccionaron con desconfiado rechazo y las estudiadas groserías de la gente educada con rigidez. No se llevaban bien entre ellos, pero, de pronto, tenían un motivo para unirse frente a quien con toda claridad amenazaba su libertad. En el curso de unos meses, sin embargo, los muchachos tuvieron que reconocer que habían dado con la horma de su zapato. Tras unos meses de dolorosos fracasos se decidieron a deponer sus armas y solicitar un armisticio. Karin era una estratega consumada ya de joven, y se dio cuenta de que no debía usar su ventaja para humillar a los adversarios. Al contrario. Los llenó de pruebas de misericordia, no solo por sensatez sino por cariño. Quería a sus buenos, desmañados y confundidos hijastros, y acogió el afecto que empezaba a nacer en ellos con una ternura áspera y regocijada.

Karin tiene ahora cuarenta y cuatro años y dos hijos propios, Ernst y Anna, ambos de veinte. En la casa hay cuatro personas de servicio y una intensa vida social. Además, los dos hermanos mayores, Oscar y Gustav, se han casado, tienen familia y acuden con frecuencia en visitas más o menos improvisadas.

Al casarse, Karin dejó sus estudios de magisterio, algo de lo que nunca tuvo ocasión de arrepentirse. La vida le proporcionó constantes quehaceres. Tenía sentido común, perspicacia, humor, era amable y enérgica. También era irascible, autoritaria, desconsiderada y tenía una lengua mordaz. No se puede afirmar que fuera guapa, pero toda su persona irradiaba encanto y vitalidad física. Es poco probable que el director de Tráfico y su joven esposa se amasen en el sentido normal del término, pero ambos representaban sus papeles sin protestar y con el tiempo se fueron haciendo amigos.

El señor director de Tráfico, Johan Åkerblom, está, pues, descansando. La herencia protestante le impide desnudarse y reposar la espalda y las doloridas caderas en su cómoda cama. Está sentado en el butacón de lectura, con un elegante batín corto y un tratado científico en la mano. No ha hecho más que ponerse las gafas en la frente. La pipa de la tarde, la caja de tabaco y el vasito de ajenjo están en la mesita, al lado del sillón. Bajo los pies, un escabel con cubierta bordada, y una manta sobre las rodillas. La luminosa habitación da al patio, de ahí el silencio. Un alto árbol primaveral se interpone entre el sol y la ventana creando sombras verdes que se mueven por las librerías de las paredes y los cuadros con motivos italianos. Un grave reloj que descansa sobre el suelo mide el tiempo con corteses sonidos. El piso de madera está cubierto por una alfombra oriental de colores y dibujos tenues.

La puerta se abre ahora con mucho cuidado y la otra protagonista de esta historia entra sin hacer el menor ruido. Es una joven que se llama Anna, acaba de cumplir veinte años, es bajita y menuda, pero muy bien proporcionada, tiene el pelo largo de color castaño, un poco rojizo en las puntas. Cálidos ojos castaños, nariz bien formada, boca dulce y sensual y mejillas redondas, infantiles. Lleva una preciosa blusa de encaje, un cinturón ancho en torno a la delgada cintura y una falda larga, elegantemente cortada, de lana fina y clara. No lleva joyas, solo unos pequeños pendientes de brillantes. Los botines son, como marca la moda, de tacón alto.

Así es ella: Anna, que, en realidad, se llamaba Karin. Ni quiero ni puedo explicar por qué tengo esta necesidad de mezclar y cambiar nombres: mi padre se llamaba Erik y la que se llamaba Anna era precisamente mi abuela. Bueno, debe de ser cosa del juego, y esto es un juego.

ANNA: ¿Duermes, papá?

JOHAN ÅKERBLOM: Pues claro. Duermo y sueño que duermo. Y sueño que estoy en mi despacho durmiendo. Y se abre la puerta y entra la más hermosa, la más adorable, la más tierna de las criaturas. Y se acerca a mí y me sopla con su dulce aliento diciendo: ¿Duermes, papá? Y entonces sueño que pienso: Así debe de ser despertarse en el paraíso.

ANNA: Papá, tienes que aprender a quitarte las gafas cuando reposas la comida. Si no, pueden caer y romperse.

JOHAN ÅKERBLOM: Eres igual de sabionda que tu madre. Ya deberías saber que yo lo hago todo con toda intención y después de pensarlo bien. Si me coloco las gafas en la frente cuando me tomo el corto reposo de la comida, da la impresión de que estoy pensando algo con los ojos cerrados. Nadie —excepto tú— puede sorprender a Johan Åkerblom con la barbilla colgando y la boca abierta.

ANNA: No, no, papá. Dormías muy correcto y elegante y controlado. Como siempre.

JOHAN ÅKERBLOM: Bueno. ¿Y qué querías, mi vida?

ANNA: Vamos a cenar enseguida. Por cierto, ¿me dejas probar el ajenjo? Dicen que es tan perverso... Acuérdate de Christian Krohg y todos aquellos noruegos geniales que se volvieron locos por tomar ajenjo. (Lo prueba). Para tomar ajenjo hay que ser un poco perverso. Estate quieto un momento, que voy a peinarte para que estés bien guapo.

Anna desaparece en otra habitación y vuelve enseguida con un cepillo y un peine.

JOHAN ÅKERBLOM: ¿No íbamos a tener un invitado para la cena? ¿No era Ernst el que iba a...?

ANNA: Sí, es un compañero de Ernst. Cantan juntos en el coro de la universidad. Ernst dice que está estudiando Teología.

JOHAN ÅKERBLOM: ¿Qué? ¿Que va a ser sacerdote? Nuestro Ernst, ¿amigo de un aprendiz de cura? Me parece que se acerca el fin del mundo.

ANNA: No seas bobo, papá. Ernst dice que el chico —se me ha olvidado cómo se llama— es muy simpático, un poco tímido, pero muy simpático. Además, parece que es terriblemente pobre. Pero guapo.

JOHAN ÅKERBLOM: ¡Vaya, vaya! Ahora me explico tu inesperado interés por las últimas amistades de tu hermano.

ANNA: Ahora vuelves a decir tonterías, papá. Yo me voy a casar con mi hermano Ernst. Él es el Único para mí.

JOHAN ÅKERBLOM: Y yo, ¿qué?

ANNA: ¡Y tú también, claro! ¿No te ha dicho mamá que tienes que tener cuidado con los pelos de los oídos? No sé cómo se puede oír con tanto pelo en los oídos.

JOHAN ÅKERBLOM: ¡Son muy delicados, se llaman pelos auditivos y no dejo que me los toque nadie! Con mis pelos auditivos tengo un oído especial que me dice lo que la gente piensa. Porque la mayoría de la gente dice una cosa, pero piensa otra. Yo eso lo oigo enseguida con mis pelos auditivos.

ANNA: ¿Puedes decirme, papá, lo que estoy pensando ahora mismo?

JOHAN ÅKERBLOM: Estás demasiado cerca. Los pelos auditivos se recargan demasiado. Ponte allí, en ese rayo de luz, y te digo al momento lo que estás pensando.

ANNA (se coloca, riéndose): ¡Venga, papá!

JOHAN ÅKERBLOM: Estás muy contenta de ti misma. También estás muy contenta de que tu padre te quiera tanto.

Cuando el reloj de la catedral, el reloj del comedor, el reloj de la sala y el reloj ensimismado que descansa sobre el suelo del despacho dan las cinco, se abre la puerta y el director de Tráfico hace su entrada en el salón con Anna a su lado. Ha puesto la mano derecha sobre sus hombros y con la izquierda se apoya en un bastón.

Todos se levantan a saludar al cabeza de familia. Este es, quizás, el momento oportuno para describir a los presentes: de la señora Åkerblom ya hemos hablado, así como del hijo preferido, Ernst, que tiene la misma edad que Henrik. Los tres hermanos, Oscar, Gustav y Carl, están un poco apartados, dilucidando alguno de los eternos negocios de letras de cambio de Carl. Se quitan la palabra de la boca unos a otros. En cuanto el padre entra en la habitación, se callan y se vuelven sonriendo amablemente a los recién llegados.

Oscar se parece a su padre, es un acomodado mayorista, seguro de sí mismo y hombre de pocas palabras. Está casado con una mujer alta y delgada de aspecto enfermizo, con gafas que ocultan su mirada dolorida. Siempre cree que está a punto de morirse. Pasa todos los otoños en sanatorios o balnearios del sur de Alemania o de Suiza y regresa todos los años encorvada, un poco tambaleante y con una atormentada sonrisa de disculpa: tampoco me he muerto esta vez, tenéis que tener un poco de paciencia.

Gustav es catedrático de Derecho Romano y muy pelmazo, como afirman de buena gana los que lo rodean. A modo de protección se ha procurado una notable redondez. Ríe, bonachón, y sacude la cabeza ante su propio aburrimiento. Su esposa, Martha, es de origen ruso, habla sueco con marcado acento y es muy alegre. A ella y a su marido les une un profundo amor por los placeres de la mesa. Tienen dos hijas adolescentes, atractivas y algo díscolas.

Carl es ingeniero e inventor, casi siempre fracasado. La mayoría considera que es la oveja negra de la familia. Es una síntesis de inteligencia y de misantropía, solterón y no muy limpio, ni de alma ni de cuerpo, esto último para constante indignación de su madrastra. Sí, algo raro pasa con el hermano Carl, volveré a él más adelante.

También está presente Torsten Bohlin, un joven genio de rasgos atrevidos y pelo flotante, de una descuidada elegancia y muy querido de la familia. A los veinticuatro años está escribiendo su tesis doctoral (sobre el canto gregoriano en la música coral anterior al protestantismo tal y como se refleja en la colección de música hallada en la iglesia de Skattungby cuando fue restaurada en 1898). Al joven Bohlin se le considera, finalmente, como el futuro esposo de Anna. Se dice que entre ambos jóvenes se han producido señales visibles de sentimientos románticos.

La pudibunda Siri se asoma a la puerta del comedor, parece ligeramente desorientada. Karin Åkerblom dice desde el otro extremo de la habitación: nuestro otro invitado no ha llegado todavía. Vamos a esperar unos minutos a ver si aparece.

KARIN (a ERNST): ¿Estás seguro de haberle dicho a tu amigo que la cena era a las cinco?

ERNST: Le insistí en que somos de una puntualidad enfermiza en esta familia. Me contestó que él era un desesperado entusiasta de la puntualidad.

JOHAN ÅKERBLOM: ¿Qué clase de individuo es?

ERNST: Pero, papá, no es ningún individuo. Estudia Teología y será sacerdote, si Dios quiere.

CARL: ¡Un sacerdote, un sacerdote! ¿Por qué no un sacerdote en la familia? Sería una aportación profesional a esta pandilla de hipócritas.

MARTHA: ¿Y cómo se llama ese prodigio?

ERNST: Henrik Bergman. Corporación universitaria de Gästrike-Hälsinge. Cantamos juntos en el coro de la universidad. Tiene una estupenda voz de barítono y, además, tres tías solteras.

OSCAR: Las señoritas de Elfvik.

ERNST: Las señoritas Bergman, de Elfvik.

JOHAN ÅKERBLOM: Entonces, el diputado Fredrik Bergman debe de ser su abuelo.

KARIN: ¿Lo conocemos?

JOHAN ÅKERBLOM: Un viejo zorro de mucho cuidado. Se desvive por una asociación especial, un partido agrario. ¡Pues sí que estaría bonito! Enfrentamiento y división. Debemos de ser algo parientes, por cierto. Hijos de primos o algo por el estilo.

Esto da paso a unas risas que se interrumpen cuando llaman a la puerta. Yo abro, dice Anna decidida. Detiene a Siri, que se dispone a hacerlo con un gesto especial de reprobación en la cara que asustaría a cualquiera. Anna abre la puerta. Allí está Henrik Bergman. Está paralizado de terror.

HENRIK: Llego con retraso. Llego tarde.

ANNA: Le daremos la cena de todos modos. Aunque va a tener que sentarse en la cocina.

HENRIK: Lo siento… Yo, en general soy…

ANNA: … un ministro de la puntualidad. Ya lo sabemos. ¡Pase, pase, que no se retrase más la cena!

HENRIK: No, no creo que me atreva.

Henrik se da la vuelta bruscamente y se encamina con pasos rápidos a la escalera. Anna va tras él y lo toma del brazo. Se aguanta las ganas de reír.

ANNA: Es verdad que somos bastante peligrosos cuando nos reunimos todos en familia, especialmente si no comemos a la hora prevista. Pero creo, sin embargo, que debe usted armarse de valor. Va a ser una comida muy rica y el postre lo he hecho yo con mis propias manos. Vamos, venga. Hágalo por mí.

Le quita la gorra de bachiller y le alisa el pelo con la mano; Eso es, así está usted bien, y lo empuja delante de ella por el vestíbulo.

ANNA: El señor Bergman pide mil perdones. Fue a visitar a un amigo enfermo y tuvo que ir a la farmacia. Había bastante cola y por eso se retrasó.

KARIN: Buenas tardes, señor Bergman. Bienvenido. Espero que su amigo no esté gravemente…

HENRIK: No… no… Solo está…

ANNA: Se ha roto una pierna. Este es mi padre.

JOHAN ÅKERBLOM: Bienvenido. Se parece usted mucho a su abuelo.

HENRIK: Eso dicen, sí.

ANNA: Mis hermanos Gustav, Oscar y Carl; Martha, que está casada con Gustav; y Svea, con Oscar; las niñas son hijas de Gustav y Martha; y este es Torsten Bohlin, que dicen que será mi prometido. Ahora ya conoce usted a la familia.

KARIN: Bueno, pues entonces vamos a la mesa ya.

ERNST: Hola, Henrik.

HENRIK: Hola.

ERNST: ¿Quién se ha roto la pierna?

HENRIK: Nadie. Es que tu hermana…

ERNST: ¡Ja, ja, ten cuidado con ella!

HENRIK: Yo ya no tengo…

KARIN (interrumpe): ¿Quiere ser tan amable, señor Bergman, de sentarse allí, al lado de doña Martha? Y Torsten, por favor, al lado de Anna. Vamos a bendecir la mesa.

TODOS: Derrama, Señor, tu bendición sobre nosotros y sobre los alimentos que vamos a tomar, amén.

Rápidas inclinaciones y reverencias. Todos se sientan conversando animadamente. Siri y Lisen, uniformadas de negro con cofias blancas almidonadas, aparecen con espárragos frescos y agua de Seltz.

Las vicisitudes no han terminado todavía para Henrik Bergman. Él no ha visto un espárrago en su vida. Jamás ha tomado una comida de cuatro platos ni ha bebido otra cosa que agua, cerveza o aguardiente, no ha visto en su vida un lavamanos con una pequeña flor roja flotando en el agua, nunca tantos cuchillos y tenedores, nunca ha dado conversación a una señora sarcástica y afable que habla con fuerte acento ruso. Se alzan muros, se abren abismos.

MARTHA: Yo soy de San Petersburgo. Mi familia sigue viviendo allí en una gran casa junto a los jardines de Alexander. San Petersburgo es una ciudad muy bonita, sobre todo en otoño. ¿Ha estado usted en San Petersburgo? Yo voy todos los años en septiembre, es la estación más hermosa, para entonces ya ha vuelto todo el mundo del veraneo y empieza la temporada, las fiestas, los teatros, los conciertos. Usted va a ser sacerdote. Tiene usted un aspecto muy adecuado para ello. Tiene usted los ojos bonitos y tristes, seguro que a las mujeres les encanta un físico así. Pero hay que retirar el pelo de la frente cuando se tiene una frente de poeta tan joven y tan bella. ¡Permítame que lo ayude! Gustav, mi marido, ese gordo bonachón que está allí sentado, ¡sí, sí, ese, estoy hablando de ti, querido!, es catedrático de Derecho Romano, nadie se lo imaginaría con esa pinta… (Se ríe a carcajadas). Va a hacer veinte años que estoy en Suecia, me encanta su país, pero yo soy rusa, Gustav parece un panadero, pero es un alma de Dios. Estaba de visita en San Petersburgo y nos conocimos en una fiesta de beneficencia, se me declaró esa misma noche y yo me dije: Martha, no seas tonta, seguro que puedes conseguir un marido más guapo, pero ese hombre tiene un corazón de oro puro, así que nos casamos un año más tarde, y claro que a veces me sorprenden este país y estas gentes singulares, pero la verdad es que no me he arrepentido nunca. Y el arrepentimiento tampoco casa mucho con mi temperamento. ¿Es usted una persona dada al arrepentimiento? (Se ríe, se pone seria). Las iglesias son tan pobres en este país, también las canciones, no hay momentos grandiosos. Mi querido joven, a veces tengo la impresión de que rogamos a dos dioses distintos. (Se ríe bajito). Voy a… no, espere un momento, voy a enseñarle a usted cómo se comen los espárragos. Mire, lo más rico son las puntas, está permitido pinzar el tallo con los dedos, así saben mejor… Da más gusto. Se ponen en la boca y se muerden despacito. Y así se hace con el lavamanos, fíjese en mí, señor Bergman.

El menú se compone, además de los espárragos, de pastel de salmón con salsa verde, pollo con verduras (difícil de manipular) y la obra maestra de Anna: un tembloroso flan.

Después de tomar café en el salón, se toca música. Va oscureciendo a través de los ventanales. Se encienden velas en torno a los músicos. El andante del último cuarteto para cuerda de Beethoven. Johan Åkerblom toca el violoncelo, Carl es un buen violinista aficionado, miembro de la orquesta de la universidad. Ernst es el segundo violín, con más sentimiento que acierto. A la hora del café y los licores, baja del piso de arriba un músico jubilado que ha tocado en la orquesta de la corte con su viola; es un personaje atento, amable y algo estirado. Le cuesta mucho esfuerzo tocar en semejante compañía, pero el director de Tráfico ha avalado algunas de sus letras de cambio, lo que mitiga el sacrificio.

Música y anochecer, Henrik se sume en meditaciones: todo esto es como un sueño, al margen y lejos de su propia vida gris. Anna está sentada junto a la ventana mirando fijamente a los músicos y escuchando con atención. Su perfil se recorta contra la luz del ocaso. Ella se siente observada, domina su primer impulso, pero cede enseguida y vuelve la mirada hacia Henrik. Él la mira con seriedad, ella sonríe un poco superficialmente, con una cierta ironía, pero luego se pone seria también, devuelve la seriedad de Henrik; sí te veo, sí. Veo.

Es hora de irse y de decir adiós. Henrik se inclina y da las gracias en todas las direcciones, durante un instante tiene a Anna frente a él. Ella se pone de puntillas y le habla bajito al oído, su pelo perfumado, el ligero roce.

ANNA: Yo me llamo Anna, y tú, Henrik, ¿verdad?

Se aleja enseguida y se pone junto a su padre, lo toma del brazo y apoya la cabeza en su hombro, todo un poco teatral, pero con encanto, y no desprovisto de talento.

Henrik está aturdido. (Se dice así. Resulta banal, pero en este momento no hay mejor palabra: aturdido). Henrik está, pues, aturdido en la esquina de Trädgårdsgatan con Ågatan, sabe que debería irse a casa a escribirle a su madre esa difícil carta que tiene que escribirle, pero aún es pronto y se siente solo. Su amigo Ernst se fue de juerga con muchas prisas, Drottninggatan abajo, agitando los faldones del gabán.

Los castaños están en flor y se oye música militar del parque Municipal. El reloj da las nueve en la catedral y la campana Gunilla contesta con argentinas campanadas desde lo alto, sobre la cúpula de Sture.

Alguien le toca en el hombro. Es Carl. Se muestra muy amable, huele a coñac.

CARL: ¿Le parece que vayamos juntos, señor Bergman? ¿Bajamos por esta calle hasta el estanque de los Cisnes a ver los tres cisnes nuevos *Cygnus olor* o el cisne negro *Chenopsis atrata* que acaban de importar de Australia? ¿O alargamos el paseo cien metros, nos tomamos una copa y —sobre todo— vemos a las tres putas nuevecitas que han traído de Copenhague? ¡Vamos al Flustret, señor Bergman, vamos al Flustret!

Carl sonríe con agrado y palmea a Henrik en la mejilla con una mano pequeña y blanda.

Se sientan en la terraza encristalada de Flustret; es una noche serena, la gente se ha echado a la calle en este templado crepúsculo de comienzos de verano. Solo unos cuantos profesores universitarios empollan en el interior del restaurante velando en amarga soledad sus whiskies con soda. Una camarera esbelta y muy guapa se acerca a la mesa a preguntar qué desean. Saluda con familiaridad, haciendo una pequeña reverencia.

FRIDA: Buenas noches, señor ingeniero, buenas noches, señor aspirante; ¿qué puedo ofrecerles hoy?
CARL: La señorita Frida puede traernos media botella del licor de costumbre y unos cigarros puros.
FRIDA: Voy a avisar a la chica.

Saluda y da media vuelta. Carl la sigue con la mirada azul detrás de los anteojos.

CARL: Parece conocer usted a la señorita Frida.
HENRIK: No... Bueno, quizá. Mi grupo de comedor y yo venimos aquí a veces, cuando tenemos dinero. Pero no, no la conozco.
CARL (con ojos penetrantes): El color se le sube a las mejillas al pastor, ¿se avecina una negación? ¿Oiremos cantar al gallo?
HENRIK: Solo sé que se llama Frida y que es de la provincia de Ångermanland. (Cobra nuevos bríos). Guapa chica.
CARL: Guapa, muy guapa. Reputación dudosa, ¿no? ¿Qué opinión le merece a usted? Se dice que los estudios de Teología proporcionan buena vista para las debilidades humanas. ¿O debo decir olfato?

Llega la cigarrera con su bandeja y los señores se proveen de habanos. Carl paga y da una buena propina. La chica corta las puntas de los puros y les da fuego. Echando bocanadas de humo, se recuestan en sus asientos.

CARL: Bueno, señor Bergman, ¿qué tal lo ha pasado esta tarde?
HENRIK: ¿A qué se refiere, señor Åkerblom?

CARL: Qué le hemos parecido, para ser breve.

HENRIK: Es la primera vez en mi vida que estoy en una cena con cuatro platos y tres vinos diferentes. Era como un teatro. Yo estaba allí en medio de la representación y se esperaba que actuase como los demás, pero no me sabía el papel.

CARL: ¡Muy bien formulado!

HENRIK: Todo era atrayente y, a la vez, repulsivo. O mejor dicho, inalcanzable, no es mi intención criticar.

CARL: ¿Inalcanzable?

HENRIK: Si yo desease penetrar en ese mundo de ustedes y aspirase a jugar un papel en su representación, sería, de todas maneras, algo imposible.

Llega Frida con el licor en un enfriador y dos vasitos levemente empañados. Carl contempla a Henrik con discreta atención. Henrik no se atreve a enfrentar la mirada de Frida. ¿Y si se le ocurre darme un beso en la boca o ponerme la mano en la nuca? ¿Qué pasaría? La verdad es que ella, por su parte, también resulta impenetrable. ¿Tal vez es eso, por todas partes? ¿Excluido?, piensa Henrik con amarga voluptuosidad. ¿Excluido?.

CARL: Es Karin Calwagen, mi madrastra, la que protagoniza nuestro insignificante drama familiar. *Mammchen* tiene un notable carácter, bastante más fuerte que las circunstancias que la rodean. Es una persona ávida de poder que nos gobierna con puño de hierro. Hay quien dice que ha sido una bendición para nosotros, otros afirman que es una lagarta redomada. Si a alguien se le ocurriera la idea de preguntarme a mí, diría que su intención es buena, pero los hechos son malos, como dice… Sí, me parece que es san Pablo. Lo que quiere es que la familia esté unida, yo no sé para qué sirve eso. Si algo no casa con su modelo, entonces corta, amputa, deforma. Eso lo sabe hacer bien la encantadora y querida señora.

Carl alza su vaso hacia Henrik, que contesta a su brindis; ambos se miran con simpatía.

CARL: Me atrevo a proponer un brindis de fraternidad. Me llamo Carl Eberhard, 1899. Gracias.
HENRIK: Erik Henrik Fredrik, 1906. Gracias.

Cumplido el ritual de apear el tratamiento, los recién hermanados amigos guardan meticulosamente el silencio que suele seguir a un hecho tan significativo.

CARL: Yo, en realidad, soy inventor y tengo algunos inventos de poca entidad registrados en el Registro de Patentes. A ojos de la familia soy un fracasado, la oveja negra. He estado en el manicomio unas cuantas veces. No creo que esté más loco que otros, pero me consideran algo incoherente. Nuestra familia ha producido tanta maldita normalidad que ha dejado un poso de locura y lo he recogido yo. Además, hace unos años tuve problemas con la justicia, y es que imito la letra de la gente con mucha facilidad. Hacerse cura supone tener fe en algún dios, ¿no es esa la premisa fundamental?
HENRIK: Sí que lo es.

CARL: ¿Cómo coño puede creer en Dios un joven de hoy? Perdona la intencionada falta de tacto de mis palabras.

HENRIK: … Es difícil de explicar, así de pronto.

CARL: … ¿Una voz interior? ¿La sensación de estar en manos de alguien? ¿De no sentirse excluido? ¿Como un aliento cálido en la cara? ¿Como ser un pequeño latido en una inabarcable circulación sanguínea? ¿Un latido no insignificante pese a lo grandioso del sistema venoso? ¿Sentido, modelos, instantes de gracia? No, no lo digo con ironía, es que mi garganta no se cansa nunca de producir eructos sarcásticos. Estoy hablando muy en serio, mi joven amigo.

HENRIK: ¿Por qué preguntas, si lo sabes?

CARL: Yo creo que un hombre que ha nacido ciego, puede muy bien figurarse cómo es el color rojo, el azul y el amarillo.

HENRIK: Yo soy una persona llena de dudas. Tal vez se me figura que la sotana va a ser un buen corsé. Me hago sacerdote para salvarme a mí, no para salvar a la humanidad.

Vuelve Frida con la nota, que deja en la mesa, al lado de Carl. Mira a Henrik por el rabillo del ojo.

FRIDA: Disculpen que les traiga la cuenta, pero como quizás hayan visto los señores en el letrero de la antesala, esta noche vamos a cerrar más temprano. Mañana tenemos la comida del Consejo Académico y tenemos que preparar las mesas en todo el local.

CARL: ¿Así que la señorita Frida está…

FRIDA: … ocupada esta noche? (Risas). Y bien ocupada.

Mientras Carl paga la cuenta y se guarda la cartera con gestos ampulosos, Frida se inclina detrás de Henrik y le da un pellizco en la oreja. La cosa sucede con rapidez y pasa desapercibida. La muchacha huele a sudor y a agua de rosas.

Poco después, Carl Åkerblom y Henrik Bergman están apoyados en la barandilla del estanque de los Cisnes. Contemplan al cisne negro, que se desliza como en sueños por el espejo negro del agua. Ha empezado a caer una lluvia ligera.

HENRIK (después de un largo silencio): ¿Y tu hermanastra Anna?

CARL: ¿Anna? Pronto cumplirá veinte años. Ya la viste.

HENRIK: Sí. (Afirma). Sí, claro.

CARL: Estudia en la Escuela de Enfermeras de la clínica Sophia. *Mammchen* dice que las chicas tienen que estudiar. Que tienen que ser independientes y esas cosas. *Mammchen* cree que lo cree. Ella, en cambio, dejó sus estudios de maestra para casarse.

HENRIK: Tu hermana es muy…

CARL: … atractiva. Sí, sí… Hemos tenido muchos pretendientes en casa, pero nuestro señor padre los ha espantado con sus terribles aunque muy sofisticados celos, y nuestra senora madre los ha espantado todavía más con la poco alentadora perspectiva de tener a Karin Åkerblom por suegra. Por el momento nos frecuenta el joven genio Torsten Bohlin. A él no hay nada que le haga mella, y parece que lo toleran sorprendentemente bien. Pero es que también es un hombre con futuro. Está claro que llegará a ser ministro o arzobispo. A Anna parece divertirle bastante que le haga la corte. Aunque mi teoría es que el destino de Anna se escribe en otro libro.

HENRIK: ¿Ves? Ahora sale el otro cisne negro del nido. Es tan agradable esta lluvia.

CARL: Después de la sequía, claro. El destino de Anna será probablemente enamorarse de un loco o de un perverso asesino o de una nulidad, quizá.

HENRIK: ¿Por qué estás tan convencido?

CARL: Nuestra princesita es tan dócil e inteligente y de corazón tan puro y tan delicada y cariñosa que no tiene límites.

HENRIK: Pero eso es bueno, ¿no? ¿Todo? ¿O no?

CARL: Tiene una arista dentro, ¿sabes? Una afilada arista que corta. (Se ríe). ¡Ahora sí que te has asustado!

HENRIK: No entiendo lo que quieres decir.

CARL: Tampoco es algo que se pueda entender así de buenas a primeras. Pero yo la conozco bien. Yo la *reconozco*.

HENRIK: Eso suena a literatura de la buena.

CARL: Claro, Henrik, claro que sí.

HENRIK: ¿Nos vamos? Está arreciando.

CARL: Puedes compartir mi paraguas. Como tengo una opinión manifiestamente pesimista de la marcha del mundo, ando siempre con paraguas. Si lo uso o no luego, ya es cosa mía. Es mi ingeniosa manera de combatir el determinismo y de engañar a la casualidad.

HENRIK (sonriendo): Como comprenderás, yo no puedo compartir tu…

CARL: … opinión, quieres decir. Yo no opino nada, es pura cháchara. ¿Sabes una cosa, Henrik? Yo creo que la señorita

Frida sería una extraordinaria y magnífica esposa de sacerdote.

Henrik no responde. Se ha quedado sencillamente sin respuesta.

El curso ha terminado y Henrik se va a su casa. Es un caluroso día de mediados de junio y el tren avanza lentamente por el paisaje de comienzos de verano, parándose largo rato en todos los apeaderos, silencio, zumbido de moscas. Los castaños en flor se mecen contra las ventanas cerradas del compartimento. No hay nadie por ninguna parte, ni en las estaciones ni en el tren. Este sigue resoplando, primero a través del bosque de abetos y luego por el borde del mar. Se tarda todo el día en ir en tren desde Upsala a Söderhamn. Henrik llega a la estación del oeste a las ocho y veintisiete de la tarde. Mamá Alma lo espera en la puerta. Henrik la ve enseguida: hay como un hálito invisible de llorosa desolación en torno a la pesada figura. Henrik sonríe, deja la maleta en el suelo y abraza a su madre.

Su madre es gorda, pesará unos cien kilos. Tiene la cara redonda, los ojos angustiados y muy abiertos, una pequeña nariz respingona, boca grande y sensible y el cuello corto. Lleva un abrigo de verano bastante gastado que le queda estrecho y al que le falta un botón. El sombrero negro con la pluma se le ha torcido al abrazarse. Ella ríe y llora con desamparo. Henrik se esfuerza por corresponder a las muestras de ternura de la madre. Huele agrio, a sudor seco, y respira asmáticamente. Déjame que te vea, hijo mío, qué pálido estás, qué delgado, seguro que has descuidado las comidas. ¡Qué bien que vengas a pasar unos días conmigo! ¿Te vas a dejar bigote, de veras? No estoy segura dc que me guste mucho ese bigote, vas a tener que afeitártelo para volver a ser mi muchachito.

Alma Bergman vive en un piso de tres habitaciones en la última planta, al otro lado del patio interior del edificio, en la esquina de las calles Norralagatan y Köpmangatan. La habitación de Henrik se alquila durante el semestre de invierno.

Otra habitación, muy pequeña, es el dormitorio de Alma, y luego está el comedor, comunicado mediante un estrambótico antecomedor con una cocina espaciosa. El piso está atestado de cosas, como si sus habitantes se hubieran visto obligados a trasladarse de repente de un lugar mucho más grande y no hubieran tenido el valor de separarse de muebles voluminosos, cuadros y objetos.

Presente por todas partes hay una viscosa película de orgullosa pobreza. De perplejo abandono. De desesperanza y lágrimas.

Mientras Alma prepara algo para comer, Henrik entra en su habitación: la vieja y estrecha cama. El desvencijado sillón de mimbre con los cojines, la mesa escritorio, inestable, con viejas heridas producidas por el cortaplumas, las sillas desparejadas. El armario ropero con la luna rajada, la librería con los libros leídos y releídos mil veces, el lavabo con la palangana y la jarra diferentes, las gastadas toallas. La ventana sucia con la cortina colgando de la barra. Los cuadros de la niñez con motivos bíblicos: *Jesús con los niños*, *La vuelta del hijo pródigo*. Sobre la cama hay una fotografía del padre. Un rostro joven y hermoso, pelo fino y flotante, peinado hacia atrás desde una frente despejada, grandes ojos azules; sonrisa un poco arrogante, orgullo, vulnerabilidad, integridad y pasión, los rasgos faciales de un actor.

En un rincón, junto a la ventana, algo empotrado, está el altar con su mantel, sus candelabros, el Cristo de Thorvaldsen y un libro de oraciones abierto. Delante, un reclinatorio para arrodillarse bordado en verde y oro. El mantel es morado, con una cruz de color rojo oscuro. A los pies de Jesús hay un espléndido ramo de primaveras recién cortadas. Henrik se deja caer en una de las sillas. Esconde la cara entre las manos y respira hondo, como si sufriera un ataque de asfixia.

Le cuesta tragar, aunque debería tener hambre, ya que solo ha comido unos bocadillos durante el largo viaje. La madre está sentada a la mesa del comedor, frente a él, la lámpara de queroseno está encendida, fuera anochece.

ALMA: Últimamente se ha puesto todo carísimo. Claro está que tú no necesitas pensar en esas cosas, pero yo casi no sé cómo salir adelante. Imagínate: el queroseno ha subido tres céntimos y cinco kilos de patatas cuestan treinta y dos. La carne de vaca apenas puedo ya permitírmela, tiene que ser cerdo o carne de puchero. Y el carbón —no te imaginas el invierno que hemos pasado—, el carbón y la leña han subido al doble. Así que a echarse pieles encima, aunque yo no tenía más remedio que calentar esto por los alumnos de piano y me ha costado mucho dinero. ¿Qué te pasa, Henrik? Pareces triste, ¿te ha ocurrido algo malo? Ya sabes que a tu madre le puedes contar lo que sea.

HENRIK: Suspendí el examen de Historia de la Iglesia.

Hace un gesto de desamparo y clava los ojos en la oreja de la madre. Ella posa con suavidad la taza de té y apoya sobre el mantel su pequeña mano gordezuela, en la que brillan los pesados anillos de matrimonio.

ALMA: ¿Cuándo ocurrió eso?
HENRIK: Hace unas semanas. A finales de abril.
ALMA: ¿Y qué implica ese suspenso?
HENRIK: Tengo que presentarme otra vez a finales de noviembre. El profesor Sundelius no me deja intentarlo antes.
ALMA: Entonces, tu licenciatura se retrasa bastante.
HENRIK: Medio año.
ALMA: Y ¿cómo vamos a arreglárnoslas, Henrik? El dinero del préstamo se está acabando y todo se ha puesto muy caro. Y la matrícula, y los libros y tu manutención. Yo no sé qué hacer. Yo nunca he sabido administrarme.
HENRIK: Tampoco yo.
ALMA: Y el préstamo que prometimos pagar en cuanto te ordenaras sacerdote…
HENRIK: Ya lo sé, mamá.
ALMA: Yo trato de conseguir más alumnos, pero las clases de piano es lo primero de lo que se priva la gente ahora que todo ha subido tanto. Ya me entiendes.
HENRIK: Claro que lo entiendo.
ALMA: Puedo empezar a hacer limpiezas otra vez, pero estoy mucho peor del asma y se me resiente el corazón.
HENRIK: Mamá, por favor, tú no vas a hacer limpiezas.

Alma se levanta suspirando y llena de ternura. Abraza a su hijo y lo cubre de besos. Al mismo tiempo, parlotea: mi muchachito, ¡querido mío, corazón mío! Tú eres lo único que tengo, no vivo más que para ti, tenemos que ayudarnos mutuamente, nunca nos separaremos, ¿no es así, hijo queridísimo, no es así?

HENRIK: Puedo dejar de estudiar, mamá. Dejo de estudiar, busco un trabajo y me vengo para casa otra vez. Y lo primero que hacemos es devolverles el préstamo a las tías de Elfvik. Después, quizá pueda seguir estudiando, cuando haya ahorrado lo suficiente para arreglármelas yo solo sin necesidad de ser una carga para nadie.

Entonces Alma se echa a reír y su risa es grande, sana, una risa que muestra su blanca dentadura. Acaricia la cara del hijo con su blanda mano gordezuela.

ALMA: Pobre hijo mío, decididamente, tú eres aún más tonto que yo. ¿Cómo se te ocurre que vamos a dejarnos atajar ahora que estamos tan cerca de la meta? ¿Cómo se te ocurre que voy a tenerte aquí haciendo de ayudante de telégrafos o de maestro interino? Tú, que vas a ser mi sacerdote. ¡Mi sacerdote!

La madre vuelve a reírse y se levanta llena de súbita energía. Va al enorme aparador que domina todo el espacio entre las ventanas, saca una botella de oporto y sirve dos vasos. Henrik se echa a reír también —esta es una situación conocida de antiguo y cargada de una curiosa seguridad: él y ella sumidos en la aflicción, y, de pronto, una carcajada irresistible, mamá se ríe—, las cosas entonces no son tan graves. Brindan y beben. Ella se inclina hacia delante, suspirando.

ALMA: He oído decir que los estafadores verdaderamente inteligentes nunca hacen trampas con calderilla. Van a por un dineral, directamente. Así resultan más dignos de crédito y pueden robar aún más dinero.

HENRIK: Ahora no te entiendo.

ALMA: ¿No entiendes? ¡Hemos sido demasiado modestos! Pero esta vez las tías van a tener que soltar dinero en abundancia. Vamos a ir de visita, Henrik. Enseguida. Mañana mismo.

En una casa de madera junto al río Ljusnan, veinte kilómetros al sur de la ciudad de Bollnäs, viven las míticas tías. Son hermanas del abuelo de Henrik y bastante viejas, el abuelo es el hermano menor, nació cuando ya no se esperaba. La mayor se llama Ebba; la del medio, Beda; y la más joven, Blenda.

Lo que pasa con ellas es, en pocas palabras, lo siguiente: el bisabuelo era un hombre que tenía bosques, tierras y talento para los negocios. Cuando empezó en serio la explotación de Norrland, el enérgico Leonhard se preocupó de labrarse una fortuna. A su muerte dejó una herencia considerable. El abuelo Bergman pensaba que no había que tocar nada y que todo debía entrar a formar parte y perpetuarse en el capital y el funcionamiento de la finca familiar. Nadie osó oponerse excepto Blenda, que exigió la partición de la herencia para ella y sus hermanas. El hermano se negó, pero Blenda llevó la controversia ante la Audiencia Provincial de Gävle. Antes de que estallase el escándalo, Fredrik Bergman cedió y, con el corazón temblando de odio, tuvo que pagarles los lotes de la herencia a sus hermanas solteras. Después de aquello no quiso volver a dirigirles la palabra, y el odio estaba bien enraizado por ambas partes. Ni nacimientos, ni bodas, ni óbitos habían sido capaces de superar el recíproco rencor.

Blenda, la más joven, que había demostrado tener tanta energía, se hizo cargo de la administración de la fortuna. Con inteligencia y talento para los negocios hizo que siguiera aumentando. Mandó construir una magnífica casa de madera con vistas a la más bella comarca del río Ljusnan. La casa se acondicionó con el mobiliario más cómodo de la época y las paredes se empapelaron y decoraron con los papeles pintados, los adornos y los cuadros de peor gusto del siglo.

La casa tiene un jardín, casi un parque, que baja en terrazas hasta el río. En él trabajan las tres hermanas en primavera, verano y otoño, vestidas de hilo blanco, con delantales, sombreros de anchas alas, guantes y zuecos. Todo el amor, la ternura y la inventiva que tienen y que apenas se prodigan entre ellas, los dedican al jardín, que a su vez les corresponde con intenso verdor, árboles cargados de frutos y esplendorosos macizos de flores.

Ebba es la mayor, un poco pazguata, siempre lo ha sido. Además, está sorda y no habla mucho; tiene un amigo fiel, un labrador perdiguero muy viejo y aquejado por la gota. La cara de Ebba es como de pétalos de rosas mustias, debe de haber sido muy guapa en su juventud.

Beda, a pesar de sus años, sigue teniendo el pelo oscuro, los ojos son también oscuros y su aspecto es trágico. Lee novelas y toca a Chopin con más pasión que conocimiento, se enfada con frecuencia y se queja ruidosamente de casi todo. De vez en cuando se va, pero siempre regresa. Las salidas son espectaculares y las entradas prosaicas. A diferencia de sus hermanas, ha vivido —se asegura— una pasión.

Blenda, finalmente, es menuda, rápida y muy dueña de sí. Tiene fama de saber cómo salirse con la suya. Pelo entrecano, frente baja y ancha, nariz grande y un poco rojiza, boca sarcásticamente torcida, adecuada para relampagueantes ocurrencias e irónicos denuestos.

Una vez al año viajan a la capital, alternan con la buena sociedad, asisten a conciertos y a funciones de teatro y se encargan ropa cara y moderna en las mejores tiendas de la ciudad. En ocasiones van a algún balneario al sur de Alemania o a Austria.

Eso es lo que hay respecto a las tías de Elfvik.

Los dormitorios de las hermanas están amueblados conforme al gusto de cada una, pero terriblemente abarrotados. Ebba tiene un ambiente floreado y luminoso en su cuarto, el de Beda es violeta con motivos modernistas, mientras que el de Blenda es todo azul, azul claro, azul oscuro, azul apagado. En este instante reina gran agitación. Están vistiéndose para la cena y se consultan y se ayudan unas a otras; se pelean un poco, también. Las habitaciones se comunican entre sí con puertas, casi siempre cerradas, pero ahora abiertas de par en par.

BLENDA: ¿Los ves?
BEDA: ¿Qué están haciendo?

EBBA: ¡Ay, Dios mío! Están junto a la caseta de baño.

BLENDA: Pero, ¡bueno! ¿Van a bañarse en el río?

EBBA: ¡Ay, Dios mío! ¡Pues claro que piensan bañarse!

BLENDA: Es ridículo. Alma, gorda como una vaca. Es ridículo.

BEDA: Déjame ver.

BLENDA: Van a entrar en la caseta.

EBBA: Sí que se van a meter en el agua, sí.

BEDA: ¡A quién se le ocurre bañarse ahora! No creo que el agua esté a más de diez grados.

BLENDA: ¿Me pongo el azul claro?

BEDA: ¿No te parece demasiado elegante? Alma podría sentirse rebajada. Seguro que ella viene de negro.

BLENDA: Entonces me pongo el gris perla.

BEDA: Pero, hija, ese es aún más elegante.

EBBA (a voces): ¡Ay, Dios mío! Que se desborda el Ljusnan.

BLENDA: ¿Qué estás diciendo?

EBBA: La montaña de grasa de Alma se ha metido en el agua.

BEDA: No te quedes ahí mirando, anda, ponte el corsé, que te ayudo a apretarlo.

EBBA: ¿Qué decías? ¡Ahora se ha desnudado Henrik!

BEDA: ¡No me digas! Eso tengo que verlo.

BLENDA: No empujes. ¡Oh, qué guapo es ese chico!

EBBA: ¡Ay, qué delgado está!

BEDA: Pero tiene una hermosa espalda. Y un buen tipo.

BLENDA: Yo lo que me pregunto es a qué vienen.

BEDA: Pues no es muy difícil adivinarlo.

EBBA: Nada muy rápido.

BEDA: Pero ¿te vas a poner por fin el gris perla?

BLENDA: Pues, mira, sí.

BEDA: La verdad es que le va bien al rojo de tu nariz.

EBBA: Ya vuelven hacia la caseta. ¡Ay, Jesús mío! ¿Qué haríamos si se ahogaran?

BLENDA: Pagar el entierro, supongo.

BEDA: Ebba, ven, que te visto.

EBBA: No, no, que quiero verlos al salir del agua.

BEDA: ¿Salen ya?

EBBA: ¡Están saliendo! ¡Y van de la mano!

BLENDA: Ya me figuro yo a lo que vienen, ya.

BEDA: Bueno. ¿Y qué, pedazo de roñosa?

BLENDA: De aquí no sale ni un centavo de cobre, eso os lo digo yo. Ni un centavo de cobre. Ya les hemos hecho un préstamo que no tienen que amortizar hasta que Henrik sea sacerdote.

EBBA: Henrik es guapísimo. Pero resulta raro que anden así, desnudos.

BEDA (a EBBA): He sacado el traje rosa. (Tiembla). ¡El rosa!

EBBA: No, no quiero el rosa. Quiero el de flores y encaje.

BEDA: ¡Ah!, sí. El que te hace aún más espantosa.

EBBA: Acabas de decir una maldad, no creas que no me entero.

BLENDA: Ella en cambio se está poniendo como si fuera a presentarse en el Teatro Real.

BEDA: ¿Se puede saber qué tienes que decir de este vestido?

BLENDA: Justamente del vestido, nada.

BEDA: Yo quiero estar guapa por el muchacho. No le hará daño ver un poco de estilo y de belleza.

BLENDA (riéndose con sorna): ¡Ja, ja!

EBBA: ¿Quién me ha quitado mi perfume? (Gritando). ¡Mi perfume!

BEDA: Una vieja chatarra como tú no debe usar perfume. ¡Es obsceno!

EBBA: Ya has vuelto a decir otra maldad. ¿Dónde está mi audífono?

BEDA: Y si así fuera, que vienen por cuestiones de dinero, ¿de veras tenemos que cerrarnos en banda?

BLENDA: No te quepa la menor duda, querida Beda. Corren malos tiempos y la gente tiene que aprender a vivir de acuerdo con sus posibilidades.

BEDA: No parece que tengan muchas.

BLENDA: Alma no ha sabido nunca manejar el dinero. ¿Recuerdas que le mandamos cincuenta coronas cuando murió el padre de Henrik? ¿Sabes lo que hizo? Comprarse un par de zapatos preciosos para el traje de luto. Ella misma lo contó. ¿Es esa manera de administrarse? Yo solo pregunto.

EBBA: Ya salen de la caseta. ¡Hay que ver con qué cariño mira a su madre! Fíjate. Es un muchacho muy bueno, no cabe duda.

El cuarto de estar y el comedor están unidos en ángulo con grandes ventanas orientadas hacia poniente. Todos los colores son claros: ligeras cortinas de verano, muebles hechos a mano en el estilo de Carl Larsson, pintados de blanco, papeles amarillos en las paredes, grandes butacas de mimbre, un piano cuadrado, un aparador color flor de tilo, multicolores alfombras de trapo sobre las anchas y bien fregadas tablas del piso. En las paredes hay una especie de arte moderno: mujeres que parecen flores y flores que parecen mujeres, paisajes y muchachas vestidas de blanco, mirando irresolutas hacia un futuro maravilloso.

Las hermanas entran en fila: Ebba, Beda y Blenda. Alma y Henrik ya están en su sitio, la madre con un vestido de seda violeta demasiado ceñido, sufriendo dentro de la ajustada faja, Henrik con un traje pulcro pero lleno de brillos por el uso, cuello duro y corbata. Blenda invita enseguida a pasar a la mesa y, una vez sentados, toca un timbre eléctrico escondido. Inmediatamente surgen dos jóvenes sirvientas con una sopera humeante y platos calientes: sopa de ortigas con huevos duros.

Después de la cena, toman café en la galería. A Alma y a Henrik los colocan en el sofá de mimbre. Blenda se sienta en la mecedora, estratégicamente situada fuera de la horizontal luz solar. Beda se ha sentado en las escaleras de la galería. Fuma un cigarrillo en una elegante boquilla. Ebba está sentada de espaldas a las vistas y con los audífonos preparados.

Ha llegado, pues, la hora. La respiración de Alma es un poco silbante: si es por la emoción o por la buena comida o por el excelente vino, es difícil decirlo. Henrik está pálido y trenza los dedos en nudos.

BLENDA: Es de suponer que Alma y Henrik no han hecho este largo camino solo por cariño a la familia. Si no recuerdo mal, la última vez fue hace tres años. La razón de vuestra visita en aquella ocasión fue el préstamo para costear los estudios de Henrik.

Blenda se mece suavemente en su asiento y contempla a Alma con fría afabilidad. Beda cierra los ojos y se deja bañar por los últimos rayos de la puesta de sol. Ebba tiene los audífonos puestos y se chupa la dentadura postiza.

ALMA: Se ha terminado el dinero. Así de sencillo.

BLENDA: ¿Cómo que se ha terminado el dinero? Era para cuatro años y apenas si han pasado tres.

ALMA: Las cosas se han puesto muy caras.

BLENDA: Tú misma fijaste la cantidad que necesitabas. Yo no recuerdo haber regateado.

ALMA: No, no, qué va. Fuiste muy generosa, Blenda.

BLENDA: ¿Y ahora se ha terminado el dinero?

ALMA: Yo contaba con que el abuelo de Henrik nos ayudaría, puesto que, al fin y al cabo, Henrik iba a continuar la tradición familiar haciéndose sacerdote.

BLENDA: Pero el abuelo de Henrik no os ayudó, ¿no?

ALMA: No. Estuvimos todo un día pidiéndole. Solo nos dio doce coronas para los billetes de vuelta. Para que pudiéramos regresar a casa, a Söderhamn.

BLENDA: Muy generoso por su parte.

ALMA: Son malos tiempos, Blenda. Yo doy clases de piano, pero no se gana mucho. Y hay alumnos que no van a seguir.

BLENDA: Entonces, ¿lo que quieres es otro préstamo?

ALMA: Henrik y yo discutimos *a fondo* la posibilidad de que abandonase sus estudios para solicitar un puesto en la nueva oficina de Telégrafos de Söderhamn. Porque otra salida no teníamos. Pero entonces ocurrió algo.

EBBA: ¿Qué?

ALMA: Ocurrió una cosa.

BEDA: ¡Dilo ya!

ALMA: Una cosa muy agradable.

EBBA: ¿Qué dice?

BLENDA: Que pasó algo agradable.

ALMA: Yo creo que debe ser Henrik quien lo cuente.

HENRIK: Pues… me examiné de Historia de la Iglesia con el profesor Sundelius, que es un verdadero hueso. Fuimos tres a examinarnos y el único que aprobó fui yo. Después del examen el profesor quiso tener una conversación a solas conmigo. Me ofreció un habano y estuvo amabilísimo. Totalmente distinto de su acostumbrada actitud sarcástica.

ALMA (excitada): Le ofreció un habano a Henrik.

HENRIK: Por favor, mamá, acabo de decirlo.

ALMA: Perdona, perdona.

HENRIK: Bueno, hablamos un rato de unas cosas y otras. Él dijo, por ejemplo, que los que son fuertes en Historia de la Iglesia demuestran aplicación, buena memoria y disciplina. Le pareció que yo había dado prueba de una extraordinaria inteligencia cuando expliqué el simbolismo apostólico. Es un tema bastante complicado que requiere un cierto sistema científico.

EBBA: ¿Qué dice el chico, Blenda?

BLENDA: Espera, Ebba (a gritos), luego te lo digo, luego.

HENRIK: Me propuso que me dedicara a la investigación. Que debía preparar una tesis doctoral. Se ofreció a dirigírmela él. Más adelante yo podría solicitar un cargo docente. En su opinión, la mayoría de los teólogos son unos mentecatos, y hay que aprovechar los talentos sin recursos.

ALMA: Muy halagador para Henrik, ¿comprendes, Blenda? El profesor Sundelius va a ser nombrado arzobispo o ministro en cualquier momento.

HENRIK: Entonces yo le dije la verdad, que no tenía recursos. Que ni siquiera me llegaba el dinero para hacerme sacerdote. El catedrático me aseguró que si podía arreglármelas por mi cuenta los primeros años, después me darían lo que llaman una beca de doctorado. Eso es bastante dinero, ¿sabe, tía Blenda? Casi todos los doctorandos están casados, tienen hijos y servicio.

BLENDA: ¡Caramba!

ALMA (intercala): Ahora acudimos a vosotras para pediros otro préstamo, sin intereses ni amortizaciones, de seis mil coronas. Es lo que el profesor Sundelius calcula que se necesita, aproximadamente.

BLENDA: ¡Caramba!

ALMA: Queríamos decíroslo a vosotras *primero*. Antes de ir al Banco de Uplandia, me refiero. El catedrático prometió escribir una carta de recomendación. Dijo que tal vez podría dar su aval.

BLENDA: ¿Tú qué dices, Beda?

BEDA (ríe): Me he quedado sin habla.

EBBA: Pero ¿de qué estáis hablando? ¿De dinero?

BLENDA: ¡De que Henrik va a ser catedrático! Y necesita seis mil coronas además de las dos mil que ya le hemos prestado. ¿Entiendes?

EBBA: ¿Tenemos todo ese dinero?

BLENDA: Esa es la cuestión, esa.

Blenda se ríe como rezongando. Beda mira sonriente a Henrik a través de sus largas pestañas oscuras. La palidez de Henrik ha dejado paso a un intenso rubor. Alma respira pesadamente. Blenda se incorpora de repente dando unas palmadas.

BLENDA: Si hemos de hacer algo, es mejor que lo hagamos ya. Alma y Henrik, ¿queréis ser tan amables de pasar a mi despacho?

El despacho de Blenda tiene entrada directa desde el recibidor y es bastante estrecho. Las estanterías están atestadas de libros de contabilidad. En mitad de la habitación hay un pupitre; junto a la ventana, una mesa escritorio y unas cuantas sillas de madera pintadas de oscuro. En un rincón, un sofá de piel y un butacón, una mesa redonda con tablero de bronce y aperos de fumar. Blenda enciende la luz, saca una llavecita de la cadena de oro que lleva al cuello, abre el cajón central del escritorio, saca unas llaves de metal reluciente y abre la caja fuerte que está escondida tras un biombo, junto a la puerta.

Alma y Henrik no pueden ver lo que hace al otro lado del biombo. Cuando reaparece, lleva un fajo de billetes en la mano derecha. Pone el dinero encima de la mesa, guarda las llaves de la caja fuerte y coloca la llave del cajón en la fina cadena de oro. Luego empieza a contar: son seis mil coronas en billetes. Cuando termina, le da el dinero a Alma, que está como paralizada por un rayo.

ALMA: ¿Debería, tal vez, firmar un recibo?

BLENDA: Henrik, ¿quieres hacerme el favor de irte con las tías un momento? Me gustaría hablar a solas con tu madre.

Henrik hace una inclinación y se dirige a la puerta. Tiene la desagradable impresión de que algo ha fallado. Cuando Henrik sale, Alma se sienta. Blenda empieza a hojear un listín de teléfonos.

BLENDA: Curiosamente, tenemos aquí en la oficina el listín de teléfonos de Upsala. Estoy pensando en llamar al profesor Sundelius para agradecerle en nombre de todos los parientes su misericordiosa ayuda al prometedor vástago familiar. Sí, aquí está el número, quince, cuarenta y tres.

Levanta el auricular y mira sonriente a Alma cuyo rostro se ha vuelto ceniciento. Las lágrimas han empañado su desmesurada mirada azul. Blenda coloca despacio el auricular en su sitio.

BLENDA: Acaso llame otro día. No es muy cortés molestar a un hombre tan importante después de las ocho de la noche.

Blenda se sienta frente a Alma y la mira con algo que podría describirse como «tierna ironía».

BLENDA: Supongo que comprendes que tanto yo como mis hermanas estamos orgullosas de poder contribuir a que Henrik tenga un porvenir tan brillante.

Le da unas palmaditas a Alma en su redonda rodilla y en su redonda mejilla, por la que justamente resbala una lágrima hacia la comisura de la boca. Alma balbucea algo sobre su agradecimiento.

BLENDA: No tienes nada que agradecer, Alma. Hago esto porque tu hijo es cautivadoramente inteligente. ¿O por nada, quizás? ¿O por lo mucho que tú lo quieres? No lo sé. ¿Nos vamos con los demás? Creo que hay que celebrar esta noche con una botella de champán. ¡Ven, Alma! No llores así. No me había divertido tanto desde que nuestro hermano perdió el pleito de la herencia.

El director de Tráfico construyó en sus buenos tiempos una casa para veranear cerca de los ríos, los lagos, los bosques y las azuladas colinas. Todos los años, a mediados de junio, se hace el traslado, empresa enorme dirigida por experimentados estrategas. Se quitan las cortinas, se enrollan las alfombras con naftalina en papel de periódico, se cubren los muebles con fantasmales sábanas amarillentas, se envuelven las arañas en tarlatana, y se carga un baúl con los indispensables artículos de primera necesidad, desde la cama y las almohadas especiales de Johan Åkerblom hasta la casa de muñecas de las niñas y los incomparables moldes para pastas de Siri, los pinceles de doña Martha y las novelas de Anna.

Estamos a primeros de julio y una tranquila somnolencia, acompañada de un centelleante calor, envuelve a las personas y los espejos acuáticos. La pelota de croquet rueda indolentemente. Alguien está tocando el piano, una romanza sentimental de Gade. Lisen dormita en el banco del mirador, sin darse cuenta de que el ovillo se ha caído en la hierba. Doña Karin, la dueña de la casa, está en la galería de arriba, vestida de blanco y de buen humor, con un sombrero de ala ancha que le da sombra a los ojos. Está escribiendo una carta que no terminará. Su mirada gris se pierde en la luz que da sobre las lomas. El director de Tráfico, por su parte, reposa en la hamaca con las gafas en la frente y un libro sobre el vientre. En la cocina, sin embargo, reina una cierta, si bien limitada, aplicación.

Siri y Anna están limpiando fresas. Hay un montón, y lo hacen a buen ritmo. El ambiente es de conversación confidencial: un poco de charla y un poco de silencio. Las moscas zumban en la cinta amarilla del cazamoscas y el orondo gato ronronea medio adormilado en la ventana.

SIRI: ... Pues, sí, yo entré en la casa cuando usted nació. Entré para ayudar a Stava, pero ella ya no tenía fuerzas para nada, así que tuve que hacerme cargo desde el principio. Casi todo el tiempo se lo pasaba acostada en el cuarto, dando órdenes. Nadie sabía lo enferma que estaba, así que una se enfadaba bastante, ¿sabe usted? Y de pronto un día amaneció muerta. Yo ya valía bastante entonces, aunque no tenía más que veinte años. Pero había mucho que hacer. Y la señora Åkerblom no era mucho mayor, no... Con esos hijastros ingobernables. Y el señor no se molestaba mucho en ayudar a educarlos, estaba demasiado ocupado con sus puentes y sus ferrocarriles. Y luego Riken y Runa, que eran buenas chicas y obedientes, pero tontas como gallinas. No, las que tuvimos que hacernos cargo de todo y poner orden en todo el desarreglo fuimos la señora Åkerblom y yo. Y lo hicimos, ya lo creo, a pesar de que la señora se quedó embarazada otra vez —sabrá que se puso bastante mala—, así que le dije: No se mate, señora Åkerblom, no se mate, repose todo lo que pueda, que yo me ocuparé de todo el jaleo, basta que me diga la señora cómo quiere las cosas. Y así lo hice. Y luego la señora se puso bien y otra vez de buen humor, y así ha seguido todo, al orden, me refiero. La señora y yo no siempre pensamos lo mismo, pero las dos combatimos el descuido, la suciedad y el desorden. No soportamos el desorden de ninguna de las maneras, si usted comprende lo que quiero decir. (Pausa). Pues sí, así han sido las cosas y así seguimos.

ANNA: ¿No se ha enamorado usted nunca, Siri?
SIRI: Pues claro que sí, hubo uno al principio que quería levantarme las faldas. Pero con tantos apremios no llegué a enterarme nunca de qué intenciones tenía.

Ernst entra ganduleando en la cocina, le tira de la trenza a su hermana, besa a Siri en la nuca y le pregunta si hay zumo de naranja, se sienta a la mesa y come con glotonería fresas limpias. Siri sirve al muchacho. Incluso rompe un trozo de hielo del bloque que gotea permanentemente en la nevera y pone sobre la mesa un vaso de zumo y, además, galletas de pasas. Ernst dice, bostezando, que va a darse una vuelta en bicicleta hasta el lago Gimmen. ¿Quiere ir Anna con él? ¡Con este calor!, grita Anna cuando Ernst le hace cosquillas en el costado. Venga, no seas holgazana, vamos y nos bañamos de paso. Se lo decimos a mamá y nos vamos.

Se encaminan hacia la escalera que sube al primer piso. Ernst grita: ¡Mamá! Karin Åkerblom despierta de sus sueños en torno a la carta a medio escribir, sale al rellano y dice con severidad: Ernst, ¿cómo haces tanto ruido?, vas a despertar a papá. Vamos al lago a bañarnos, ¿vienes con nosotros? ¿Le ha preguntado Anna a Siri si hay algo que hacer en la cocina? Ahora mismo no hay nada, dice Anna. Y además las niñas también pueden ayudar un poco. Se han escondido en la caseta de juegos a leer *Los amantes secretos*, de la condesa Paulette. «Amantes», en plural. Bueno, bueno, dice la señora Åkerblom con resignación, eso no es cosa mía, es cosa de Martha. Nosotros nos vamos, dice Ernst corriendo por la escalera para abrazar a su madre. Gracias, muy amable, dice

Karin Åkerblom tirándole del pelo. Tienes que cortarte el pelo, no están bien esas greñas.

Luego se van en sus flamantes bicicletas. Primero unos kilómetros por la carretera y después en ángulo recto entre los árboles. Es un sendero serpenteante y arenoso que va siguiendo al pedregoso riachuelo Gimån, que no es muy profundo, pero que corre caudalosamente incluso en los meses más calurosos del verano.

El Gimmen es un lago natural de forma alargada, incrustado en un interminable paisaje de bosques. El agua es clara y helada, las orillas están llenas de piedras y se inclinan suavemente hacia abruptos precipicios.

Los dos hermanos dejan las bicicletas junto a un molino en ruinas y avanzan por una senda de vacas bajo alisos y troncos de abedul que se van oscureciendo. Encuentran un lugar para bañarse, una estrecha faja arenosa sombreada por denso follaje.

Después de bañarse se reparten una tableta medio derretida de chocolate. A excepción de la compañía de algunas torpes moscas, todo es quietud, no se ve una nube, aunque la atmósfera está cargada como una ansiada y temida tormenta en el horizonte. Ernst, que es un buen gimnasta, hace el pino. Anna se ha puesto la camisa y las enaguas, está tumbada de espaldas mirando el follaje, levanta un brazo y con el dedo índice sigue los bordes de las hojas que se perfilan contra la blanca bóveda del cielo.

ANNA: Ernst, dime, ¿tienes tú algún ideal?
ERNST: ¿Qué?
ANNA: ¡Ideales!

ERNST: ¡Qué pregunta!

ANNA: Sí, te puede parecer rara, pero es una pregunta y quiero que me contestes.

ERNST: Ideales. Pues claro: ganar dinero. No tener que trabajar. Amantes apasionadas. Buen tiempo. Buena salud. Inmortal, quiero ser inmortal, no morirme nunca. Ser inmortal en el sentido de ser famoso me deja completamente frío. Quiero que las personas a las que amo sean tan felices como yo. No quiero odiar a nadie. No quiero casarme jamás. Pero me gustaría tener muchos hijos. Así que, sí, tengo ideales.

ANNA: ¿Es que no puedes tomarte nada en serio?

ERNST: No, Anita, no me tomo nada en serio. ¿Cómo voy a tomarme nada en serio viendo cómo se comporta la gente? Lo que sí necesito, y mucho, es salvaguardar mi sano juicio. Por eso no me dedico a pensar. Si pensase, «volveríame loco», como dice Lucidor.

ANNA: En la Escuela de Enfermeras tenemos bastantes clases teóricas. Casi siempre son muy aburridas, pero de vez en cuando son tan emocionantes, tan fascinantes que…

ERNST: …Tú tienes el don de la compasión y yo no. En eso soy igual que nuestra madre.

ANNA: Un día vino una mujer médico, catedrática de pediatría. Empezó a hablar y a dar ejemplos de su consulta, solamente. Sobre todo de niños con tumores. Nos contó sufrimientos tan espantosos que apenas podíamos dominarnos, lo único que queríamos era llorar y librarnos de todo ese horror. Niños sufriendo como condenados. Niños pequeños, ¿te das cuenta Ernst?, que no comprenden nada y que ven adultos a su alrededor que no saben qué hacer.

Son niños atormentados, llorosos, valientes, callados, estoicos. Y se mueren, no hay remedio. A veces desgarrados en varias operaciones hasta quedar irreconocibles. Esa profesora hablaba con la mayor serenidad. Su compasión era total todo el tiempo, ¿comprendes, Ernst?

ERNST (un poco sarcástico): No, Anna, mi querido arándano rojo. ¿Qué es lo que quieres que comprenda?

ANNA: Yo quiero ser como esa profesora. Yo quiero estar en medio de la más incomprensible crueldad, Ernst. Quiero ayudar, mitigar y consolar. Y debo tener todos los conocimientos necesarios.

ERNST: Entonces la Escuela de Enfermeras está muy bien para ti, ¿no?

ANNA: Sí, no está mal. La mitad de las compañeras se casan en cuanto terminan. Pero a mí me interesa algo más importante y más difícil. Es que, ¿sabes Ernst?, a veces me parece que tengo una fuerza enorme. Pienso que Dios me ha creado para hacer algo importante... Algo importante por los demás.

ERNST: Pero ¿tú crees en Dios?

ANNA: No, la triste realidad es que no creo en Dios.

ERNST: Cavilas demasiado. Es por eso que tienes dolor de estómago.

ANNA: Tengo que hablar con papá y mamá sobre esto de estudiar Medicina.

ERNST: No va a ser fácil, Anita. ¡Figúrate Upsala! ¡Figúrate los estudiantes de Medicina que conoces! ¡Figúrate los catedráticos!

ANNA: Si ella fue capaz de hacerlo, también yo.

ERNST: ¿Y qué va a ser de nosotros si tú te haces catedrática?

ANNA: Nos casamos y tú te ocupas de llevar la casa.

ERNST: Pero es que yo quiero tener hijos.

ANNA: Ya tienes a tus amantes, caramba.

ERNST: Pero tú vas a tener unos celos horribles y a armar cada trifulca…

ANNA: Eso es verdad. A mis amores no me los toca nadie.

ERNST: ¿Quiénes son tus amores, pues?

ANNA: A que te gustaría saberlo, ¿eh? Pues, papá, claro. Y tú, claro (se calla).

ERNST: ¿Y Torsten Bohlin?

ANNA: No, por Dios, qué tonterías dices. Torsten no es uno de mis amores.

ERNST: Pero alguien sí lo es.

ANNA: A lo mejor. Pero no lo sé, la verdad.

ERNST (inopinadamente): A propósito, ¿te apetece venir a pasar unos días conmigo a Upsala?

ANNA: No sé si me dejará mamá.

ERNST: Tranquila, de eso me ocupo yo.

ANNA: ¿Qué vas a hacer en Upsala a mediados de julio?

ERNST: Acaban de inaugurar un departamento de Meteorología. El profesor Beck me ha dicho que me matricule.

ANNA: ¿Y eso te gustaría?

ERNST: Contemplar el firmamento y las nubes y el horizonte, volar, quizás, en un globo… ¿No te parece precioso?

ANNA: Tendrás que hablar con mamá. No creo que me deje ir.

ERNST: ¿Quién va a hacerme la comida? ¿Quién va a zurcirme los calcetines? ¿Quién va a ocuparse de que el niño mimado de mamá se acueste como es debido por las noches? Lo podemos pasar bien, ¿sabes?

ANNA: Apetecer, me apetece muchísimo.

ERNST: Yo voy en bici y tú tomas el tren. Y nos vemos en casa. Este verano tan bucólico está empezando a atacarme los nervios.

ANNA (le da un beso): Eres un pícaro, Ernst.

ERNST: Y tú también, Anita bonita, vergel de arándanos. Aunque de otro tipo.

Estudiar en vacaciones. Alumno reacio y deprimido con postillas en las rodillas, medio dormido. Profesor reacio y deprimido con rabia contenida y pensamientos disolutos. La ventana se abre hacia el verano. A lo lejos, pero perfectamente visibles, se bañan cuatro muchachas entre gritos y risas. Aromas balsámicos del jardín. La casona de Åkerlunda, en la finca del mismo nombre, unas decenas de kilómetros al noroeste de Upsala. El arroyo del parque, los cultivos, los rápidos, las colmenas, unas vacas indolentemente desorientadas en el sembrado de centeno. Estudiar en vacaciones.

El joven conde se llama Robert y mira fijamente y de mal humor la gramática alemana abierta frente a él. Se espera que de un momento a otro recite el presente, el imperfecto y el pluscuamperfecto y, a ser posible, también el futuro del verbo auxiliar «sein». Henrik, con corbata y en mangas de camisa, está sentado al otro extremo de la mesa, estudiando Historia de la Iglesia. De tanto en tanto subraya algo con un trozo de lápiz romo. Robert y Henrik, dos esclavos encadenados en el fondo de las galeras de la sabiduría. Las chicas que se bañan, gritan. Robert alza la mirada y la clava en la ventana con blancas cortinas que se ondulan perezosamente. Henrik quita los pies de la mesa y cierra el libro.

HENRIK: ¿Y bien?
ROBERT: ¿Qué?
HENRIK: ¿Ya te lo sabes?
ROBERT: ¿No podríamos ir a bañarnos?
HENRIK: ¿Qué crees que diría tu padre?

El joven conde remueve el trasero, se tira un pedo y dirige a su torturador una mirada de aborrecimiento. Robert, en realidad, es un chico guapo, el ojito derecho de su madre, pero ahí está ahora, entre el yunque y el martillo: la vanidad y las aspiraciones del conde.

ROBERT: Me cago en la puta de los cojones, maldita sea.
HENRIK: ¿Crees que a mí me parece divertido? Vamos a sacar todo el partido posible a la situación.
ROBERT: Pero usted cobra, coño. (Se rasca la entrepierna).
HENRIK: Abróchate los pantalones y haz el favor de acercarme la gramática.

Robert le tira el libro a Henrik y se guarda de mala gana la pija, azulada y levemente ondeante. Pone los brazos sobre la mesa, la cabeza sobre los brazos, y adopta la posición de dormir.

HENRIK: Bueno, vamos a ver, ¿el presente?
ROBERT (velozmente): *Ich bin, du bist, er ist, wir sind, Ihr seid, Sie, sie sind.*
HENRIK: Muy bien. Vamos con el imperfecto, pues.
ROBERT (igual de rápido): *Ich war, du warst, er war, wir waren, Ihr wart, Sie, sie waren.*

HENRIK (sorprendido): Hay que ver. Y ahora… ¿qué falta?
ROBERT: El perfecto, cojones, me cago en la puta.
HENRIK: ¿Perfecto?
ROBERT: *Ich habe gewesen*. (Silencio).
HENRIK (lo mira con fijeza).
ROBERT: *Du hast gewesen, er hat gewesen*. (Silencio).

Víctima y verdugo se miran con implacable aversión. En este instante, sin embargo, no se puede saber quién desempeña un papel u otro.

HENRIK: ¿Cómo?
ROBERT: *Wir haben gewesen*.

En ese crítico momento entra el conde sin llamar a la puerta. Posiblemente haya estado escuchando desde fuera. Svante Svantesson de Fèste llena la habitación con su volumen, su voz, sus patillas y su nariz. Los ojos son de un azul infantil; la cara, roja con tendencia al morado. Henrik se pone de pie y se estira la ropa. Robert se derrumba. Ya sabe lo que le espera.

CONDE SVANTE: Así que… gramática alemana, ¿eh?… Esto… ¿Qué le iba a decir? ¡Ah!, sí. Un joven que se llama Ernst Åkerblom vino en bicicleta y quería hablar con usted. Le comuniqué que estaba usted ocupado con mi hijo hasta la hora del té y le sugerí que fuese a bañarse con las chicas, cosa que parece que hizo con mucho gusto. Sí, eso era. ¿Qué tal va Robert? ¿Es ineducable o ha logrado usted inculcarle algún conocimiento de los que se supone que debe tener un aristócrata desde que se suprimieron los cuatro estamentos? ¿Qué tal va?

HENRIK: Yo creo que Robert es listo y hace progresos. Claro que hay lagunas…

CONDE SVANTE: ¿Dice usted de verdad lagunas? ¿No abismos?

HENRIK: … Digo que hay lagunas, pero si nos esforzamos los dos, lograremos unas cuantas cosas antes de que empiece el curso.

CONDE SVANTE: ¿Ah, sí? ¿De veras? Vaya, vaya, esto parece prometedor. Y tú, ¿qué dices, Robert? ¿Eh?

El conde golpea a su hijo en la nuca con la mano abierta de modo que se oye cómo le rechinan los dientes. Es un gesto hecho con intención de dar ánimos, pero Robert baja la cabeza, empieza a moquear y una lágrima se abre paso por su sucia mejilla.

ROBERT: Sí.

CONDE SVANTE: ¿Qué te pasa? ¿Estás llorando?

ROBERT: No.

CONDE SVANTE: Ya, ya me parecía a mí. Suénate. ¿No tienes pañuelo? ¿Y eso? Anda, toma el mío. No moquees. Quiero hablar a solas con tu profesor. Llévate la gramática y siéntate a estudiar en el cenador.

Robert se retira cabizbajo, parece una desgracia andante. Cuando se cierra la puerta, la voluminosa humanidad del conde se desploma en una vacilante silla con el respaldo roto. Se queda así, agobiado y rezongando como para sí mismo.

HENRIK: ¿El señor conde quería hablar conmigo?

CONDE SVANTE: Su madre dice que soy injusto. Que me meto con él. Que no lo quiero. No sé, me parece que no vale la pena seguir esta especie de tortura. ¿Qué opina usted?

HENRIK: No hay que perder las esperanzas.

CONDE SVANTE: Bobadas, señor Bergman. Mi hijo Robert es un zángano incorregible, un completo imbécil. Un llorica de los cojones. De mayor será un tunante y un botarate. Sigue pareciéndose a su tío materno, y en él puede verse el resultado final.

HENRIK: Da lástima el muchacho.

CONDE SVANTE: ¿Cómo que da lástima? ¿Da lástima alguien que lo ha tenido todo? ¿Que nunca ha tenido que esforzarse, que es el niño mimado de su madre? Si ese da lástima, lo que da lástima es la humanidad.

HENRIK: Tal vez dé lástima la humanidad.

CONDE SVANTE: Pero ¿qué mariconadas está usted diciendo, señor Bergman? No me venga con semejantes fantasías enfermizas. *Ich habe gewesen!* Sí, señor. El hombre es un maldito montón de mierda, señor Bergman. Una contaminación en la superficie de la Tierra. Menos mal que hay caballos. Si no tuviera mis caballos, me pegaría un tiro en la cabeza. Los caballos sí que dan pena. Su gran error fue pactar con el hombre al comienzo de los tiempos. Y ese pacto lo están pagando. (De pronto). Estamos, pues, de acuerdo en suspender la broma esta de que Robert estudie durante las vacaciones, ¿no es así?

HENRIK: Usted decide, señor conde.

CONDE SVANTE: Eso es, señor Bergman, el señor conde decide. Mandaremos a ese sauce llorón a casa de su abuela en Hägersta, que allí hay bastantes mujeres ante las que hacer melindres. Y en otoño que repita curso. ¿Qué día es hoy? Sábado, 9 de julio. Usted cesa hoy a petición propia con sueldo hasta el viernes 15. Puede usted irse o quedarse, como quiera. ¿Le parece a usted bien así?

HENRIK: El señor conde quizá tenga la bondad de recordar que a mí me contrataron hasta el primero de septiembre. Yo carezco de recursos y he contado con este empleo.

CONDE SVANTE: ¡Anda, coño! ¿Quiere usted decir que pretende cobrar sin hacer nada?

HENRIK: A estas alturas del verano es imposible conseguir otro empleo, y yo tengo que vivir.

CONDE SVANTE: Tiene usted muchas pretensiones. Y, además, es usted un descarado. Eso no me lo esperaba de un aprendiz de cura.

HENRIK: Lo siento, pero tengo derecho a lo que me corresponde. Si el señor conde se niega, me veré obligado a dirigirme a la señora condesa, puesto que el contrato, en último término, está firmado por ella y por mí.

CONDE SVANTE: ¡No se atreverá a hablar con la condesa!

HENRIK: No tengo más remedio.

CONDE SVANTE: Es usted un maldito granuja al que le han dado pocos azotes de pequeño.

HENRIK: Y el señor conde es, con perdón, un bruto de mierda al que probablemente han zurrado mucho de pequeño.

CONDE SVANTE: ¿Qué tal si reparo alguno de los pecados de omisión de su padre y le cae una somanta aquí mismo?

HENRIK: Hágalo, señor conde, pero no cuente con que vaya a quedarme quieto. Adelante, le dejo la iniciativa, señor conde, usted es, sin duda alguna, más viejo. Y más noble.

CONDE SVANTE: Tengo la tensión alta y no puedo agarrar estos cabreos.

HENRIK: Ojalá le dé a usted un patatús. La misericordia de Dios libraría al mundo de un animal.

Svante Svantesson de Fèste se echa a reír y empieza a boxear contra el pecho de Henrik con el puño cerrado. Henrik sonríe desconcertado.

CONDE SVANTE: ¡Vaya con el aprendiz de cura de los demonios! Bueno, joven, no ha rugido usted mal, no. Si se quiere hacer algo en este podrido mundo hay que mantener el tipo hasta el final. ¿Hasta el 1 de septiembre, dice? Le debo entonces julio y agosto. Doscientas cincuenta coronas. Concluimos el negocio ahora mismo y ni una palabra a las señoras, ¿estamos?

HENRIK: En el acuerdo entraba la comida y el alojamiento hasta el primero de septiembre, pero eso se lo regalo.

CONDE SVANTE: ¡No, hombre, no! ¡Quédese! Aquí se está bien. Hay chicas guapas. Buena comida. ¡Reconozca que aquí se come bien!

HENRIK: No, muchas gracias.

CONDE SVANTE: ¡Hay que ver qué altanero es usted! ¿Rencoroso también?

HENRIK (sonriendo): No en este caso.

CONDE SVANTE: Pues venga a tomar el café con la condesa y las chicas. Y con su amigo. ¿Cómo dice usted que se llama?

HENRIK: Ernst.

El conde, risueño, palmea al señor Bergman en la espalda.

El calor empieza a apretar y el polvo vuela en las secas ráfagas de viento. Henrik y Ernst van camino de Upsala en bicicleta. Pedalean uno al lado del otro por el accidentado camino. Sandalias, pantalones un poco remangados, camisa abierta. Mochilas con diversas pertenencias. Chaquetas, ropa interior, calcetines envueltos en impermeables, en el portaequipajes. Gorras de bachiller. Despacio. Han salido a las cinco y entre los muchos descansos y los baños, han llegado solo hasta la iglesia de Jumkil.

Hay movimiento de gente. Se forman grupos que van siguiendo el borde del camino: hombres endomingados con sombreros redondos, cuello y corbata. De repente, un terrón de tierra le da a Ernst en mitad de la espalda. Se para y se vuelve. Henrik se para un poco más allá. Pasa un grupo de hombres hablando entre ellos, pero sin mirar a Ernst. Un hombre alto y delgado se adelanta corriendo de improviso y le arranca la gorra de bachiller a Henrik, escupe sobre ella, la tira al suelo y la patea. Henrik se queda perplejo. Ernst pasa pedaleando y le hace señas de que se dé prisa.

Llegan a la estación de Bälinge: un tren especial con muchos vagones está parado en una vía muerta. Alrededor del tren, mucha agitación. Una banda de música saca los instrumentos, se van desplegando banderas. Un centenar de hombres se mueve en la polvorienta explanada de la estación, envuelta en la blanca luz solar.

ERNST: Ya veremos si hay clase este trimestre.
HENRIK: ¿Por qué no iba a haber?
ERNST: ¿Es que no lees los periódicos?
HENRIK: ¡Como si tuviera dinero para eso!

ERNST: Dicen que va a haber huelga general y *lockout*. Para agosto, a más tardar.

Henrik no contesta. Se siente confundido y avergonzado de ignorar, como de costumbre, esos asuntos.

A eso de la una llegan a una Upsala desierta. El sol cae de plano en la calle Trädgårdsgatan y las sombras se han retirado bajo los castaños. Dejan las bicicletas en el patio empedrado y toman el equipaje. Anna ya les ha visto y sale corriendo. Tiene las mejillas rojas y está morena. El pelo recogido en una gruesa trenza. Sobre el vestido de hilo lleva un gran delantal de cocina con las hombreras plisadas, anchas como alas de ángel. Se abraza a Ernst y le da un beso en la boca, luego se vuelve hacia Henrik y le tiende la mano sonriendo.

ANNA: ¡Qué bien que hayáis podido venir los dos! Buenos días, Henrik. Bienvenido a casa.

HENRIK: Me alegro mucho de volver a verte, Anna.

Se tratan con cumplido y un tanto azorados. Esto, en realidad, es tráfico ilegal, sin que lo sepan los padres y sin su permiso.

ERNST: Ahora un baño frío, cerveza fría, dos horas de sueño y una buena comida, y después fiesta con improvisaciones. ¿Os parece bien?

Arrastran la enorme tina de latón hasta la cocina y la llenan con cubos de agua fría. Henrik y Ernst se refriegan con jabón y esponja. Anna les ha sacado botellas de cerveza de la nevera. Después de secarse —Anna está sentada en la leñera del vestíbulo— y de vaciar la tina en el desagüe, junto a la bomba del patio, se instalan cada uno en su cuarto: Ernst en el suyo de siempre y Henrik en el del servicio, detrás de la cocina. Está orientado al norte, es fresco y un poco oscuro. El papel de las paredes es de color cardenillo y huele a arsénico, el techo es alto y adornado con manchas de humedad. Henrik se estira en la estrecha cama crujiente. En la pared hay un cuadro que representa una diligencia parada junto a una posada de pueblo, con gente andando entre coches, carros y casas, perros que ladran y un caballo encabritado. Sobre una cómoda alta, pintada de marrón y con tiradores de bronce, hay un reloj dorado con cuatro patas. Hace un tictac simpático y diligente. Las sábanas y la almohada huelen a espliego. El espeso follaje está inmóvil, casi pegado a la ventana. En esto, sopla un poco de viento, las hojas se mueven con pereza, se oye un rumor durante unos instantes. Después, vuelve el silencio.

Henrik oye a los dos hermanos riendo y charlando en algún lugar en las profundidades del piso. Súbitamente se siente invadido por una gran paz, apenas sabe qué es lo que hace que se le llenen los ojos de lágrimas. Pero qué es lo que me pasa, murmura para sí mismo. Y se queda dormido.

Ernst lo despierta sin contemplaciones: qué manera de dormir es esa, tres horas has estado durmiendo, ahora tienes que espabilar, ven, que vas a oír una cosa divertida. Pero chist, no hagas ruido, que no se dé cuenta. Ernst lo toma de la mano y lo conduce a través de la cocina, en la que se notan algunos preparativos para la cena. La puerta que da al vestíbulo está entreabierta. Se oye la voz de Anna. Está hablando por teléfono.

ANNA: ¡Cuánto me alegro de que hayas llamado, mamá! Sí, sí, Ernst ha llegado muy bien. ¿Cómo? Que sí, que llegó muy bien, digo. En este momento está roncando como un ángel bendito. No se oye muy bien. Que no se oye muy bien. ¿A papá le duele el estómago? Como siempre, pobre papá. ¿Que qué vamos a hacer esta noche? Pues seguramente iremos al parque Odin, hay un concierto. ¿Que si estamos solos? ¿Cómo dices, mamá? Solo estamos Ernst y yo. ¡Uy, qué cara va a salir esta llamada, *mammchen*! Muchos saludos a todos. Va a haber tormenta, se oyen muchos ruidos en el teléfono. Muchos besos, *mammchen*, y no te olvides de darle un abrazo a papá de mi parte. ¿Qué dices, mamá? ¿Que tengo la voz rara? Son figuraciones, es que se oye muy mal. Adiós, mamá, vamos a colgar.

Anna cuelga el auricular y le da a la manivela, va corriendo a la cocina, le tira del pelo a su hermano y le echa luego los brazos a la cintura. Ten cuidado con mi hermana, dice Ernst con ternura. Ten muchísimo cuidado. Es la más sincera hipócrita y la más experta embustera de la cristiandad.

La cena quizá no sea precisamente exquisita, pero resulta, de todas maneras, divertida. Ernst ha manipulado con suavidad el candado de la bodega del director de Tráfico y ha puesto a enfriar unas botellas de borgoña blanco, el oporto está en el botiquín. Las ventanas están abiertas hacia el ocaso y el silencio de la calle, se oye una tormenta camino de algún sitio y el sol se ha apagado, sumido en una nube azul oscuro más allá del tejado de cobre de la biblioteca Carolina Rediviva. Anna se ha arreglado con gusto: lleva una blusa de seda fina color sepia con escote cuadrado, mangas largas y puños de encaje. La falda tiene un corte muy elegante, el cinturón es ancho con hebilla de plata. Se ha recogido el pelo en un moño bajo. Los pendientes son pequeños y brillan discretamente, pero se nota que son caros.

¿De qué hablan? Pues, por supuesto, de la insólita experiencia en la estación de Bälinge; luego hablan de Torsten Bohlin, que se ha ido a Weimar para seguir después hasta Heidelberg. Le ha escrito varias cartas a Anna, que se las ha encontrado aquí, en casa, alguien olvidó pedir que se las reexpidieran. La culpa es solo mía, dice Anna, a papá nunca le gustan mis pretendientes. Solo Ernst, dice Ernst, y se echan a reír los tres. Anna toma de la mano a su hermano. Mira a ver si hay puros en la caja de papá, dice.

Y los hay; bastante resecos, sí, pero se pueden fumar. Ernst le hace contar a Henrik el altercado en Åkerlunda. Y de pronto Henrik se vuelve hacia Anna, la mira intensamente y dice: ¿y tú vas a ser enfermera? Lo que lleva a Anna a ir en busca de un pequeño álbum: esta es la clínica Sophia, ¿ves?, y aquí en la parte de atrás, con las ventanas al parque y al bosque de Lill-Jan, tenemos las clases. Y aquí están los dormitorios, están bastante bien, solo vivimos dos en cada cuarto. La comida también es buena, y los profesores, estupendos. Aunque la disciplina es muy rígida. Y los días muy largos, nunca menos de doce horas. Desde las seis y media de la mañana hasta mucho después de las seis de la tarde. Así que para entonces una ya está muerta, ¿sabes Henrik? Anna está de rodillas en la silla de comedor, muy cerquita de Henrik, huele a algo fresco y dulce, no es exactamente perfume, sino tal vez un buen jabón. ¿O quizás es que ella huele así? ¿Solo ella? Ernst está sentado a la cabecera de la mesa, balanceándose en la silla con el puro entre el pulgar y el índice. Mira sonriente y, sí, un poquitín borracho a su hermana y a su amigo. Henrik siente el antebrazo de ella contra el suyo, su cabello le hace cosquillas cuando inclina la cabeza para buscarse en las fotografías. ¡Aquí estoy!, dice. No lo parece, el uniforme no sienta muy bien que digamos, aunque la cofia es mona, pero no nos la dan hasta que terminamos la carrera. Mi hermana va a ser hermana, mi hermana, hermana Anna, dice Ernst, y los tres se echan a reír. Por cierto, hacéis muy buena pareja juntos.

Anna cierra de golpe su álbum y deja espacio entre ella y Henrik. ¿Te parece atractiva mi hermana? Más que atractiva, contesta Henrik con seriedad. E insiste: ¿qué quieres decir con eso? No lo estropees todo ahora que lo estamos pasando tan bien, dice Anna un poco enfadada y sirviéndose un poco de oporto. Me ha caído una gota en la falda, dice luego. Haz el favor de darme la garrafa de agua, Henrik, es mejor probar con agua. ¡Qué mala suerte! La falda nueva. Ernst y Henrik miran cómo Anna frota la mancha con su servilleta. La falda ciñe la redondez de la cadera y del muslo.

Terminan la bebida y recogen la cocina juntos. Ernst friega, Henrik seca, Anna ordena y coloca en alacenas y cajones. ¿De qué hablan mientras? Probablemente los dos hermanos cuentan cosas de *mammchen*: es mamá la que manda, mamá gobierna, mamá decide. Mamá se pone a hablar con papá, justo cuando este acaba de sentarse en su sillón preferido con el periódico y el cigarro de la mañana, y dice: oye, Johan;

o bien: oye, Åkerblom (si es algo importante), ahora tenemos que decidir *por fin* si le echamos una mano a Carl otra vez con la letra de cambio o si dejamos que acuda a los desgraciados de los usureros, como siempre, eso ya lo sabemos. Tú decides, dice papá Johan. No, Johan, protesta *mammchen* sentándose, ya sabes que en los asuntos económicos *siempre* hago lo que tú dices, ¡no puedes seguir usando esa chaqueta, está empezando a salirle brillo en los codos!

Los hermanos son buenos comediantes, se ríen e interpretan, Henrik se deja ir, nunca antes ha visto seres tan hermosos. Siente una intensa nostalgia, pero no sabe bien de qué.

O *así*, dice Anna, atropelladamente, haciendo de mamá Karin. Oye, Ernst, escucha, ¿quién era la dama con la que estabas el jueves en el café Ekberg? Bien que os vi por la ventana, de algo muy misterioso debíais de hablar, porque os olvidasteis del chocolate y del pastel. Sí, sí, era bastante guapa, muy guapa, incluso, pero ¿era una chica verdaderamente *fina*? ¿Qué ha sido de Laura? Laura nos caía muy bien a papá y a mí. Es una pena que no sientes cabeza, *querido* Ernst, estás *demasiado mimado* por las chicas. No tienes más que mover el dedo meñique y vienen al galope y a montones. Tu amigo, ¿cómo se llama? ¿No se llama Henrik Bergman? Será también un cabeza de chorlito que seguramente se trae muchos líos de faldas. Es demasiado guapo para que una joven se atreva a confiar en él.

Por la noche empieza a llover. Se han sentado en el salón verde, entre sillones cubiertos de sábanas y cuadros tapados. Al oscurecer, los suelos de madera, despojados de alfombras, parecen más blancos, las ventanas sin cortinas se recortan con perfiles más acusados. Ernst canta un *lied* de Schubert con clara voz de barítono y Anna lo acompaña al piano. Es del ciclo *La bella molinera,* la canción número 18: «*Ihr Blümlein alle, die sie mir gab, euch soll man legen mit mir ins Grab*». Los sonidos flotan lentos a través de la habitación en penumbra. Dos velas alumbran a Ernst y a Anna, que se inclina sobre las notas. «*Ach. Tränen machen Nicht maiengrün, machen tote Liebe nicht wieder blühn…*».

Henrik contempla el rostro de Anna, la suave línea de la boca, el dulce resplandor de los ojos, la brillante oleada del pelo. Cerca de ella, con la cara vuelta hacia Henrik, pero en este preciso momento con los ojos cerrados, Ernst, con su fino y escaso pelo peinado hacia atrás, la boca pálida, los rasgos faciales muy acusados.

Henrik contempla fijamente a los dos hermanos, detiene el tiempo, ahora no puede correr sin más ni más, ni de cualquier manera. Él nunca ha vivido nada semejante, no sabía que existían esos colores, un espacio cerrado se abre. La luz se hace más intensa, se marea: así que esto puede vivirse. Esto *puede* vivirlo él también.

ERNST: Schubert sabía mucho del espacio, del tiempo y de la luz. Juntó elementos inimaginables y sopló sobre ellos. Y así los hizo comprensibles para los demás. Los instantes le atormentaban y los resolvió para nosotros. El espacio era escaso y sucio. Nos resolvió el espacio. Y la luz. Él vivió entre frías y crueles sombras y nos puso la tierna luz a nosotros. Era un santo. (Guarda silencio. Silencio).

ANNA: Propongo que demos una vuelta hasta el puente Fyris antes de acostarnos.

ERNST: Está lloviendo.

ANNA: Solo son unas gotas. Y Henrik, que se ponga la gabardina de papá.

HENRIK: A mí me apetece.

ERNST: A mí, nada.

ANNA: Venga, Ernst, no seas bobo.

ERNST: Id tú y Henrik. Yo me quedo y liquido lo que queda en la botella.

ANNA: Pero yo *quiero* que vengas. Y no solo quiero, *exijo* que vengas. Así que ya lo sabes.

ERNST: Anna es hija de su madre. En todos los aspectos.

ANNA: Mi hermano carece de la más elemental sensibilidad. Es una lástima, la verdad.

ERNST: Ahora no entiendo de qué estás hablando.

ANNA: Eso es lo que pasa. ¡Que no entiendes!

Pasean bajo la suave lluvia de la noche estival. Anna en el centro, bastante más baja, llenita, flanqueada por los gallardos jóvenes. Van los tres del brazo y andan despacio. Ninguna farola enturbia la luz de la noche. Se paran a escuchar.

La lluvia se cuela por los árboles.

ANNA: Callad. ¿Oís? Un ruiseñor.

ERNST: Yo no oigo nada. En primer lugar, no hay ruiseñores tan al norte, y, en segundo lugar, el ruiseñor no canta después de San Juan.

ANNA: Calla. No paras de hablar.

HENRIK: Pues sí, sí, es un ruiseñor.

ANNA: Escucha bien, Ernst

ERNST: Anna y Henrik oyendo ruiseñores en julio. ¡Estáis perdidos! (Escucha). Pero ¡coño!, si es verdad que es un ruiseñor.

Esa misma noche, a las dos, se divisan relámpagos a través de la clara persiana del cuarto del servicio. De vez en cuando se oye un lejano retumbar de truenos. El susurro de la lluvia es irregular, a veces más intenso, a veces apenas un débil goteo. De pronto, el silencio puede ser tan grande que Henrik oye los latidos de su propio corazón y de su sangre en el tímpano. Está desvelado, yace boca arriba con las manos detrás de la cabeza y los ojos completamente abiertos: Así es, así puede ser. ¡Incluso para mí, Henrik! La abertura del espacio, tan herméticamente cerrado antes, se va haciendo cada vez más grande, es como un vértigo.

Alguien anda por la cocina, la puerta se abre chirriando de modo particularmente manifiesto, esto no es ningún sueño. Anna está en el rectángulo iluminado, no puede verle la cara, todavía está vestida.

ANNA: ¿Estabas durmiendo? No, ya sabía yo que no dormías. Pensé: Voy a ir a ver a Henrik y decirle lo que pasa.

Sigue inmóvil en el vano de la puerta. Henrik no se atreve a respirar. Esto es muy serio.

ANNA: Yo no sé qué me pasa contigo, Henrik. No está bien que estés aquí conmigo. Pero es mucho, muchísimo peor cuando estás lejos de mí. Yo siempre…

Calla y reflexiona. No cabe la menor duda de que es de vital importancia ser veraz. Henrik quiere hablar de su turbación, del espacio cerrado y abierto, pero es demasiado complicado.

ANNA: Mamá dice que lo más importante es conocer los propios sentimientos. Yo siempre he sido sensata para eso. Así que me parece que tengo bastante confianza en mí misma, la verdad.

Vuelve la cabeza y da un paso atrás. La luz del amanecer entra por la ventana de la cocina y le da ahora de lleno en la cara. Henrik ve que ha llorado. O que llora. Pero la voz es serena.

ANNA: No se puede... Mamá y otros, mis hermanastros, por ejemplo, dicen que he heredado mucho entendimiento, tanto de papá como de mamá. Siempre me he sentido un poco orgullosa cuando me han elogiado por mi sensatez. He pensado que así debe ser la vida y que así quiero yo que sea. No tengo, verdaderamente, por qué tener miedo. (Silencio, largo silencio). Pero ahora tengo miedo o, para ser sincera: si lo que siento es miedo, entonces tengo miedo.
HENRIK: También yo tengo miedo.

Tiene que carraspear. La voz se le ha quedado seca y ahogada. Y ahora, en ese preciso instante, se le para el corazón, solo un momento, pero se le para.

HENRIK: Además, se me ha parado el corazón. Ahora mismo.
ANNA: Yo sé lo que pasa, Henrik. Estamos en un momento decisivo, imagínate, en un momento tan singular y

enigmático... que el tiempo se detiene, o nos parece que se detiene, o «el corazón», como dices tú.

HENRIK: ¿Qué hacemos?

ANNA: En realidad, no hay más que dos posibilidades... (Sobriamente). O te digo: Márchate, Henrik; o bien: Ven a mis brazos, Henrik.

HENRIK: ¿A ti te parece que las dos alternativas son malas?

ANNA: Sí.

HENRIK: ¿Malas?

ANNA: Decisivas.

HENRIK: ¿No podemos permitirnos jugar un poco?

ANNA: Pero si es que ni siquiera sé qué clase de persona eres.

HENRIK: Yo no soy nada raro.

Hay un asomo de espanto en el tono, de cómico espanto. Henrik no tiene mucho conocimiento de sí mismo, nunca lo ha tenido, nunca lo tendrá. Anna mueve la cabeza sonriendo: ¡Ya ves lo arriesgado que puede resultar esto! Traspone el umbral, entra en la habitación y se sienta a los pies de la cama, estirándose la falda. Henrik se mueve torpemente hasta quedarse sentado.

ANNA: A mí me parece que tú no sabes nada de nada. A mí me parece que estás como ensombrecido, no encuentro otra palabra así de repente.

HENRIK (débilmente): ¿Ensombrecido?

ANNA: No haces más que repetir lo que yo digo todo el tiempo. Di tú lo que te parece.

HENRIK: Te lo voy a decir ahora mismo. Yo nunca, y digo *nunca*, y juro que es verdad, yo nunca en mi vida he pasado un día, una tarde y una noche como este día, esta tarde y esta noche. Y eso lo juro. No sé nada más. Me siento turbado y agradecido y asustado. Quiero decir, que todo esto me va a ser arrebatado. Siempre es así. Me quedo con las manos vacías; suena dramático, pero así es. Quiero decir, sencillamente, que por qué habría de tocarme a mí algo de lo que he vivido hoy. ¿Entiendes, Anna? Tú y Ernst vivís en vuestro mundo, no solo en el aspecto material, sino en todos los aspectos. Para mí es inaccesible. ¿Entiendes, Anna?

Anna afirma despacio con la cabeza y mira a Henrik con mirada triste. Luego sonríe, se levanta, va hacia la puerta y se vuelve.

ANNA: Bien. De cualquier manera, podemos aplazar el momento decisivo durante unas horas, o incluso unos días o unas semanas.

Dicho esto, sonríe con indulgencia y da las buenas noches. Luego cierra la puerta, que chirría violentamente.

Puedo verlos en el comedor, sentados a la gran mesa con las patas de león, ya recogida. Han colocado el tablero de ajedrez del director de Tráfico entre los dos. Han quitado las sábanas protectoras de dos ventanas. Llueve serena y pertinazmente. Veo también a Ernst, está en la puerta, con gabardina y la gorra de bachiller en la mano, diciendo que se va al departamento de meteorología un rato, que el profesor quiere hablar con él. Cenamos a las cinco, murmura Anna moviendo un alfil. Hasta luego y buena suerte, dice Henrik, y se retira con la reina. Un portazo en el vestíbulo, luego silencio.

De pronto Anna revuelve las piezas del juego y se tapa la cara con las manos, mira a Henrik entre los dedos y se ríe a hurtadillas. Henrik se inclina sobre el tablero y trata de colocar las piezas como estaban. Después de un débil intento se queda quieto y expectante. En algún lugar de la casa alguien toca el piano despacio y con torpeza.

ANNA: No tenemos que contarle a todo el mundo que… Bueno, que tenemos intención de…

HENRIK: No, claro.

ANNA: Me horrorizo cuando pienso que no sabemos nada el uno del otro. Deberíamos estar aquí sentados cien días hablando y preguntando cosas.

HENRIK: No bastaría.

ANNA: Decidimos que vamos a vivir juntos toda la vida y no sabemos nada el uno del otro. Es un poco raro, ¿no?

HENRIK: Y ni siquiera nos hemos besado.

ANNA: ¿Nos besamos ahora? No, no, que eso puede esperar.

HENRIK: Primero tenemos que decir nuestros defectos.

ANNA (risas): No, no me atrevo. ¡Igual te marchas!

HENRIK: O te marchas tú.

ANNA: Mamá dice que soy obstinada. Que soy egoísta. Amiga de diversiones. Impaciente. Mis hermanos dicen que tengo muy mal carácter, que me enfado por cualquier cosa. No sé qué más decir. Ernst dice que soy coqueta, que me encanta mirarme al espejo. Papá dice que soy perezosa para las cosas que *hay* que hacer: limpiar, cocinar, hacer deberes aburridos. Mamá dice que me gustan demasiado los chicos. Bueno, como ves, la lista es interminable.

HENRIK: Mi mayor defecto es que soy confuso.

ANNA: Pero eso no es un *defecto*.

HENRIK: Sí, eso es exactamente lo que es, un defecto.

ANNA: ¿Qué quieres decir?

HENRIK: Soy confuso. No entiendo nada. Solo hago lo que los demás me dicen. Yo creo que no soy muy inteligente. Si leo un texto complicado me resulta difícil comprender lo que dice. Tengo tantos sentimientos, eso también contribuye a mi confusión. Casi siempre tengo mala conciencia, pero la mayoría de las veces no sé por qué.

ANNA: ¡Qué pena!

Tristeza y desánimo. ¿Qué clase de juego es este? ¿Por qué hacemos esto? ¿Por qué no nos besamos hoy que es fiesta? Guardan silencio y evitan mirarse.

HENRIK: Nos hemos puesto tristes los dos.

ANNA: Sí.

HENRIK: Es la soledad la que nos da miedo. Si estamos juntos, tendremos valor para entender y perdonar nuestras faltas. Hay que tener cuidado de no empezar mal.

ANNA: Si nos besamos ahora, nos pondremos de buen humor otra vez.

HENRIK: Espera un momento. Hay algo importante que tengo que contarte, Anna. No, no te rías. Es necesario que te diga que…

ANNA: ¡Ya estoy cansada de estas tonterías!

Se pone frente a él, le toma la cabeza entre sus manos, le vuelve la cara hacia arriba, se inclina sobre él y lo besa fervorosamente. Henrik solloza, su olor, su piel, sus pequeñas y fuertes manos que lo aprisionan, el pelo que se desborda por su espalda.

Se abraza a su cintura y la oprime contra él, la frente apoyada en su pecho, ella no suelta su cabeza, se tambalean, enlazados. Así se quedan durante largo rato, no se atreven o no pueden romper el abrazo. ¿Cómo será la vida real después de esto? ¿Qué nos pasa?

ANNA: ... Ahora me figuro que somos novios.

Ella se libera y acerca su silla a la de él, están sentados uno frente a otro, ya no está la mesa por medio, entrelazan las manos, están emocionados y tratan de serenar la respiración y el corazón. Henrik, además, sufre, debería decir lo que tiene que decir, pero no puede. Ella nota que hay algo que no está bien y escudriña la cara de Henrik.

ANNA (sonriendo): ... Ahora somos novios, Henrik.
HENRIK: No.
ANNA (risas): ... ¿Que *no somos* novios?
HENRIK: Yo ya sabía desde el principio que iba a salir mal. Tengo que irme. Nunca más volveremos a vernos.
ANNA: Hay otra mujer.

Henrik asiente con la cabeza.

El rostro de Anna se vuelve ceniciento, apoya el índice sobre los labios, como imponiéndose silencio. Pasa fugazmente la mano izquierda por la frente de Henrik y la deja descansar sobre su hombro un instante. Luego va rodeando la mesa y se sienta en la cabecera a espaldas de Henrik. Allí se queda, sentada, mordiéndose una uña, sin saber qué decir.

HENRIK: Hemos vivido juntos más de dos años. Ella estaba tan sola como yo. Me quiere. Me ha ayudado mucho. Lo hemos pasado bien. Somos novios.

ANNA: No tienes nada que reprocharte. Nada, *en realidad*. Quizás hubieras podido decir algo esta noche, pero fue todo tan irreal… Comprendo que no me dijeras nada. ¿Qué va a ser ahora de nuestro hermoso futuro? ¿Qué es lo que quieres tú en realidad?

HENRIK: Yo quiero vivir contigo. Pero ayer no lo sabía. Todo ha cambiado… ¡Así, de pronto!

Hace un gesto con la mano, que cae luego pesadamente y sin consuelo sobre el tablero de la mesa. Luego se vuelve hacia ella y sacude la cabeza.

ANNA: Entonces, ¿lo que quieres decir es que piensas dejar a… como se llame… quien sea?

HENRIK (pausa): Se llama Frida, si quieres saberlo. Es unos años mayor que yo. Es del norte, también, trabaja en el hotel Gillet.

ANNA: ¿Qué hace?

HENRIK (irritado): Es camarera.

ANNA (con frialdad): De modo que… camarera.

HENRIK: ¿Tiene algo de malo que sea camarera?

ANNA: No, ¿qué más da?

HENRIK: Me parece que olvidaste mencionar uno de tus defectos más graves: es evidente que eres orgullosa. *Tú* eres la que te has inventado eso de nuestro futuro en común. No yo. Yo siempre he estado dispuesto a vivir en la realidad. Y mi realidad es gris. Y aburrida. Fea. (Se levanta). ¿Y sabes lo que voy a hacer ahora? Pues voy a ir a ver a Frida. Voy a ir a su casa a pedirle perdón por mi estúpida y necia traición. Le voy a contar lo que yo he dicho y lo que has dicho tú y lo que hemos hecho y le voy a pedir perdón.
ANNA: Tengo frío.

Henrik no escucha. Se va.

En el vestíbulo se tropieza con Ernst, que acaba de entrar y está quitándose la gabardina. Henrik farfulla unas palabras y trata de escabullirse, pero queda apresado.

ERNST: Hola, hola, hola. ¿Qué es lo que pasa aquí?
HENRIK: Suéltame. Quiero irme y no volver a poner aquí los pies.
ERNST (imitándolo): Irme y no volver a poner aquí los pies. ¿Qué estás diciendo? ¿Tenemos un romance de Schubert?
HENRIK: Fue una tontería desde el principio. ¿Quieres hacer el favor de soltarme?
ERNST: ¿Y qué has hecho de Anna?
HENRIK: Ahí dentro está.
ERNST: Ya habéis reñido. No perdéis el tiempo. Pero es que Anna tiene muy poca paciencia. Le gusta ir rápido.

Obliga a Henrik a sentarse en la leñera pintada de blanco que está junto a la pared corta del vestíbulo y se coloca delante de las puertas de cristales para evitar una posible fuga. En ese momento aparece Anna en el salón. Al ver a su hermano se para en seco y se golpea el muslo con la mano. Luego se vuelve bruscamente hacia la ventana.

ERNST: ¿Qué coño habéis estado haciendo?
HENRIK: Te pido por favor que me dejes salir, el próximo paso será darte un puñetazo.
ANNA (grita): Déjalo, déjalo, que se vaya.
ERNST: No desaparezcas, Henrik. Tú y yo bien podemos cenar en Kalla Märta a las cinco. ¿Has oído?
HENRIK: No sé, no va a servir de nada.

Lleva su equipaje abrazado, recoge la gorra de bachiller de la percha. Ernst abre la puerta del vestíbulo y Henrik desaparece escaleras abajo a grandes zancadas. Ernst cierra y se acerca despacio a su hermana. Ella sigue junto a la ventana y todo en ella denota enfado y sufrimiento.

ERNST: Anna, corazoncito de arándano, ¿cómo has armado este lío?

Anna se vuelve hacia Ernst y le echa los brazos al cuello, llora durante unos segundos muy dramáticamente, con regodeo, tal vez. Luego se calla y se suena en el pañuelo que le tiende Ernst.

ANNA: Estoy segura de que lo quiero.
ERNST: ¿Y él?
ANNA: Estoy segura de que me quiere.

ERNST: Pero, entonces, ¿por qué lloras?
ANNA: ¡*Sufro* tanto!

Ernst no consigue enterarse de más. Se sienta en una silla, sienta a su hermana en sus rodillas y así se quedan, en dulce intimidad y sin decir una palabra más. Deja de llover y el sol dibuja cuadrados y rectángulos nítidos y blancos en las sábanas que cubren las ventanas. Toda la habitación parece flotar.

Henrik lleva a cabo lo que ha dicho que tenía intención de hacer y se encamina al hotel Gillet. Sube con esfuerzo los seis pisos y golpea la puerta de Frida. Al cabo de unos segundos ella abre medio dormida; lleva un amplio camisón de franela y una media alrededor del cuello. Tiene la nariz enrojecida y le brillan los ojos. Mira fijamente a Henrik, como si fuera una aparición. Pese a ello, se hace a un lado para que entre.

FRIDA: Pero ¿estás aquí, en la ciudad?
HENRIK: ¿Estás enferma?
FRIDA: Tengo un resfriado tremendo, me duele la garganta y tengo fiebre. No tuve más remedio que venirme a casa anoche a las nueve y media, estaba a punto de perder el conocimiento. ¿Quieres un poco de café? Iba a preparar algo caliente.
HENRIK: No, gracias.
FRIDA: Qué sorpresa más agradable que hayas venido, nunca me lo hubiera esperado. Y gracias por tu preciosa carta.

Te iba a contestar, pero tengo muy poco tiempo y tampoco se me da muy bien escribir.

Detrás de una mampara se ve el único artículo de lujo de la habitación. Es un pequeño hornillo de gas que tiene una llama tiznada y mortecina. Frida hace café y prepara unos bocadillos. Henrik protesta blandamente pero se deja servir. Frida anda sin hacer ruido, descalza y solícita. Por fin se sienta en la cama, se tapa con el edredón y sopla el café, que está muy caliente y que ella sorbe a través de un terrón de azúcar. De pronto mira atentamente a Henrik, que está sentado en la única silla de la habitación y que ha dejado su taza de café en la mesilla de noche.

FRIDA: ¿Estás tú también enfermo? Tienes muy mala cara.
HENRIK: No es nada.
FRIDA: ¿Cómo puedes decir eso? Como si no viese yo que algo te pasa.
HENRIK: Será que estoy triste.
FRIDA: Sí, *eso* está claro. ¿Tienes algo que decirme? Me da la impresión de que sí.
HENRIK: No.
FRIDA: Lo parecía.
HENRIK: ... No.
FRIDA: Ven aquí que te abrace.

Deja el café y el bocadillo y lo atrae hacia sí; él no la rechaza.

FRIDA: ¿Tienes miedo de que te contagie?
HENRIK: ... No.

FRIDA: Anda, desnúdate y acuéstate.

Ella se levanta rápida de la cama y baja la persiana rota. Se quita la media del cuello y se pasa un peine frente al manchado espejo que hay encima de la cómoda. Antes de volver a la cama se quita el camisón. Debajo del camisón lleva una corta camiseta de punto y una braga de perneras bastante largas. Se despoja de la braga, pero se deja puesta la camiseta.

II

En la casa de veraneo de los Åkerblom, con las espléndidas vistas sobre ríos y azuladas montañas, se respira un ambiente cargado, por no decir preocupado. No se oyen gritos en el lugar donde suelen bañarse, no hay pelotas rodando por el césped, nadie toca el piano, no hay novelas ni vasos de refresco en las hamacas. Todos guardan silencio escuchando las voces que llegan del despacho del director de Tráfico. No se oye bien lo que dicen: unas palabras de vez en cuando, quizás una frase entera dicha con más fuerza. Por lo demás, murmullos y silencio.

Papá Johan está sentado a su mesa escritorio fumando una pipa casi apagada que trata de reavivar de tanto en tanto. Doña Karin está en el sofá verde, bajo el cuadro de Ottilia Adelborg, *Salida para los apriscos*. Está completamente pálida de furor. En medio de la habitación está su hija, no menos furiosa, pero con las mejillas y la frente encendidas. Ernst se ha colocado estratégicamente junto a la puerta.

KARIN: Ayer tarde telefoneó Charlotta y aseguró que tú y Ernst habíais tenido un invitado en casa por la noche. Estaba muy indignada y dijo que había oído hablar en el cuarto del servicio durante toda la noche. ¿Es eso cierto?

ANNA: Sí. (Enfadada).

JOHAN: Mira cómo le contestas a tu madre.

ANNA: Mamá debería pensar cómo me habla ella a mí. Soy una persona adulta.

KARIN (fríamente): Mientras comas el pan que te damos y vivas en nuestra casa, serás nuestra hija y tendrás que conformarte con seguir nuestras normas.

ANNA: Yo no me conformo con que me tratéis como si fuera una cría.

JOHAN: Si te comportas como una cría, se te tratará como a una cría. (Carraspea).

KARIN: ¿No te das cuenta de que nos has puesto en evidencia?

ANNA: La tía Charlotta es una vieja chismosa y me alegro de que tenga algo que ofrecer la próxima vez que invite a tomar café a sus amigas.

JOHAN: ¿Tú no dices nada, Ernst?

ERNST: ¿Qué voy a decir? Anna y mamá no paran de cacarear como si fueran patos furiosos. No se puede meter baza.

JOHAN: ¿Fuiste tú el que invitó a ese joven?

ANNA (furiosa): No, resulta que fui yo la que me atreví a semejante audacia.

JOHAN: Le he preguntado a Ernst.

ERNST: *Yo* lo invité.

KARIN: Pero, Ernst, ¿cómo has *podido* hacer semejante tontería? (Indulgente).

ERNST: Es un buen amigo nuestro. Además, lo conocéis. Vino a cenar un domingo.

KARIN: ¿Cómo se llama? Un joven que acepta ser invitado a dormir en una casa cuando los padres están ausentes tiene que ser un atrevido o un maleducado.

ANNA: Es completamente ridícula esta insistencia tuya.

KARIN: Es que no sé *nada*. Quién sabe la cantidad de secretos que tendréis a mis espaldas.

ANNA: Con las trifulcas que armas no sería de extrañar que nos guardásemos los secretos.

KARIN: ¡Johan! Haz el favor de advertirle a tu hija que se comporte como debe. Bastante paciencia he tenido contigo y con tus maneras de niña mimada.

ANNA: Si estoy mimada, no es culpa mía.

JOHAN: No, en eso tienes razón, hija mía. Casi toda la culpa es mía, y mamá ya me lo ha advertido varias veces. Veo que de ahora en adelante vamos a tener que tratarnos con más aspereza. (Varios carraspeos).

ANNA (riendo): ¿Azotes en el culo y a la cama sin cenar?

JOHAN (con dificultades para mantenerse serio): No seas boba, Anna. Esta situación no es para bromear. ¿Cómo se llama el muchacho?

ANNA: Se llama Henrik Bergman. Está estudiando Teología y va a ser sacerdote. Y yo estoy enamorada de él y pienso casarme con él.

Ahora sí que se queda todo en silencio, tanto en el despacho del director de Tráfico como en toda la hermosa casa y buena parte de los alrededores.

KARIN: Ah, ¿de veras? ¿Ah? ¿Eh? ¿Sí?

JOHAN: Eso es hablar claro.

ANNA: No vais a poder impedírmelo.

JOHAN: Mi querida hija, temo que te equivocas un poco respecto a tu situación. Lo cierto es que falta un año para que seas mayor de edad y *mientras tanto* estás bajo la tutela de tus padres jurídica y moralmente.

KARIN: ¡Y ese muchacho va a ser sacerdote! Un muchacho que no sabe respetar el honor de una joven. (Enfadada). Tú estuviste en su cuarto por la noche. ¿Eran tu voz y la suya las que oyó la maldita Charlotta a través de la pared? ¿Erais los dos?

ANNA: Sí, ¿y qué? Hablamos de nuestro compromiso.

KARIN: Y te acostaste con él, quizás.

ANNA: No, no lo hice. Pero si me lo hubiera pedido, me habría acostado con él.

JOHAN (hosco): Ahora te callas.

ANNA: Mamá me hizo una pregunta y yo le he contestado.

JOHAN: ¿Y dónde se había metido Ernst?

ERNST: Yo estaba durmiendo. No tenía la menor idea de esto.

KARIN: Y si te quedas embarazada…

ANNA (con una sonrisa): Difícil, a esa distancia.

KARIN: Pero *¿estás oyendo*, Johan?

JOHAN (con tristeza): Sí, sí que oigo. Claro que oigo. (Nuevos carraspeos).

KARIN: Yo no sé, verdaderamente, qué vamos a hacer.

ERNST: ¿Puedo proponer una cosa?

JOHAN (frunce la frente): Habla, habla.

ERNST: Propongo que nuestros respetados padres no hagan nada en absoluto. Lo que ha pasado ha sido una ligereza por parte de Anna y mía. Una tontería, sencillamente. Seguro que estamos dispuestos a pediros perdón por el malestar y el disgusto que os hemos causado con nuestra imprudencia. ¿Verdad, Anna?

ANNA: ¿Qué?

ERNST: Pedir perdón a papá y a mamá.

ANNA: Eso me lo tengo que pensar muy bien.

ERNST: Mientras lo piensas, propongo que Anna le escriba una amable carta de cumplido al muchacho. Mamá añade unas líneas simpáticas y lo invita a venir a pasar una semana con nosotros.

KARIN: Nunca en la vida. Un granuja y un seductor.

ANNA (se encrespa de nuevo): Si en este asunto hay alguien que seduce, ese alguien soy yo. Recordadlo bien. Y como me pongáis muchos obstáculos, pienso seducirlo de verdad y tener un hijo, y entonces no tendréis más remedio que casarme con el padre de la criatura.

KARIN: Yo creo que subestimas la capacidad de decisión de tus padres, querida Anna.

ANNA: *Tu* capacidad de decisión, mamá. Papá y yo siempre nos hemos puesto de acuerdo. ¿No es verdad, papá?

JOHAN (un poco avergonzado): Sí, es verdad, hija mía. Es verdad. ¡Ejem!

KARIN: Pensándolo bien, creo que la propuesta de Ernst es bastante sensata. Invitamos a ese tunante y lo estudiamos más de cerca.

ANNA: Pobre Henrik. Eso sería *terrible*.

ERNST: *Yo* me ocuparé de él.

KARIN: ¿Qué dices *tú*, Johan?

JOHAN: ¿Yo? Nada. A propósito, ¿qué has hecho de Torsten Bohlin? ¿Ya no está en el candelero?

ANNA: ¡Bah! Torsten no era más que un compañero de juegos.

JOHAN: ¡Vaya, vaya! Y yo que estaba tan celoso del presumido profesorcillo…

KARIN: Deja de decir tonterías ahora, Johan.

JOHAN: Perdona, ya me callo. Se me hace una pregunta, contesto con otra y me echan una regañina. (Ríe bajito).

KARIN: Intenta estar serio un ratito más, por favor, Johan. Si yo, quiero decir, si *nosotros* invitamos a ese joven, ¿sería Ernst tan amable de explicarle con claridad que no debe comportarse con pretensiones de novio?

ERNST: Eso lo garantizo.

ANNA: *Yo* no garantizo nada.

KARIN: A ti no te he preguntado. Vamos ya con los otros, deben de estar preguntándose qué es lo que pasa, son las cinco y diez y la cena está esperando.

Los comedores de Kalla Märta están en el segundo piso de una casa destartalada en la esquina de Dragarbrunnsgatan y el callejón Bävernsgränd. Consisten en tres habitaciones mugrientas, de color marrón por la suciedad, bastante espaciosas y comunicadas entre sí. La cocina, pequeña y oscura, está en la parte opuesta a la entrada, un largo y tenebroso pasillo sin luz directa. Al final de este hay un retrete mal ventilado. Ni siquiera en pleno verano entra el sol en esos recintos. Cuando la estufa de azulejos y la de carbón no están encendidas, reina un frío sepulcral y un olor a humedad en Kalla Märta. La señorita Märta y las dos mujeres que la ayudan viven en un rincón, y dos trasteras, al otro lado de la cocina.

Algo bueno hay que decir también de esta fonda de estudiantes, telegrafistas alcohólicos y solterones recalcitrantes. La comida de Märta no es muy sabrosa, pero sí abundante. Si hace falta, pero en secreto, se puede conseguir aguardiente antes y coñac después de la comida. Como medicamento. Además, se da de comer al fiado de manera benevolente, por no decir suicida. Se lleva el establecimiento con buen corazón y ganancias inexistentes. Hay mejores (mucho mejores), pero también peores sitios para comer en la académica ciudad. El pastel de carne de los viernes es el *tour de force* de la casa. Cuando vuelve a aparecer los martes, con un ligero disfraz, es tan arriesgado como la ruleta rusa.

Es un día, pues, de mediados de agosto, a las cinco y media de la tarde. Los comedores están poco concurridos. El menú consiste en carne guisada y jalea, y se sirve con cerveza floja de fabricación casera. En la calle sigue haciendo calor y la huelga continúa. Aquí dentro reina la penumbra, un inveterado olor a comida y vagos efluvios de retrete y de lujuria reprimida.

Sentados a una mesa, en un rincón de la habitación interior, están los tres teólogos que se examinaron con el profesor Sundelius. Henrik que, indeciso y apático, se ha quedado en la ciudad en lugar de irse a casa con su madre, en Söderhamn, duerme en un sofá miserable de la habitación de Justus Bark, que se gana la vida cavando arriates en el jardín Botánico. Hasta primeros de septiembre no recibirá la escasa subvención que le dan. Baltsar, el aplazado suicida, siempre dispone de dinero y estudia por su cuenta. Cuando no tienen clase, entre trimestre y trimestre, se dedica a estudiar la lengua china tal y como se escribía en el siglo XVII, cuando la emperatriz Wu Zetian persiguió y exterminó a muchos de los poderosos clanes Tang.

Los tres jóvenes sorben la jalea con leche aguada. La señorita Märta pregunta amablemente al pasar si les ha gustado el guiso. Murmullos corteses. Ella se detiene, va a decir algo, se arrepiente. Luego lo dice, de todas maneras.

SEÑORITA MÄRTA: Siento mucho tener que decírselo, pero tengo que subir el abono. Es por la huelga. Todo se ha puesto por las nubes, ¿saben ustedes? Así que tengo que subir desde el primero de septiembre. Veinte céntimos por comida, es decir, treinta y cinco coronas al mes, un poco más. Porque una tampoco quiere rebajar la calidad. Y en el invierno estaremos calentitos y bien. ¿Permiten que los invite a un coñac con el café?

Murmullos ablandados. La señorita Märta va en busca de cuatro vasos, abre el aparador, saca la botella, vuelve a cerrarlo y se sienta a la mesa. Los teólogos ya se han servido el café. Brindan. Después, se quedan en silencio.

Quizás haya que mencionar que el aspecto de la señorita Märta Lagerstam no es el que podría pensarse. Es una señora de baja estatura, con el pelo blanco, los ojos oscuros y una pálida cara de finas facciones. Tiene los hombros delgados y el cuerpo menudo y se mueve con presteza. Nadie se atreve a mortificar a la señorita Märta.

Enciende un cigarrillo colocado en una larga boquilla y se reclina en el asiento, contemplando a sus clientes bajo los entrecerrados párpados a través de la cortina de humo. Las empleadas de la señorita Märta ya han empezado a recoger las mesas, la mesa grande del comedor del medio y las pequeñas que los escasos huéspedes acaban de abandonar. Gustava es una chica gorda y callada de mirada triste.

Petra no es precisamente guapa, pero es muy amable, tiene cuarenta años y está viuda.

Vamos a poner el gramófono, dice la señorita Märta, y ordena a Gustava que vaya a buscar el aparato y los discos. Justus se ofrece a ayudar. En cuanto entran en la abarrotada alcoba de la señorita Märta, empieza el teólogo a dar lametones y achuchones a la chica, que se mantiene tristemente pasiva. La arrincona contra la pared y está quitándole la braga cuando entra Petra sin avisar. No se da por aludida del trajín que hay junto a la estufa, se limita a decir que va a llevarse los discos, hay que tener cuidado de que no se caigan al suelo, que se pueden romper. A Justus se le van las ganas, y Gustava se mete las grandes tetas dentro del escote de la blusa.

La señorita Märta invita a otra ronda de coñac, las chicas se sientan a la mesa y los teólogos fuman puros que les han ofrecido. De la roja garganta del gramófono asciende la evocadora voz de Caruso: «Principessa di morte! Principessa di gelo! Dal tuo tragico cielo, scendi giù sulla terra!». La lámpara de queroseno alumbra soñolienta a través de la neblina del tabaco y del vaho del coñac.

La señorita Märta contempla a sus invitados con una sonrisa maternal: Qué bien se está, ¿eh?, qué bien se está, así es como tenemos que estar, queridos muchachos. Henrik no debería morderse las uñas, y este Baltsar, qué vamos a hacer con él, si solo mirarle da pena, aunque el joven Bark parece que se las arregla, ya está con la narizota en el escote de Gustava, pero alguien debería ocuparse de que le pusieran los dientes que le faltan, pobre muchacho.

Venga aquí, señor Bergman, siéntese a mi lado. ¿Por qué se muerde las uñas? Eso no se hace cuando se tienen unas manos tan bonitas como las suyas. ¿Qué dice usted? ¿Qué tal le va con las damas? Muy adulado, claro, y ¿muy solicitado? ¿Tiene mucho donde elegir? Oiga, oiga joven, no ponga esa cara tan asustada que no me lo voy a comer. ¡Eso es!

Justus Bark y Gustava han perdido el equilibrio y se han caído al suelo con furtivas risitas ahogadas. Se ayudan el uno al otro a ponerse de pie, el moño de la chica ha resbalado hasta la nuca y el pelo se le riza, húmedo, junto a las orejas. La señorita Märta se estira por encima de la mesa y cambia el disco: pone *El murciélago*, la fiesta del hastiado libertino príncipe Orlofsky. El coro canta acariciador bajo la raya de la aguja: «Brüderlein, Brüderlein, und Schwesterlein. Du, Du, Du, immerzu! Erst ein Kuss, dann ein Du».

Baltsar Kugelman aplaza unas horas más su suicidio y reclina su estrecha y pálida frente en el redondo hombro de Petra. La señorita Märta vuelve sus labios, sus bien dibujados y sensuales labios con pequeñas arrugas transversales, hacia los labios de Henrik. Lo besa fugazmente por lo menos tres veces. ¡Ostras!, dice Justus Bark de repente. ¡Si tengo una carta para Henrik! Llegó esta tarde mientras estaba arreglándome en casa. Perdona el retraso, pero es que tuvimos mucha faena.

Justus saca un sobre arrugado del bolsillo del pecho y se lo tiende a Henrik, que aguza la mirada: la letra es, indudablemente, de Anna; es, indudablemente, una carta de Anna. Anna le ha escrito una carta. ¡Anna ha escrito!

Sujeta la carta con todo cuidado, se excusa con más atolondramiento que cortesía y va dando tumbos por Dragarbrunnsgatan, que está desierta a la roja luz del sol poniente. De la cercana estación se oyen resoplidos de una locomotora que cambia de agujas y los topetazos de los vagones. Henrik sube medio corriendo por el callejón Bävernsgränd en dirección al río Fyris. Se deja caer en un banco y lee la carta, breve, amable y formal, en la que la madre de Anna escribe unas líneas al final invitándolo a visitar a la familia.

Ernst ha recibido por su cumpleaños una cámara que se dispara automáticamente y ahora se está organizando una foto de familia. Después de desayunar se convoca al clan a reunirse en la pequeña pradera que hay en la linde del bosque. Es un caluroso día de verano y todos llevan ropa de color claro. (La foto existe en realidad, aunque se tomó en una ocasión posterior, durante el verano de 1912, probablemente, pero queda mejor en este contexto). Bien; se han sacado dos sillas. En una de ellas está sentado el director de Tráfico, con bastón y el puro de la mañana. Si se mira atentamente con la lupa, se puede comprobar que su sereno y hermoso semblante está atormentado por los dolores y el insomnio. Al lado de su esposo está Karin Åkerblom. No cabe la menor duda sobre quién de los dos es el cabeza de familia. La persona bajita y rellena irradia autoridad y tal vez un sonriente sarcasmo. Sobre el bien peinado cabello lleva un precioso sombrero de verano, como sello de su potestad. Ojos claros que miran directamente a la cámara y una pequeña papada. Se ha sentado de buena gana para el retrato, pero dentro de unos segundos se levantará llena de vitalidad para repartir órdenes. En torno a los padres se agrupan los hijos mayores con sus esposas. Carl está solo, de perfil, mirando a su derecha, fingiendo no estar allí. Las niñas de Gustav y Martha se han reído, así que han salido borrosas. Tienen los hombros caídos y se abrazan por la cintura, llevan blusas de cuello marinero y faldas semilargas. Más cerca de la cámara, a la izquierda de la fotografía, aparece Anna sentada en el césped. Está, por alguna razón que quizá no sea difícil adivinar, muy seria, su mirada es franca y candorosa, los labios levemente entreabiertos, tantos apasionados besos furtivos. Detrás de Karin, de rodillas, Ernst y Henrik, ambos con sus gorras de bachiller, elegantes chaquetas, cuello y corbata. Se ve con toda claridad que Henrik ha sido invitado a la casa de veraneo del director de Tráfico en calidad de amigo del hijo y no como posible novio de la hija. Al fondo, pero perfectamente visibles, están Lisen y Siri, formando una digna pareja con sus deslumbrantes delantales blancos y sus caras serias de posar para una fotografía.

Catorce personas, verano, agosto de 1909. Un poco más de un segundo. ¡Entra en la imagen y recrea los segundos y los minutos que siguen! ¡Entra en la imagen, ya que tanto lo deseas! Por qué lo deseas tanto, es difícil de explicar. Quizá sea por ofrecer un tardío desagravio a ese joven larguirucho que está al lado de Ernst. El del hermoso rostro con toda su inseguridad al desnudo.

Disuelto el cuadro familiar, el director de Tráfico es conducido con ayuda del bastón y de atentas manos de apoyo hasta el porche que se abre hacia el sol y el paisaje. Allí se acomoda al viejo señor en un asiento especial, con respaldo y brazos graduables y una funda verde a cuadros. Le ponen un cojín detrás de la espalda, un escabel bajo los pies, una mesita de mimbre con el correo del día y el periódico de la víspera, un vaso de agua mineral con unas gotas de coñac y unos prismáticos de campaña. Doña Karin extiende con su propias manos una manta sobre las rodillas del esposo y le da un beso en la frente, como todas las mañanas antes de entregarse al largo ejercicio del poder.

Tú que querías hablar con el joven Bergman, está esperando en el comedor. ¿Le digo que pase aquí o quieres leer tus cartas y tu periódico primero?, lo apremia doña Karin. No, no, hazlo pasar, murmura Johan Åkerblom, eras tú en realidad la que querías que hablase con ese muchacho. No sé qué decirle. Lo sabes *de sobra*, replica Karin, sin sonreír, yendo en busca de Henrik.

Se le invita a tomar asiento en un mueble de mimbre de difícil definición; no es un taburete, ni una silla, ni una butaca. El director de Tráfico sonríe excusándose, como si quisiera decir: no tienes por qué estar tan asustado, mi joven amigo, yo no soy el peligroso. En cambio, le pregunta a Henrik si quiere fumar algo, ¿un puro, un cigarrillo o un purito, quizás? Ah, ¿no? Sí, sí, claro que puede usted fumar su pipa. ¿Es tabaco inglés? Claro. El tabaco de pipa inglés es el mejor. El francés es áspero. Johan Åkerblom da unos sorbos al agua mineral manchada de coñac y unas chupadas al puro.

JOHAN ÅKERBLOM: Si mira usted con los prismáticos, podrá ver el edificio de la estación allí abajo, más allá del recodo de las vías. Mirando con atención se pueden divisar las vías muertas. Yo suelo entretenerme controlando las llegadas y las salidas, ¿sabe usted? Tengo los horarios de los rápidos, de los correos y de los mercancías. Puedo mirar y comparar. Es un pequeño consuelo para un anciano que se ha pasado toda su vida profesional entre raíles y locomotoras. Recuerdo que ya de niño no paraba de dar la lata para que me llevaran a la estación a ver los trenes. Entonces vivíamos en Hedemora. No hay nada más bonito que esas nuevas locomotoras que están empezando a fabricar los alemanes: las F-17 o como se llamen. Bueno (carraspea), a usted quizá no le interesen tanto las locomotoras.

HENRIK (desorientado): Nunca se me ha ocurrido pensar en locomotoras de esa manera.

JOHAN ÅKERBLOM: No, claro que no. ¿Qué tal van sus estudios?

HENRIK: Lo que me interesa lo apruebo sin problemas. Lo que no entiendo me resulta más difícil.

JOHAN ÅKERBLOM: Claro, claro. Pensar que hay que estudiar tanto para ser sacerdote... Nadie lo creería.

HENRIK: ¿Qué quiere decir, señor Åkerblom?

JOHAN ÅKERBLOM: Pues... ¿qué quiero decir, en realidad? Pues que, visto desde un aspecto laico, no muy comprometido, quizás uno pensaba que eso de ser sacerdote es más una cuestión de talento. Hay que ser, ¿cómo se llama?, sí, un pescador de almas.

HENRIK: Sobre todo hay que tener convicción.

JOHAN ÅKERBLOM: ¿Qué clase de convicción?

HENRIK: Hay que estar convencido de que Dios existe y de que Jesucristo es su hijo.

JOHAN ÅKERBLOM: ¿Y usted tiene esa convicción?

HENRIK: Si estuviese dotado de una inteligencia más aguda, tal vez sometería a dudas mi convicción. Los talentos religiosos verdaderamente geniales siempre tienen periodos de dudas sangrantes. A veces me gustaría ser un descreído, pero no lo soy. Soy bastante ingenuo. Tengo una fe ingenua.

JOHAN ÅKERBLOM: Entonces, ¿usted no tiene miedo de la muerte, por ejemplo?

HENRIK: No, miedo no tengo, pero me impone.

JOHAN ÅKERBLOM: ¿Usted cree que los muertos resucitan a una vida eterna?

HENRIK: Sí, estoy profundamente convencido de ello.

JOHAN ÅKERBLOM: ¡Coño! ¿Y el perdón de los pecados? ¿Y la comunión? ¿La sangre de Cristo derramada por ti? ¿Y el castigo? ¿El infierno? Usted cree en una especie de infierno, ¿qué clase de infierno es ese?

HENRIK: Es que no se puede decir: eso lo creo, y eso, pero eso otro no lo creo.

JOHAN ÅKERBLOM: No, claro, es natural.

HENRIK: Arquímedes dijo: «Dadme un punto de apoyo y moveré el mundo». Para mí el punto de apoyo es la comunión. Dios estableció un acuerdo indisoluble con los hombres por medio de Jesucristo. Así se transformó el mundo. Desde los cimientos y en su totalidad.

JOHAN ÅKERBLOM: ¡Ah! ¿Eso lo ha discurrido usted o lo ha leído en alguna parte?

HENRIK: No lo sé. ¿Tiene alguna importancia?

JOHAN ÅKERBLOM: Bueno, pero toda esta maldad que nos rodea, ¿cómo se conjuga con el acuerdo de Dios?

HENRIK: Eso no lo sé. Alguien ha dicho que nos conformamos con perspectivas demasiado cortas.

JOHAN ÅKERBLOM: Afirmo que usted se explica de manera bastante cumplida. Como un verdadero jesuita. ¿Y para cuándo piensa terminar usted?

HENRIK: Si todo va como es debido, me ordenaré sacerdote dentro de dos años. Y entonces me darán un destino enseguida.

JOHAN ÅKERBLOM: No muy boyante al principio, ¿verdad?

HENRIK: No mucho.

JOHAN ÅKERBLOM: Insuficiente para formar una familia, ¿no?

HENRIK: La Iglesia prefiere que los sacerdotes jóvenes se casen. La esposa del sacerdote desempeña un papel importante en el trabajo parroquial.

JOHAN ÅKERBLOM: ¿Y cuánto le pagan?

HENRIK: Que yo sepa, nada. El sueldo del sacerdote es también el sueldo de la esposa.

Johan Åkerblom vuelve la cara hacia la deslumbradora luz del sol, una cara cenicienta y hundida; tras las gafas, su benevolente mirada está ensombrecida por el dolor físico.

JOHAN ÅKERBLOM: Me ha entrado un gran cansancio de repente, voy a acostarme un rato.

HENRIK: Espero no haberle causado ninguna molestia.

JOHAN ÅKERBLOM: No, de ninguna manera, mi joven amigo. Es comprensible que un hombre enfermo, que raras veces piensa en las cosas más fundamentales, se sienta un poco afectado al hablar de la muerte y de los últimos trances.

Johan Åkerblom mira con afabilidad a Henrik y le hace señas de que quiere que le ayuden a levantarse del sillón. Surgen como por ensalmo doña Karin y Anna. Ellas se hacen cargo del transporte.

Para que Johan Åkerblom no tenga que subir la escalera se ha habilitado el cuarto de los niños, la habitación más soleada de la casa, como dormitorio del enfermo. Se tumba en la cama con una almohada debajo de la rodilla derecha. El toldo está echado y tiñe el ambiente de un rosa pálido.

La ventana está abierta, se oye el rumor de los abedules. El tren rápido que va a Estocolmo, que no para en la pequeña estación, pita antes de llegar al puente. Johan Åkerblom saca su reloj de oro y controla. Karin está a los pies de la cama, desatándole las botas. No, dice Johan Åkerblom, suspirando. No he sido capaz de hablar con nuestro invitado. No me fue posible hablar con él de lo que tú querías que hablara. Entonces tendré que ocuparme yo de eso, dice Karin Åkerblom.

Por la noche hay lectura en voz alta en la mesa del comedor. La lámpara de queroseno ilumina suavemente a la familia en pleno. Al otro lado de las ventanas, el ocaso de agosto se va apagando con sosiego.

En el ritual nocturno todos tienen un sitio asignado: al que le toca leer, en esta ocasión doña Karin, le corresponde la cabecera de la mesa. Lee un libro de Selma Lagerlöf, *Jerusalén*. Al lado de Karin están las niñas con sus labores. En el lateral derecho de la mesa se acomodan la señoras. Martha pinta un pergamino con un fino pincel. Svea ha cerrado los ojos y el semblante sobre su vaga enfermedad. En el otro extremo de la mesa Anna y Ernst se inclinan sobre un rompecabezas que han volcado en una bandeja. El director de Tráfico está en su mecedora junto a la ventana (a nadie de la familia se le ocurre jamás sentarse en ese asiento). Queda fuera del círculo de luz, con la cabeza vuelta hacia el paisaje que se apaga y el frío resplandor de la luna que tiñe de un violeta suave los pétalos de los geranios. Carl ha traído una mesita y una lámpara de queroseno para él solo. Se afana con un leve jadeo sobre una construcción de madera balsámica y delgados alambres. Asegura que está construyendo un aparato para medir la humedad del aire. Oscar y Gustav dormitan beatíficamente, sentados cada uno en un extremo del largo sofá que está bajo el reloj de péndulo. En la mesa del sofá tienen sus bebidas vespertinas, botellas de agua de Vichy y de coñac.

Henrik, finalmente, se ha colocado en el límite de la comunidad o quizá fuera de la comunidad, no es fácil saberlo. Está sentado en una silla de mimbre junto a la puerta que da a la cocina. Chupa su pipa apagada y observa a la familia, mira a cada uno de ellos, mira a Anna. Anna, que parece tan absorta en las piezas del rompecabezas, Anna que se apoya en su hermano, Anna que hoy se ha recogido la abundante mata de pelo en un moño. La sonrisa de Anna, la familiaridad de Anna, Anna confiada y segura en el seno de su familia. Mírame, solo un instante. No, está absorta, inalcanzable dentro del mágico círculo de la lámpara del techo. Ahora le dice algo al oído a Ernst. La fugaz sonrisa conspirativa. ¡Mírame, un instante solo! No. Henrik cultiva una tierna tristeza, un elegiaco sentimiento de estar fuera. Justo en este instante se recrea en algo que se empeña en llamar amor sin esperanza. Se da cuenta al mismo tiempo con un temblor de satisfacción de que él carece de valor. Vaga en la tiniebla, muy lejos de la Gracia. Nadie lo ve, y eso es cierto.

La lectura de doña Karin es cuidada y levemente dramatizada. Cuando hay diálogos, caracteriza un poco a los personajes. Colorea con tino, es sugestiva y se deja atrapar ella misma por lo que lee.

KARIN: «Cuando la esposa del deán traspuso el umbral, se detuvo y recorrió la habitación con los ojos. Algunos intentaron dirigirle la palabra, pero ese día no oía nada. Levantó la mano y dijo con voz seca y dura, como suelen hablar los sordos: "Ya no venís a mi casa, por eso he venido yo a deciros que no debéis ir a Jerusalén. Es una ciudad perversa. ¡Fue allí donde crucificaron a nuestro redentor!". Karin trató de responderle, pero ella no oyó nada y siguió: "Es una ciudad perversa habitada por personas perversas. Fue allí donde crucificaron a Cristo. Yo vengo aquí —continuó— porque esta ha sido una casa honrada. Ingmarsson ha sido un apellido honrado. Siempre ha sido un apellido honrado. ¡Debéis quedaros en nuestra parroquia!". Y, dándose la vuelta, se fue. Ya había hecho lo que tenía que hacer, ya podía morir en paz. Esta fue la última acción que la vida le había exigido. Karin Ingmarsdotter se echó a llorar cuando partió la anciana esposa del deán. "Acaso no sea bueno que vayamos", dijo. Pero al mismo tiempo se alegraba de que la anciana esposa del deán hubiera dicho: "Es un apellido honrado. Siempre ha sido un apellido honrado". Esa fue la primera y la única vez que alguien vio dudar a Karin Ingmarsdotter ante la magna empresa».

Karin Åkerblom cierra el libro con un ligero golpe, el reloj de péndulo que está sobre el sofá da las diez y es hora de recogerse. Pensar en toda esa buena voluntad, dice Svea abriendo los ojos y pestañeando hacia la lámpara del techo. Toda esa buena voluntad que provoca tanto infortunio. Porque todo acabó en un desastre».

KARIN (amablemente): ¿Ya has leído los libros de Jerusalén, Svea? No lo sabía.

SVEA: Mi querida Karin, los leí hace siete años. Cuando se tiene insomnio se lee mucho.

Karin hace un gesto de soslayo y le da unas palmadas a Svea en el brazo. Como muchas personas sanas, detesta oír hablar de enfermedades.

KARIN: Ya verás como esa nueva píldora de bromuro va a ser mano de santo. Las niñas que recojan todas sus cosas. ¡Hala! Vamos, Johan Åkerblom, que te ayudo a quitarte los zapatos. Oscar desayunará a las siete de la mañana para llegar al tren de Estocolmo sin prisas. Le he dicho a Lisen que te sirva el desayuno a las siete. Vamos, Johan, ¿dónde has puesto el bastón? ¿Quieres hacer el favor, Anna, de retirar la bandeja de las bebidas y poner el coñac en el armario? Anna, Ernst y el señor Bergman que esperen aquí, yo vuelvo enseguida, tenemos que hablar un poco. Abre la puerta, Martha, haz el favor, eso es, ¡ten cuidado con el umbral, Johan!, es que es demasiado alto, la verdad es que no hace ninguna falta.

Se desean buenas noches unos a otros. Martha desaparece en la terraza para fumarse un cigarrillo. A su suegra no le gusta que fumen las mujeres. Henrik, Anna y Ernst recogen el rompecabezas, que resultó ser un castillo de Normandía con un puente y una carreta de bueyes. Oscar se apresura en dirección al retrete exterior, su linterna se aleja en la noche. Carl lleva con cuidado la mesita y la lámpara a su habitación de la buhardilla, que era su cuarto de muchacho. Gustav busca algo que leer en la librería encristalada. Buenas noches, buenas noches, y así se va un día, que ya no volverá, buenas noches, buenas noches.

Anna, Henrik y Ernst se han quedado sentados a la mesa del comedor. Doña Karin entra. Se ha puesto una suave bata de noche (irreprochable en su corrección, pensando en el invitado) de color morado. Se sienta a la cabecera y pasa la mano por el hule de difuminados cuadros que se pone siempre después de la cena. Vuelve a pasar la mano por el hule, una mano fuerte en la que brillan las gruesas alianzas de matrimonio.

KARIN: Ernst me ha hablado de que queréis iros los tres en bicicleta hasta la majada de Bäsna. La idea era, por lo que he podido comprender, pasar allí la noche. Me enteré por casualidad de que este año Eljas se ha ido a casa con su gente y con los animales mucho antes de lo que acostumbra. Así que las cabañas están vacías. Ernst dice que tiene el permiso de Eljas y de su padre para usarlas unas cuantas noches. (Pausa). Yo, naturalmente, *no estoy en absoluto de acuerdo* con vuestros planes.

ERNST: ¡Pero, mamá, por favor!

KARIN (alza la mano): Déjame terminar. Yo estoy completamente en contra de vuestros planes, pero no pienso prohibiros que los pongáis en práctica. (Sonríe con sarcasmo en dirección a Henrik). Mis hijos sostienen firmemente que ya son adultos y están en condiciones de asumir su propia responsabilidad. Los padres tienen que conformarse con esperar las consecuencias. Las opciones no son muy atractivas. Entre los viejos y los jóvenes hay frágiles lazos. A los viejos nos preocupa mucho ese vínculo y lo cuidamos a base de hacer concesiones constantemente. Los jóvenes, en cambio, lo cortan con facilidad cuando algo no les conviene. No os lo reprocho, pero así es. Sacáis provecho de vuestra osadía y de vuestra desconsideración juvenil. Nuestra misión es mirar. Para abreviar el discurso, pienso mantenerme pasiva hasta un cierto límite. Y otra cosa: pienso deciros siempre dónde me tenéis. ¡No me interpretéis mal! A mí me tendréis siempre. Pero siempre sabréis con claridad mi opinión. ¿Alguna pregunta?

ANNA: Mamá, ¿cómo puedes saber que siempre tienes razón? También podemos tenerla nosotros. ¿O no podemos?

KARIN: No has entendido del todo mi razonamiento. La que tiene experiencia aquí soy yo, tú no la tienes. Yo he aprendido a ver nuestras acciones en una perspectiva más larga. Tú corres tras tus caprichos. Es lo que pasa cuando se es joven. También yo lo hice cuando tenía tus años.

ANNA: Como es natural, mamá, tenías que aguarnos un poco la fiesta hablando en esos términos vagos y amenazadores. Resulta muy refinado, de verdad.

KARIN: Si pudieras leer mis pensamientos, si pudieras ver mi corazón, no verías ni amenazas ni, cómo dijiste, sí, refinamiento. Probablemente lo que descubrirías sería un porfiado amor por ti y por tu hermano. Eso es lo que verías.

Anna se acerca inmediatamente a su madre y la abraza. Karin Åkerblom se deja abrazar y le da un ligero azote en el culo a su hija. Los dos muchachos han estado sentados sin decir palabra durante esta conversación, mantenida, ciertamente, en su lengua materna, pero, a pesar de ello, incomprensible.

ERNST: Mamá es una mujer muy templada. ¿No te parece, Henrik?

HENRIK: Sinceramente, yo no entiendo muy bien lo que pasa. Tendrás que explicármelo.

KARIN (enérgica): Eso es. Ahora vamos a acostarnos. Quiero decir, que yo voy a acostarme. Vosotros aún os quedaréis un rato, ¿no? Hay una botella de vino tinto abierta en el aparador. Buenas noches, Ernst, dale un beso a tu madre. Buenas noches, Anna, ten cuidado de que no se hable muy alto, que papá duerme en el cuarto de al lado. Ahora todavía estará leyendo una hora. Luego no se puede hacer ruido. Buenas noches, Henrik Bergman. Mi marido me contó que su conversación de esta tarde le había impresionado un poco.

HENRIK (con una inclinación): Buenas noches, señora Åkerblom.

KARIN: Anna, no te olvides de apagar la lámpara y de asegurarte de que las puertas del porche estén cerradas.

Emprenden la marcha a las cinco de la mañana. Al cabo de unas horas el calor se vuelve sofocante y el viento se calma. Una calima gris vela el sol, la luz no hace sombra, pero es intensa. Hay que subir muchas cuestas. Los tábanos atacan rabiosamente en la espalda y la nuca, las moscas pican. Después de pasar el balsadero mejoran las cosas. Empieza a soplar el viento sobre los yermos, y ellos se bañan en las frías y profundas aguas del río Boda, que corren torrencialmente. Comen unos bocadillos, beben zumos y se ponen de buen humor. Ernst empieza quejándose amargamente y a carcajadas: No hay quien pueda entender que haya personas adultas y dueñas de sus cinco sentidos que, todos los veranos, todos los años, desde que yo puedo acordarme, sean tan autodestructivas que se amontonen en la casa de veraneo del señor director de Tráfico y encima declaren que todo es maravilloso. Te diré, mi querido Henrik, aquí entre nosotros, que la situación ha empeorado con el creciente cansancio de papá. Mamá se da cuenta de que ella tiene que asumir toda la responsabilidad y despliega un talento terrible para manipular y reprimir. Ahora nos encontramos, sin embargo, a más de treinta kilómetros de distancia de esa tremenda acumulación de malentendidos, embrollos y avasallamientos. ¡Brindemos por la libertad, amigos míos! Y brindan los tres con zumo de grosellas negras.

Es fácil ser desagradecido, dice Anna. Mamá hace mucho más de lo que le permiten sus fuerzas. Por eso se pone nerviosa y no pega ojo. El cansancio hace que quiera ocuparse de todos los detalles del manejo de la casa. Y luego se pone a reñirnos y nosotros nos enfadamos y nos volvemos injustos. Sí, sí, añade Ernst, Anna y yo siempre estamos hablando de mamá. Casi siempre somos injustos. Pero necesitamos nuestras válvulas de escape. Imaginaos a papá en la plenitud de sus fuerzas y a mamá con su capacidad de corroer. No es extraño que nuestros hermanos hayan salido como han salido. Anna y yo nos hemos librado de lo peor. Yo mantendré a Henrik alejado de la familia, dice Anna de pronto, ruborizándose.

A mediodía llegan a la meta y se acomodan rápidamente. La majada se compone de unas cuantas cabañas que se acurrucan en la linde del bosque bajo la montaña. La ladera de hierba desciende hasta un lago circular, que se llama Duvtjärn, en el que hay nenúfares en la orilla opuesta. Los pedúnculos se pierden en la oscura profundidad parda.

La vivienda tiene una sola habitación, que es cocina y dormitorio. La gente de la majada se acaba de trasladar al pueblo para la siega y la trilla, todo está limpio y fregado, pero lleno de moscas muertas. Huele a leche agria y a humo de fogón. En la esquina de la casa se apoya un matorral de frambuesas silvestres. El viejo pozo con su bomba está construido sobre un manantial. El agua está fría y sabe a hierro. Dos jóvenes abedules, cortados y mustios, se doblan en el zaguán.

Una vez instalado, Ernst dice que piensa ir al bosque a pescar truchas y pregunta por pura fórmula si alguien quiere acompañarlo. Ni Anna ni Henrik parecen dispuestos. Ernst dice que lo comprende, pero añade que piensa estar de vuelta para la hora de la cena, y que entonces comerán lo que haya pescado. Se despide, se echa la larga caña al hombro y desaparece camino de la montaña.

Anna y Henrik se quedan solos y abandonados el uno al otro. La tensión del silencio se cierra en torno a ellos; es ensordecedora y turbadora y, con todo, imprevista. Empiezan a besarse camino del lago, donde piensan ver los nenúfares. Vuelven a la cabaña, se cierran con llave y siguen besándose. No, dice Anna, no podemos estar juntos, es imposible, Henrik. Tengo la regla.

Continúan besándose y se liberan de parte de sus ropas. Tropiezan con una cama que tiene una colcha áspera como un felpudo, pero no es obstáculo. Y de repente hay mucha sangre por todas partes. Anna dice que le hace daño, ten cuidado, hace daño. Luego olvida que hace daño o ya no le hace daño. No le importa que todo esté lleno de sangre, y la vena del cuello de Henrik late contra sus labios. Moquea y ríe y lo tiene preso. Dentro de unos segundos esto pertenecerá al pasado, pero es decisivo.

Hay tantas cosas decisivas cuando se intenta examinar un acontecer *a posteriori* y se sabe el final. Un acontecer que, además, solo se compone de unos cuantos pedazos vagando a la deriva. Hay que completarlo con juicio y, si es posible, inspiración. En ocasiones puedo oír sus voces, pero muy débilmente. Me animan o me dicen, recusantes, que no fue *así* en absoluto. *De esa manera*, desde luego, no fue.

Acerca del episodio que acabo de relatar no he oído ningún comentario, ni en un sentido ni en otro. Recuerdo que mi madre dijo una vez: Sí, sí, hicimos una excursión a la majada de Bäsna. Cuando llegamos, Ernst se fue a pescar truchas. Volvió con una anguila muy gorda. Yo me negué a matarla, así que la echamos al lago y para cenar comimos lonchas de jamón frito con patatas. De eso me acuerdo.

Ahora están en el embarcadero, quebrado por el hielo, armados de cepillo y jabón verde. Friegan y refriegan la vieja colcha, que se resiste a soltar la sangre.

ANNA: Esta primavera estuvimos haciendo prácticas en el hospital de Sabbatsberg. A mi compañera de habitación y a mí nos tocó una sección para ancianos tuberculosos en fase terminal. Era terrible, terrible. Tanto horror y tanto desamparo. Al principio tenía que salir a vomitar varias veces al día y Paula se desmayó una vez que el médico le enseñó un viejo que tenía el cuerpo cubierto de heridas purulentas. Fue una temporada rara, ¿sabes?, casi como un sueño. Teníamos que lavarles cuando se hacían sus necesidades encima y aprendimos a poner sondas en un sitio y en otro. Se morían como moscas. Colocaban un biombo, sencillamente, y, a veces, por la noche, había que estar teniéndole la mano a alguien y viendo cómo se moría. Pensé que nunca más volvería a ser la misma que había sido antes y me alegré de ello. Y pensé en ti, Henrik. ¿Crees que se habrán ido ya las manchas? No, ahí queda otra. Pensé en ti, Henrik. Y pensé en nosotros, cuando nos casemos. ¿Te das cuenta de que tú y yo vamos a formar una combinación invencible? ¡Tú sacerdote y yo enfermera! Es como si se pudiera ver *un plan* en nuestras vidas. Nos hemos unido para hacer algo por los demás. Tú curas el alma y yo el cuerpo. ¿No es maravilloso? Si no pareciera tan imposible, uno pensaría que esto es una ocurrencia de Dios. ¿O qué crees tú?

Henrik se tapa la cara con las manos y permanece así unos segundos, deslumbrado durante demasiado tiempo por las apasionadas miradas de amor de Anna.

ANNA: ¿Qué te pasa, Henrik?
HENRIK: Yo no creo que esté permitido.
ANNA: Ahora sí que no entiendo lo que quieres decir.
HENRIK: No puede estar permitido sentir tanta alegría. Seguro que se avecina el castigo.
ANNA: El sol brilla después de la lluvia. (Extiende una mano, echa la cabeza hacia atrás, se queda callada un instante).

Sopla un viento suave. Nos queremos y vamos a vivir juntos. Vamos (baja la mano y la pone en la mejilla de Henrik) a vivir *el uno para el otro y ser útiles a otras personas*. Nuestros hijos serán buenos y felices como nosotros.

HENRIK: No sigas hablando. Yo estoy convencido de que hay una envidia cósmica y secreta que castiga a las personas que hablan así.

ANNA: ¡Entonces desafío a la envidia cósmica y te aseguro que sé quién va a vencer! Vamos a colgar esta colcha para que se seque al sol. Luego, nuestro pecado quedará borrado.

Desde el principio se ha dicho y decidido que la visita de Henrik terminaría el jueves 22 de agosto. El miércoles por la tarde está Henrik sentado junto a la cómoda en el cuarto de Ernst tratando de aprenderse su sermón de fin de carrera. La casa está vacía y silenciosa, la familia se ha ido a la colina de las vistas con algunos invitados que han venido de la capital en automóvil. El director de Tráfico dormita en su butaca, en el porche. Siri y Lisen están sentadas en el banco que da a poniente. Entre ambas hay un cesto de rebozuelos que están limpiando.

Como por casualidad, Karin Åkerblom se ha quedado en casa alegando un ligero resfriado. Como por casualidad, llama a la puerta del menor de sus hijos y entra sin esperar respuesta. Henrik se pone de pie al instante. Doña Karin pide perdón y dice que no quiere molestar, que solo quería saber si Ernst había dejado la chaqueta en casa para poder arreglársela, porque tiene un agujero grande en el codo. Como por casualidad, entra en la habitación y echa un par de miradas rápidas a su alrededor. Trae su ingeniosa bolsa de costura colgada del brazo. Sonríe a Henrik y le pregunta si molesta. Henrik se inclina y dice que la señora Åkerblom no molesta en absoluto.

Entonces voy a pedirle a usted, Henrik, que me ayude, dice, y saca una gruesa madeja de las profundidades de la bolsa y la coloca en las manos extendidas de Henrik. Propone que tomen asiento uno frente al otro junto a la ventana abierta. La cepa silvestre que trepa hasta el alero ha empezado a enrojecer, de las maravillas de los arriates llega un aroma de otoño ligeramente ácido. Pero todavía hace un calor estival, y estival es el viento que sopla sobre el río, que centellea a la intensa luz de la tarde.

Si Henrik hubiera sabido algo de doña Karin Åkerblom, esa sabiduría lo hubiera puesto sobre aviso. Pero cae de cabeza en todas las fosas y se mete sin saberlo en todas las trampas. Las aptitudes de ella para hacer confesar a la gente están más que probadas. Sentada con una tranquila sonrisa en los labios, ha atado las manos de Henrik con un hilo de lana azul. El ovillo se va formando con rapidez.

KARIN: ¿Irá mañana a Söderhamn a visitar a su madre?

HENRIK: Creo que iré directamente a Upsala.

KARIN: Pero el trimestre no empieza todavía.

HENRIK: Debo buscar alojamiento, instalarme. Además, he de estudiar una parte de Historia de la Iglesia que tengo pendiente.

KARIN: ¡Ah! Así que se ha examinado usted de Historia de la Iglesia. Es el profesor Sundelius, ¿verdad?

HENRIK: Sí. No me salió demasiado bien.

KARIN: El profesor Sundelius es un verdadero verdugo de estudiantes. Yo lo recuerdo de joven, frecuentaba nuestra casa. Era un joven gallardo, pero terriblemente engreído. Después se casó por dinero y ha hecho carrera en la política liberal. Se dice que será ministro, con el tiempo.

Karin Åkerblom mira por la ventana y parece reflexionar. Algo se enreda en la madeja, ella se inclina y separa los hilos.

KARIN: ¿Cómo lo ha pasado usted con nosotros?
HENRIK: Bien, gracias. Ernst es un buen amigo.
KARIN: Ernst es muy buen chico. Johan y yo estamos enormemente orgullosos de él. Intentamos refrenar nuestro entusiasmo. El peligro es, si no, que le causemos frustración con nuestras expectativas.
HENRIK: Yo no creo que Ernst parezca reprimido. Es una persona extraordinariamente libre. Él es la única persona verdaderamente libre que conozco.
KARIN: Me alegra mucho que diga usted eso.
HENRIK: Le tengo mucho cariño. Es como un hermano.
KARIN: Me parece que Ernst también está muy contento de su amistad. Lo ha dicho muchas veces.
HENRIK: La señora Åkerblom ha tenido la amabilidad de preguntarme hace un momento cómo lo había pasado. Yo contesté, como es natural, que sí, que muy bien. Lo que no es del todo verdad. He sentido miedo y tirantez.
KARIN: Pero, querido amigo, miedo, ¿por qué?
HENRIK: La familia Åkerblom es un mundo extraño para mí. Sin embargo, mi madre se ha esforzado mucho por darme una buena educación.

KARIN: Pero ¡querido muchacho! ¿Tan difícil ha sido?

HENRIK: Casi todo hubiera resultado soportable si no hubiera estado tan consciente de la crítica.

KARIN: ¿La crítica?

HENRIK: La familia es crítica. Siento que me pesan en una balanza y que no doy el peso.

KARIN (risas): ¡Escuche, señor Bergman! Eso pasa en todas las familias, no creo que seamos peores que otros. Además, usted tiene dos defensores muy competentes y devotos.

Henrik ha comprendido demasiado tarde que se ha cerrado la trampa. Sus posibilidades de defensa son muy escasas.

HENRIK: Quizá sea todavía peor, señora Åkerblom. Es que no me he sentido bienvenido.

Doña Karin sonríe y sigue ovillando. Tardará un poco en hablar, lo que hace que Henrik se sienta inseguro. Tal vez piense que ha faltado al respeto, que ha traspasado los límites de la cortesía.

KARIN: ¿Así que piensa usted eso?

HENRIK: Le ruego que me perdone. No es mi intención ser descortés. Pese a ello, no puedo liberarme de la sensación de que me toleran a duras penas. Especialmente la madre de Ernst y de Anna.

Silencio otra vez. Doña Karin inclina la cabeza como asintiendo: acuso recibo de su mensaje, señor Bergman, y tengo intención de reflexionar sobre él.

KARIN: Voy a tratar de ser sincera, aunque tal vez me vea obligada a herir sus sentimientos. En ese caso, será sin querer. Mi antipatía, no sé cómo llamarla, no es personal. Creo incluso que podría albergar sentimientos afectuosos y maternales hacia el joven amigo de Ernst. Porque veo que es usted una persona afectiva y vulnerable y tierna que ya ha sufrido una realidad inclemente en muchos aspectos. Mi antipatía, si hemos de llamar así a mi compleja actitud hacia usted, depende enteramente de Anna. Yo conozco a mi hija bastante bien, me figuro, y considero que su relación con usted, señor Bergman, va a ser una catástrofe. Es una palabra fuerte, sé que puede parecer exagerado, pero a pesar de ello no tengo más remedio que emplear la palabra catástrofe. *Una catástrofe vital.* Yo no puedo imaginar una combinación más imposible y aciaga que la de nuestra Anna y usted. Anna es una niña consentida, obstinada, enérgica, afectiva, sensible, extremadamente inteligente, impaciente, melancólica y alegre al mismo tiempo. Lo que ella necesita es un *hombre maduro* capaz de educarla con amor, firmeza y paciencia desinteresada. Usted es un hombre muy joven, con poca experiencia de la vida y me temo que con tempranas y profundas heridas que no han recibido cura ni consuelo. Anna se desesperaría en sus inútiles intentos de mitigar y curar. Por eso le pido…

Doña Karin mira el ovillo azul que crece entre sus manos. Se muerde los labios y en sus mejillas han brotado dos rosetones.

HENRIK: ¿Me permite que diga algo?

KARIN: Sí. (Distraída). Naturalmente.

HENRIK: Yo no acepto esta conversación. Usted, como madre de Anna, puede tener las mejores razones del mundo para envenenarme con pormenores sobre mi lamentable vida espiritual. Puedo asegurarle que la mayoría de los dardos han dado en el clavo. El veneno producirá seguramente el efecto previsto. Con todo, su ataque, señora Åkerblom, es imperdonable. Una persona ajena, aunque fuera la Virgen Santísima, nunca puede interpretar lo que ocurre en el ánimo de dos personas. La familia lee a Selma Lagerlöf por las noches. ¿No han notado nunca en la lectura que la autora habla del amor como del único milagro de la tierra? Un milagro que transforma. La única salvación verdadera. ¿Piensa quizá la familia que la autora se ha inventado eso para que sus lúgubres historias resulten un poco más atractivas?

KARIN: He vivido bastante y nunca he vislumbrado milagros, ni terrestres ni celestiales.

HENRIK: Justamente, señora Åkerblom. Australia no existe puesto que la señora Åkerblom no ha visto Australia.

Doña Karin le echa una mirada afilada pero apreciativa a Henrik Bergman. Sonríe fugazmente.

KARIN: Me temo que nuestra conversación se está haciendo demasiado teórica. La situación concreta es que yo, con todos los medios a mi alcance, voy a impedir que siga el galanteo de mi hija.

HENRIK: Creo que es una decisión poco realista.

KARIN: ¿Qué es lo que es poco realista?

HENRIK: Usted no tiene ninguna posibilidad de impedirle nada a Anna. Creo que un intento así solo va a sembrar el odio y fomentar las disputas.

KARIN: El tiempo lo dirá.

HENRIK: ¡Así es, señora Åkerblom! El tiempo dirá cuáles son las consecuencias de un error funesto.

KARIN: ¿Error de quién?

HENRIK: Voy a contarle a Anna nuestra conversación. Luego ya veremos lo que hacemos.

KARIN: A propósito, ¿qué ha pasado con el compromiso del señor Bergman? Me refiero, claro está, al compromiso con Frida Strandberg. Que yo sepa, sigue en pie. La señorita Strandberg ha negado, en todo caso, que haya habido ruptura.

Henrik baja los brazos y el resto de la madeja azul. Un clavo le atraviesa la cabeza. Le perfora el pecho, llega hasta el estómago. Su mirada queda desprovista de expresión.

HENRIK: ¿Cómo sabe...?

KARIN: ¿Que cómo lo sabemos? Mi hijastro Carl ha hecho indagaciones. Una semana antes de que usted llegara ya sabíamos la verdad.

HENRIK: Y ahora usted va a decirle esa verdad a Anna.

KARIN: No pienso decirle nada a mi hija. A condición de que usted y yo lleguemos a un acuerdo.

HENRIK: ¿Un acuerdo? ¿O una imposición?

KARIN: Pues bien, una imposición, si lo prefiere.

HENRIK: ¿Que me vaya?

Doña Karin afirma conminatoria. Está tranquila y digna. No hay sombra de ira en su relleno semblante ni en sus penetrantes ojos de un gris azulado.

HENRIK: ¿Puedo escribir una carta?

KARIN: Por supuesto.

HENRIK: ¿Lo sabe Ernst?

KARIN: Ernst no sabe nada. La única que lo sabe soy yo. Y Carl, claro.

HENRIK: ¿Y qué explicación voy a dar?

KARIN: A usted se le da bien mentir. En esta ocasión puede ser útil una facultad de ese género. Perdón, fue una bajeza por mi parte.

HENRIK: Tengo que decir las cosas como son.

KARIN: Hágalo usted como mejor le parezca. De todas maneras habrá muchas lágrimas.

HENRIK: ¿Puedo hacer una última pregunta?

KARIN: Sí.

HENRIK: ¿Por qué permitió usted que viniera, sabiéndolo todo?

KARIN: ¿Le parece a usted? Pues porque quería ver de cerca al amor de mi hija. Y como la desgracia ya debía de haber ocurrido…

HENRIK: ¿Qué quiere usted decir con «la desgracia»?

KARIN: Quiero decir exactamente lo mismo que usted.

HENRIK: En ese caso puedo decirle que se equivocó usted de medio a medio.

KARIN: ¡Ah! ¿Sí? ¿Y ahora?

HENRIK: La verdad es que eso solo nos concierne a Anna y a mí.

KARIN: ¡Vaya a escribir la carta, señor Bergman! Y tome el tren de las tres de la tarde. Anna no llegará a casa hasta más tarde y para entonces…

HENRIK: … para entonces yo tengo que estar lejos.

La madeja se ha terminado y el ovillo está ovillado. Karin Åkerblom y Henrik Bergman se levantan sin mirarse. Durante los últimos minutos han cimentado una enemistad implacable que durará toda la vida.

Después de la conversación, doña Karin se siente extenuada y nerviosa. Se sienta con un libro, pero no puede leer, se pone las gafas de montura dorada en la frente. Se queda en medio de la habitación con el dedo índice en los labios, se descubre reflejada en el espejo y se da la vuelta. Va y viene por el borde de la alfombra, se inclina y arregla los flecos.

Se oye la puerta de la cocina que se abre y se cierra, ella atisba con prudencia tras las cortinas. Sí, es Henrik, que está en la escalera, Lisen se acerca con un envoltorio de bocadillos, él da las gracias en silencio, le estrecha la mano, levanta la vieja maleta y se encamina a paso rápido hacia la verja y el camino del bosque. Karin se siente tentada de abrir la ventana y gritarle que vuelva, pero al mismo tiempo se da cuenta de que algo irrevocable ha ocurrido.

Ella, desde luego, está dispuesta a asumir las consecuencias de sus actos. Ella siempre responde de sus actos, y ese extraño debe desaparecer. Solo por el bien de Anna. ¿O…? Henrik cruza la verja pero no la cierra. ¿Otros motivos? Es un embustero y un embaucador, se trata de proteger a Anna.

Ahora se lo ve desaparecer por la pronunciada cuesta del bosque, los troncos de los árboles tapan la vista. Esa cara sincera y vulnerable. Una cara de niño. Pero ¿fue por el bien de Anna? Ahora se ha ido. No soporto esa clase de blandura peligrosa y suplicante.

Doña Karin pone las palmas de las manos sobre la inmaculada superficie verde del escritorio, las oleadas de cansancio la obligan a doblar la espalda y la cabeza. Ahora habrá disputas, riñas.

En la cocina está Lisen preparando la cena, que consiste en lucio al horno y crema de grosellas. Siri está poniendo la mesa. Karin pasa, como por casualidad, por la cocina y dice que al final de la excursión pensaban pararse en casa de los Berglund a probar los quesos frescos que hace Greta. Entonces no van a tener mucho apetito para cenar, dice Lisen, lacónicamente. Ojalá lleguen a la hora, el lucio es bueno. Y el señor Bergman que se fue sin más ni más, dice Lisen luego, con voz átona. Sí, pasaba algo con su madre, murmura Karin distraídamente con la mano en el tirador de la puerta. Pero ella vive en Söderhamn, sigue diciendo Lisen como de pasada. ¿Por qué tenía tanta prisa entonces en llegar al tren de Estocolmo? Será que va a cambiar en Borlänge, contesta Karin, y va al vestíbulo, donde en ese momento está Johan Åkerblom camino de su cuarto. Anda despacio, apoyándose en el bastón. Deberíamos poner un retrete dentro de casa, dice, parándose. Hace años que vengo diciéndolo, contesta su esposa. En invierno la cuesta va a resultar difícil, dice Johan. Puedes usar el balde, dice Karin con benevolencia. ¡Yo no me siento en el puto balde en mi vida! Después, como entre paréntesis: Creo que se ha ido Henrik Bergman. Sí, se ha ido, contesta Karin, subiendo la escalera. Parece que pasaba algo con su madre. Seguro que eres tú quien lo ha despachado, dice el director de Tráfico ya casi dentro de su habitación. De todos modos, mejor así. Yo creo que no encajaba. Pues parecías encantado con él, responde su mujer sarcásticamente. Bueno, así, así, dice Johan. Es un muchacho que tiene opiniones propias. Pero, claro, que Anna está demasiado interesada, aunque es natural, está en la edad.

Se cierra la puerta. Karin, en la escalera, no sabe si subirla o bajarla. Vuelve a sentirse cansada, debe de ser la menopausia, se le ocurre de repente, y experimenta un ligero alivio. Cuando entra en su habitación, oye el tren de Estocolmo que pita al llegar a la estación.

Abajo, en el patio, se baja Ernst de la bicicleta y tira la mochila y el equipaje al suelo. La madre abre la ventana.

KARIN: ¡Vaya! ¿Tú el primero?

ERNST: Pensé que tenía tiempo de darme un remojón antes de cenar. ¿Está Henrik?

KARIN: Henrik se acaba de marchar.

ERNST: Pero ¿qué dices? ¿Que se ha marchado Henrik?

KARIN: Tomó el tren de Estocolmo.

ERNST: ¿Y por qué?

KARIN: No sé muy bien. Parece que pasaba algo con su madre.

ERNST: ¿Sabe Anna que se ha ido?

KARIN: ¿Cómo va a saberlo? El señor Bergman dijo que iba a escribir una carta.

Karin cierra la ventana. ¿Qué es lo que ha pasado, en realidad?, pregunta Ernst, pero su madre finge no haber oído la pregunta y se encoge de hombros. Se tumba en la cama y se pone una manta de viaje sobre los pies.

Al cabo de un breve, demasiado breve, silencio, oye los caballos y el coche, bullicio y descarga, alegres gritos de las niñas y el timbre de una bicicleta, es Carl que se empeña en ir en bicicleta. El ruido se extiende por toda la casa, risas, conversaciones y una animada discusión sobre ir a bañarse antes de la cena. La voz de Martha, enfadada. Oscar y Gustav en la terraza con un whisky. Y de pronto, los rápidos pasos de Anna. Ahora ve la carta, ahora la abre, ahora la está leyendo. Pasos precipitados, puerta, un par de enérgicos golpes. Doña Karin no tiene tiempo de contestar, la puerta se abre de golpe y en el umbral está Anna, pálida, sin lágrimas y furiosa. Lleva la carta en la mano y la extiende acusadora hacia la madre, que se sienta en la cama. Tira inútilmente de la manta.

ANNA: ¡Esto no lo soporto! ¡Mamá! ¡No lo soporto!
KARIN: No te quedes ahí dando gritos para que te oiga toda la casa. Pasa y cierra la puerta. Siéntate.

Anna cierra dando un portazo, pero sigue de pie. Después de unos instantes, domina su voz.

ANNA (serena): Dice que nunca más volveremos a vernos.
KARIN: Sus razones tendrá.
ANNA: En esta carta no hay ni una sola razón creíble. ¿Quién lo ha obligado a escribirla? ¿Has sido tú?
KARIN: No, yo no lo he obligado a escribir. Pero cuando me enteré de la situación, le aconsejé que se fuera y que no volviera a aparecer.

ANNA: ¿Qué situación?

KARIN: Prefiero no tener que decirte lo que sé.

ANNA: Si no me entero de la verdad, me voy a buscarlo ahora mismo. Nadie va a poder impedírmelo.

KARIN: Eres tú quien me obliga.

ANNA: ¿Qué es lo que sabes, mamá, que no sepa yo? ¿Es lo de su novia, esa tal Frida? Me lo ha dicho. Yo lo sé todo. Ha sido absolutamente sincero.

KARIN: Yo no creo que lo haya sido tanto.

ANNA: Quieres hacerme daño a propósito.

KARIN: Escucha, hija mía. Tu hermano Carl tiene informes fidedignos de que Henrik Bergman sigue viviendo con esa mujer. Si quieres, puedo…

ANNA (con un gesto): No.

KARIN: Renuncio a entrar en detalles. Tú misma puedes sacar las conclusiones.

ANNA (con un gesto): … No.

KARIN (sosegadamente): … Desde el primer momento sentí desazón en torno a ese hombre. Por supuesto que es digno de compasión, quiero decir, es huérfano de padre, sin recursos, con una niñez penosa… Todo eso es muy conmovedor y no puedo negar que experimenté una compasión que me llevó a dudar. (Hace una pausa). No dices nada.

ANNA: ¿O sea, que Carl se ha dedicado a espiar?

KARIN: No fue necesario. Más bien fueron a informarlo y pensó que yo debía saberlo.

ANNA: … Esto no lo soporto.

KARIN: … ¿Y qué vas a hacer?

ANNA: … No pienso decirlo.

KARIN: … De todas maneras, es hora de cenar. Tú quizá quieras que te suban algo a tu habitación. Le diré a Lisen que te suba un vaso de leche y unos bocadillos.

El cansancio de doña Karin se ha esfumado y se levanta de la cama con rápidos movimientos, dobla la manta, estira la colcha y se atusa el peinado frente al espejo. Luego se acerca a su hija, que se ha quedado de pie junto a la puerta.

ANNA: … Esto no lo perdonaré nunca.
KARIN (con dulzura): … ¿A quién no vas a perdonar nunca? ¿Es a mí a quien no perdonas? ¿O a tu amigo? ¿O a la vida? ¿O a Dios?
ANNA (lúgubre): No sigas. No digas nada más.
KARIN: Cuando hayas pensado un poco, vas a entender mejor las cosas.
ANNA: … Quiero estar sola.
KARIN: Pobre hija mía.
ANNA: … ¡Déjame en paz! ¡No me compadezcas!

Doña Karin va a decir algo más, pero lo piensa mejor y deja sola a Anna, que permanece de pie, irresoluta.

Un viento helado sopla en la meseta y corre sobre la ciudad, que se acurruca resignadamente: ¿empezará el maldito invierno ya a finales de octubre? Lo que se avecina va a ser largo y duro de veras. La campana de la catedral retumba tocando a muerto, es un jueves gris a las tres de la tarde, los grajos graznan en torno a las torres y a los vuelos de los tejados, y el río Fyris fluye lánguido y fangoso bajo los puentes. En las aulas de la universidad los ojos ardientes de las estufas de hierro se clavan en los soñolientos estudiantes y en los profesores que farfullan, enredados en sus encarnizadas intrigas. La mortecina luz del día lucha desganadamente contra la sucia luz de gas que alumbra amarillenta en los rellanos y los pasillos. Pensar libremente es bueno, pensar bien es mejor. No pensar en absoluto es lo más seguro. Este es un día en el que se muere, porque se deja de respirar. Immanuel Kant pasa, tambaleándose, con la cabeza adelantada, de morros y con mal aliento, por la ciudadela del saber: «Para ser moral es necesario inclinarse ante la ley moral por puro respeto a esta ley moral, tal y como se expresa en el imperativo categórico: actúa de manera que la máxima de tu voluntad siempre pueda ser un principio para la legislación universal».

A las cuatro casi es de noche. Ha empezado a nevar, a ratos con fuerza, a ratos con suavidad, y la nieve va cubriendo calles y tejados. Pero, al menos, terminó la clase por fin y los estudiantes se tiran bolas de nieve unos a otros y a la estatua de Erik Gustaf Geijer.

Henrik se ha separado de sus compañeros, que se encaminan apresuradamente hacia el humeante potaje y el calor de las fogatas de leña de Kalla Märta. Se sitúa enfrente del número 12 de la calle Trädgårdsgatan. Ahí se queda durante una hora y otra hora, completamente cubierto de nieve y entumecido de frío en el cuerpo y en el alma. No se ve a nadie, nadie va ni viene, la calle está desierta. Hay luz en las ventanas del primer piso, de vez en cuando una sombra se mueve al otro lado de la blanca cortina. A su espalda, en el oscuro patio vacío del instituto, el viento bate una puerta. Entre portazo y portazo, silba y aúlla. A veces todo se queda en silencio y, entonces, Henrik oye los latidos de su corazón. Se acerca el farolero, va de un lado a otro de la calle, levanta su largo bastón y tira de las presillas de acero de las farolas. La nieve se arremolina alrededor de la luz. El reloj da los tres cuartos para las siete, tres sonoras campanadas lejanas en la oscuridad, un pequeño tranvía tuerce trabajosamente por Drottninggatan en dirección a la catedral, chirriando con violencia, la nieve forma torbellinos. Tras los cristales empañados se distinguen figuras. Vuelve el silencio. Henrik patea, los dedos de los pies se le quedan helados en las botas de poco abrigo; por lo demás se ha hecho insensible: Estaré aquí hasta que venga. Tiene que venir. Seguro que viene.

Y al fin aparece, no sola, sino con su cuñada, la gorda Martha. Están en la entrada abovedada que conduce al patio, envueltas en pieles y charlando amigablemente. Anna descubre a Henrik inmediatamente, le dice algo a su acompañante y cruza la calle. Su rostro queda iluminado de súbito por la farola de la calle.

ANNA: No estés ahí, vigilándome. No, no me toques.

HENRIK: ¡Pero deja que hablemos! ¡Hablemos! ¡Solo unos minutos!

ANNA: Tú no has entendido nada, Henrik. *Yo* no quiero hablar *contigo*. No tenemos nada que decirnos. ¿No puedes dejarme en paz?

Anna rompe a llorar abiertamente y con ímpetu, como un niño. Martha se acerca, balanceándose en el brillo suave de su abrigo de piel y con su gorro ruso de piel. Está enfadada y le tira del brazo a Henrik.

MARTHA: Tienes que dejar en paz a la chica. ¿No te das cuenta de que la asustas?

HENRIK: Haga el favor de no meterse en lo que no le importa.

MARTHA: Te estás comportando como un idiota. Y, además, no tenemos tiempo, vamos a un concierto en el aula magna y van a dar las siete.

ANNA: ¿No puedes dejarme en paz? Por favor, Henrik, te lo pido con toda la amabilidad de la que soy capaz. ¡Déjame en paz!

HENRIK: ¿Cómo estás? Pareces enferma.

ANNA: Sí. No, no sé. Debe de ser solo que estoy triste.

HENRIK: Yo ya no puedo más.

ANNA: ¡Bah! No seas tan grandilocuente. Claro que podrás, y yo también.

HENRIK: Anna, *¡habla conmigo!*

ANNA: Te digo que no me toques. ¡No me *toques*! No te acerques a mí. Me das asco.

Henrik se queda paralizado ante el tono de ella. Un tono así no lo ha escuchado jamás. Ve el desprecio en sus ojos, ese desprecio no lo ha visto nunca. (Henrik es una persona que no ha sido maltratada por la vida, ha pasado inadvertido. Ha vivido en su invisibilidad sin dejarse inquietar. Los comentarios de Frida le han dejado bastante indiferente. Anna lo mira con un desprecio absolutamente evidente, no cabe la menor duda, no hay otra manera de interpretar su mirada: se trata de él, o más bien de alguien que está mucho más allá del drama, alguien que en un doloroso instante cae en la cuenta de la magnitud de su infortunio. Así fue y así seguiría siendo, toda la vida. *Al fin había sido visto*). Suelta el brazo de Anna y la deja ir, ella ya no llora. Las dos mujeres no tardan en desaparecer en la oscuridad y en los remolinos de nieve.

Después de Navidad, Anna tiene que regresar a sus estudios. Nada ha sido como otras veces: el director de Tráfico ha sufrido una ligera apoplejía que le paralizó parte del cuerpo, parálisis que parece remitir. Carl fue amenazado de quiebra la semana antes de Navidad. Los padres y Oscar lo salvaron, pero lo declararon insolvente, y su madrastra proclamó que estaba dispuesta a encargarse de administrar sus finanzas en adelante. Las niñas enfermaron de sarampión. Svea había dicho que, probablemente, esta sería su última Navidad, y Anna sufría de tristeza de amor combinada con una tos persistente que no se le iba. El día después de Año Nuevo (de 1910) recibió una carta con letra desconocida, muy correcta y bien redactada. Ella la leyó con asombro creciente.

Muy estimada señorita Åkerblom: le ruego tenga a bien perdonarme si la molesto, pero me veo obligada a escribirle a usted por una cuestión de la mayor importancia, tanto para usted, estimada señorita, como para la abajo firmante. ¿Me atreveré a solicitarle una entrevista? En ese caso, y si no lo toma usted a mal, propongo que nos encontremos en el café de Lagerberg, el jueves a las dos. La abajo firmante es fácil de reconocer. Llevaré un abrigo granate y un sombrero a juego. Si mi muy estimada señorita considera que vale la pena molestarse en verme, me sentiría altamente agradecida. De no ser así, le ruego no tome en cuenta esta carta. Con los testimonios de mi consideración más distinguida, Frida Strandberg.

Minutos después de las dos entra Anna en el café de Lagerberg, situado en la esquina de Drottninggatan y Västra Ågatan. No hay casi nadie. Dos señoras mayores, muy bien peinadas y con grandes delantales, charlan tranquilamente con un catedrático de Derecho Civil que lleva chistera. Nieva silenciosamente. Las estufas de azulejos despiden un calor aromático y arrancan el acorde sonrosado y brillante de la seducción de los famosos pasteles y los célebres roscones. Flota sobre todo un excitante contrapunto de café recién hecho.

Una de las señoras bien peinadas le pregunta a Anna qué desea y Anna contesta que chocolate con nata y un pastelito de moca, y que si se lo podrían servir en la habitación del fondo. ¡No faltaba más, señorita Åkerblom! Pase usted.

Frida Strandberg ya está esperando y se levanta cuando Anna se acerca. Extiende la mano y ambas se saludan comedidamente, sin el menor intento de fingir cordialidad. El abrigo de Frida es de una elegancia sencilla, de lana color granate. El sombrero es de la misma tela y guarnecido de piel. Anna lleva el abrigo de piel que le han regalado en Navidad, hecho a la medida y muy elegante. Sobre el pelo, peinado hacia atrás, lleva un gorrito de marta cebellina.

FRIDA: ¿Ha pedido ya, señorita Åkerblom?
ANNA: Sí, gracias. Ya he pedido.
FRIDA: Ha sido muy amable por su parte al venir.
ANNA: Supongo que me entró curiosidad. (Tose).

FRIDA: ¿Se encuentra usted mal?
ANNA: Es un resfriado que no termina de irse.
FRIDA: Tenga, beba un poco de agua mineral. Yo no he tocado el vaso.
ANNA: Muchas gracias.
FRIDA: Hay mucha gente que está enferma este año.
ANNA: ¡Ah! ¿Sí?
FRIDA: Cuando la gente está triste, se pone enferma. Me parece que este otoño ha habido mucha más gente triste que de ordinario.
ANNA: ¿Por qué justamente este otoño?
FRIDA: Pues por la huelga general, claro, y todo lo que ha traído a rastras.
ANNA: Ah, claro. La huelga.
FRIDA: ¿Usted va a ser enfermera, señorita Åkerblom?
ANNA: Estoy a punto de irme a la escuela.
FRIDA: A mí me hubiera gustado ser enfermera. Pero tuve que empezar a ganarme la vida pronto, así que…

Llega el pedido de Anna: una gran taza de chocolate bajo una montaña de nata batida, el pastelillo de moca con su papelito rizado y un vaso de agua. La señora bien peinada sonríe y se esfuma. Frida se queda mirándola.

FRIDA: ¿La conoce usted?
ANNA: Cuando éramos pequeños papá solía traernos aquí casi todos los sábados.

Ahora se hace ese silencio que anuncia el cambio de dirección de una conversación hacia su verdadero propósito.

Anna ahoga una tos y bebe agua, el pastel ni lo toca. Frida contempla su mano y el anillo de compromiso: la carta fue una especie de impulso, no resultó tan difícil. Ahora, la empresa es casi insuperable.

Le pregunté a mi madre cómo recordaba ella la situación. Se quedó dubitativa y me contestó que Frida Strandberg le había gustado desde el primer momento, que parecía mayor y muy madura para su edad y que «era guapa». Recordaba también que las dos, casi al mismo tiempo, habían mirado el anillo de compromiso, y que Frida se había azorado un poco.

FRIDA: Tengo que irme al trabajo dentro de media hora. Así que le diré lo que tengo que decir sin rodeos. No es muy fácil. Cuando escribí la carta me pareció que lo veía todo muy claro y preciso, pero ahora es difícil.

Sonríe disculpándose y mueve la cabeza. Anna siente una oleada de fiebre en la frente y en la boca. Saca el pañuelo del bolso, pero frena su movimiento.

FRIDA: Se trata de Henrik. Quiero pedirle, señorita Åkerblom, que lo acepte de nuevo. Está, no sé cómo explicarlo, está a punto de... estallar en pedazos. Dicho así parece muy raro, ya lo sé. Pero no se me ocurre ninguna expresión mejor. No duerme, estudia hasta muy tarde, está tan desmejorado que dan ganas de llorar. No lo digo para despertar compasión. Si no hay compasión, es decir, algún sentimiento, sería estúpido y una falta de tacto. Yo no sé mucho de la relación de ustedes. Él no me ha dicho nada, yo lo he ido adivinando.

Un gesto de impaciencia y una rápida sonrisa. Seguramente quiere que yo diga algo, piensa Anna. Pero ¿qué hay que decir?

FRIDA: Yo intento no sentirme enfadada ni herida. Nadie puede luchar contra sus sentimientos. No puedo evitar ponerme furiosa, por ejemplo. Ni quererlo, a pesar de que se porta como un pobre diablo. ¿Sabe usted lo que pienso, señorita Åkerblom? Pues pienso que es la persona más angustiada que anda sobre dos zapatos. Ya no quiere seguir conmigo, pero no se atreve a decirme: Frida, hasta aquí hemos llegado. Se acabó, me he enamorado de otra. Él no se atreve a decirme que no quiere seguir conmigo, sabe que me enfadaría y me dolería. Y, entonces, me hace aún más daño no diciéndome nada. Yo no sé mucho de lo que ha pasado ni de lo que usted piensa de este asunto. Pero a mí me parece que somos tres desdichados que sufren y lloran en secreto. Por eso veo que tengo que ser yo la que, por así decir, decida. Tengo que decirle a Henrik que no pienso seguir. Por mi propio bien. No pienso seguir dejando que me hiera y me… humille, sí, eso es, humille. Está acostado en mi cama llorando por otra. Eso es humillante para él y para mí. Es humillante. Le diré una cosa, señorita Åkerblom, que pienso todo el tiempo: es como si el pobre no tuviera una vida de verdad. Así que no hay nada que valga la pena. La causa de que sea tan desgraciado no es difícil de comprender, es que tiene una madre que… Es terrible decirlo, tiene una madre que lo está matando. No sé cómo se las arregla, porque me consta que lo quiere tanto que él se vuelve loco de miedo. En mi oficio se aprende mucho del modo de ser de las personas, ¿sabe usted? Y yo solo los he visto a él y a su madre juntos una vez. Ni siquiera se ha atrevido a contarle que estamos comprometidos, con anillo y todo. ¡Qué va!, yo me las arreglé para tener el honor de servir a los señores cuando fueron a tomar café al Flustret Es que quería ver a esa mujer, no la puedo llamar de otra forma. Bueno, ahora tengo que irme si quiero llegar a tiempo.

ANNA: … ¿Y qué puedo hacer yo?

FRIDA: … Aceptarlo, señorita Åkerblom, solo hay que decidirse. Henrik es la persona más delicada y más buena que conozco. La más delicada y la más buena, no sé de nadie que sea mejor. Lo único que deseo es que al fin sea feliz, él nunca ha sido feliz en su desdichada vida. Necesita alguien a quien querer para no tener que odiarse tanto a sí mismo. Y ahora sí que tengo que irme, me van a echar un rapapolvo. De todas maneras, no importa mucho, porque voy a despedirme y me voy a ir a Hudiksvall para el verano. (Sonríe un poco). Puede tener cierto interés saber que desaparezco de la ciudad. Es que tengo un amigo, no, no es un amigo en *ese* sentido, un amigo que vive en Hudiksvall y que tiene una buena pensión, ahora va a vender la pensión para levantar un hotel. Quiere que vaya a encargarme del restaurante con otra chica de allí que ha ido a escuelas de restauración en Estocolmo y Suiza. Hay muchos que piensan que Norrland es la región del futuro y puede ser divertido participar en el principio de ese futuro. Así que me voy; es verdad que estoy triste y que lloraré, ya lo sé. Pero es mejor así. Le ruego que me permita abonar la consumición, lo haré ahí fuera al salir si usted quiere quedarse un poco más, tampoco es cosa de que desfilemos juntas por la orilla del Fyris. Adiós, señorita Åkerblom, y tenga cuidado con esa tos. (Se va, vuelve). Otra cosa. No le diga nunca a Henrik que... Me refiero a la carta y a nuestra conversación. No estaría bien, no haría más que complicarlo todo. Él siempre lo complica todo, el pobre.

De pronto, Frida Strandberg parece triste, le brillan los ojos y le tiemblan los labios. Hace un gesto de rechazo, pero si no he llorado en todo el rato, por qué ahora, es ridículo.

Y desaparece con un vuelo de color granate.

Después de Reyes llega el frío. El humo del carbón sale verticalmente de las chimeneas, la luz del sol arde unas horas sobre el imponente montón de ladrillos del castillo, y enseguida anochece. Los niños y los gorriones andan montando bulla en la cuesta de la biblioteca Carolina, hay flores de escarcha en las ventanas, los cascabeles de los caballos que arrastran los trineos suenan de modo estridente.

Anna se ha puesto el uniforme, está haciendo la maleta, vuelve a su escuela, las vacaciones de Navidad han llegado a su fin. Se siente fatal, tose y tiene fiebre, se mueve despacio entre el armario, la cómoda, el guardarropa, se queda sentada en la cama, de pie en la ventana, va hacia la puerta, va hacia el escritorio, tal vez empieza a escribir una carta, la rompe, la tira a la papelera. Querido Henrik, quiero que nos..., y ya no sabe cómo seguir. La fiebre late en su cuerpo, de vez en cuando le cuesta respirar, sobre todo después de los ataques de tos.

Ernst abre la puerta: Pero ¿vas a irte de viaje? ¡Si estás enferma! Joder, deberías poner límites a tu sentido del deber. He estado en Gamla Upsala esquiando. Estamos a veinticinco grados bajo cero. Me tomaré un coñac. Luego me voy al trabajo, tengo turno de tarde, así que no nos veremos en una temporada. La semana próxima iré a Estocolmo. Iremos al Teatro Dramático a ver la última pieza de Strindberg. Cuídate mucho, hermanita querida. Dame un beso. ¿Quieres que le diga algo a Henrik? Nos veremos mañana en el coro. ¿Le doy saludos? No le doy saludos, pues. ¡Adiós, corazoncito de arándano!

Ernst se va y Anna llora, ya está llorando otra vez, ella no quiere llorar, en realidad no sabe por qué. Mamá Karin se asoma a la puerta: ¿Quieres tomar un poco de agua de Ems, hija mía? Déjame que te toque la frente. Pero si estás enferma de verdad. Ahora mismo llamo a la directora y le digo que estás enferma. ¡No pienso dejarte salir de casa en ese estado! Anna sacude la cabeza con terquedad: Déjame en paz, déjame, te prohíbo que llames a la directora. Aborrece a los blandengues. Un poco de agua de Ems me hará bien.

Doña Karin se va a prepararla. Anna se sienta al escritorio. Queridísimo, mi queridísimo Henrik, tenemos que…, y ya no sabe qué es lo que tienen que, así que rompe el pliego de papel. Golpes suaves en la puerta. El director de Tráfico asoma la cabeza, descubre a Anna y entra sonriendo abiertamente. Avanza con ayuda de dos bastones y se deja caer en la primera silla.

La tentación es irresistible. Anna se tira de rodillas y se abraza a su padre: Papaíto querido, ayúdame, por favor.

Soy incapaz de hacer nada. No sé qué hacer, tengo que ser responsable, papá, *¡pero no tengo fuerzas!*

Por fin Anna llora en serio. Tose, moquea, llora, es igual que cuando era niña: totalmente inconsolable. Entra doña Karin con un vaso humeante de agua de Ems. Se queda casi espantada, deja el vaso en la mesilla y toma una silla para estar cerca de Anna. De vez en cuando le da palmaditas a su hija en los hombros y en la espalda.

KARIN: Ahora voy a meter en la cama a mi niña y luego voy a llamar al doctor Fürstenberg y a la directora. Después de cenar vendré a ver a mi niña y hablaremos un poco. Y después tomarás algo para dormir y mañana te sentirás mucho mejor y podremos decidir unas cosas y otras. ¿Te parece bien, hija mía?

Anna afirma en silencio. Así estará bien.

La próxima escena se desarrolla unos días después de lo que se acaba de relatar. La imagen muestra el cuarto de estudiante de Henrik. Junto al escritorio hay una visita inesperada. Es el mayorista Oscar Åkerblom. Lleva pieles, chanclos de goma; el gorro de astracán lo ha dejado sobre la Santa Biblia. Henrik entra y expresa asombro. Oscar toma inmediatamente la palabra.

OSCAR ÅKERBLOM: Buenos días, señor Bergman, perdone esta intrusión no anunciada, pero su amigo Justus Bark consideró que podía dejarme pasar sin grandes riesgos.

¡Hay que ver el jodido frío que tiene usted aquí! Espero que pueda disculpar que un hombre mayor no se quite el abrigo. No, no encienda usted el fuego por mí. Los jóvenes calaveras necesitan tal vez un poco de fresco en la frente. ¿Qué sé yo? ¿Quiere usted hacerme el favor de sentarse? No voy a robarle mucho de su valioso tiempo, señor Bergman. Siéntese, le digo. Por favor.

HENRIK: ¿De qué se trata?

OSCAR ÅKERBLOM: Pronto lo sabrá. Pronto lo sabrá, joven. No esté usted tan enfadado, hombre. Yo no soy enemigo suyo. Yo solo soy un portador de información. La familia consideró que usted debía ser informado y que yo era el emisario más adecuado.

HENRIK: Diga lo que tenga usted que decir y luego váyase.

OSCAR ÅKERBLOM: ¡Vaya, vaya! Así que adopta usted ese tono, ¿eh, joven? Bueno, pues eso facilita las cosas.

HENRIK: Me alegro.

OSCAR ÅKERBLOM: He sido enviado para comunicarle a usted lo siguiente, y escuche bien, señor Bergman: mi hermana pequeña, Anna, está enferma. Tiene tuberculosis. Tiene un pulmón afectado y el otro corre peligro. Por el momento, está siendo atendida en casa. En cuanto su salud lo permita, su madre se la llevará a un sanatorio en Suiza donde recibirá el tratamiento adecuado. Cállese, señor Bergman, permítame que hable hasta el final sin interrupciones. Mi hermana Anna me ha encargado que le diga que no quiere tener más que ver con usted. Le ruega expresamente que no le escriba, ni la llame por teléfono, ni esté esperándola a la puerta de la calle, ni le imponga su presencia de cualquier otra manera. ¡Quiere olvidar su *existencia* a todo trance, señor Bergman! Nuestro médico dice que esto es parte importante de su restablecimiento. Mi último mensaje consiste en una inmerecida deferencia por parte de la familia. En este sobre hay mil coronas. Tenga usted, señor Bergman. Dejo aquí el sobre, sobre su carpeta. Con esto se termina nuestro encuentro y yo me iré enseguida. Permítame solo que añada una reflexión personal a lo anteriormente dicho. Me inspira usted compasión y lamento su desdicha. Seguramente es usted un buen muchacho. Mi hermano Ernst sostiene con firmeza que tiene usted dotes para la difícil vocación del sacerdocio. Con el tiempo sacará usted, seguramente, enseñanzas de lo acontecido. (Se inclina hacia delante). Hay barreras invisibles atravesando nuestras vidas. Es inútil forzar esas barreras, sea en una dirección o en la otra. Piénselo, señor Bergman. Y ahora, rápidamente, adiós, no se moleste en acompañarme.

Hay razones de peso para hojear más deprisa en nuestra narración. Así, se aniquilan dos años, emergen y se sumergen en el río del tiempo, sin dejar apenas huella. Esto no es tampoco una crónica sujeta a estrictas exigencias de dar cuenta de la realidad, esto no es ni siquiera un documento. En mi infancia había en las revistas una especie de imágenes que consistían únicamente en cifras y puntos. Uno tenía que trazar líneas entre los puntos con un lápiz. Poco a poco aparecía un elefante, o una bruja, o un palacio. Yo dispongo de noticias fragmentarias, narraciones cortas, episodios aislados, esos son los puntos numerados. Trazo mis líneas con la, tal vez, vana esperanza de que surja un rostro. ¿Tal vez lo que diviso es una verdad sobre mi propia vida? ¿Por qué, si no, me empeño con tanto afán? El viejo reloj de mi padre hace tictac infatigablemente en su soporte sobre mi escritorio, me lo llevé de su mesilla de noche cuando murió, una tarde de finales de abril de 1970. El reloj hace tictac, tiene casi cien años. Un día se paró inexplicablemente. Yo me sentí angustiado, me imaginé que mi padre desaprobaba lo que escribía, que declinaba esta tardía atención. Por mucho que atornillé, sacudí, hurgué y soplé, no hubo forma de que el segundero se pusiera en marcha. El reloj quedó depositado en una casilla aislada del escritorio, fue un pequeño divorcio. Yo iba a echar de menos el pulso del tictac y la discreta advertencia de que los días están contados. Y mientras, el reloj en su casilla, reflexionando. A la mañana siguiente abrí el cajón y miré, pero sin esperanza ninguna. El reloj marchaba con toda su alma. Tal vez fuera un buen augurio. Cuento esto como un episodio que podría hacer sonreír a otros. Yo, sin embargo, estoy serio.

Pasan dos años: muere Gustaf Fröding y es aclamado como un príncipe de las letras. Se publica un nuevo libro de salmos. En una competición automovilística entre Gotemburgo y Estocolmo, el ganador se apunta un tiempo de veintidós horas y dos minutos. Entra en funciones el segundo Gobierno Staaff, hay mil automóviles en la capital. En el verano se abre una piscina mixta en Mölle, la prensa internacional y las cámaras de los informativos acuden al lugar. Un aventurero vuela sobre el estrecho de Öresund y el arzobispo Ekman se opone al nombramiento de Bengt Lidfors como catedrático de Botánica aduciendo la turbulenta vida de este último. Johan Alfred Ander, propietario de un restaurante, comete un bestial asesinato con atraco y es ejecutado con la humana guillotina que se acaba de importar. Se considera que el cometa Halley anuncia una catástrofe de alcance mundial, la destrucción de la Tierra, quizá.

Dos años escasos, digamos abril de 1911.

Henrik acaba de ser ordenado sacerdote. Anna sigue en un sanatorio, junto al lago de Lugano, que se llama Monte Verita. Ya está prácticamente curada. Svea Åkerblom ha sufrido una importante operación en la que le han extirpado los dos pechos, la matriz, el bazo y los ovarios. Le ha salido barba y se afeita a diario. Carl ha completado un nuevo invento con el que acribilla al Registro de Patentes: con breves e inofensivas descargas eléctricas se puede evitar que los jóvenes se orinen en la cama y que eyaculen. La esposa de Gustav Åkerblom, Martha, tan alegre como siempre y cada día más gorda, se ha conseguido un amante. Todos los jueves va a la capital, donde recibe enseñanza de pintura miniaturista. Su marido también ha aumentado de volumen y no ve con malos ojos la distracción de su esposa. Las hijas han empezado el bachillerato y piensan hacer el examen de reválida, cosa poco usual en aquellos tiempos. El mayorista Oscar Åkerblom ha aumentado su imperio abriendo sucursales en Vänersborg y en Sundsvall. Ya no es solo un hombre acomodado, sino que se lo considera sencillamente rico. Ernst ha solicitado empleo como meteorólogo en Noruega, que está mucho más avanzada que la patria en esta nueva ciencia. El director de Tráfico está un poco delicado, los efectos del derrame cerebral se han superado, pero los dolores de pierna y de cadera siguen molestándolo. Doña Karin sigue gobernando su considerable imperio, ha engordado unos kilos, lo que no le preocupa lo más mínimo. En cambio, le han salido almorranas. Sufre, además, de estreñimiento crónico, a pesar de los higos, las ciruelas pasas y una infusión especial de saúco y diente de león.

Después de todas estas digresiones, volvemos a la narración, o a la acción o a la saga, o como se quiera llamar.

La escena representa el dormitorio conyugal una noche de primavera a finales de abril. Supongo que son más de las diez. La calle está en silencio. De la corporación estudiantil de Gästrike-Hälsinge, que está más arriba, hacia la catedral, se oye de vez en cuando ruido y música. Se están preparando para la fiesta de Valpurgis.

Doña Karin está peinándose su largo pelo en una gruesa trenza para la noche. Está, como de costumbre, frente al espejo, en el espacioso cuarto de aseo que está detrás del dormitorio. Se acaba de instalar una bañera y hay agua corriente, las paredes están alicatadas y hay un voluminoso radiador debajo de la ventana de cristales de colores. No se puede decir que doña Karin sea hermosa, pero tiene una sonrisa irresistible, el cutis claro y terso, la frente ancha, la nariz enérgica, la boca todavía más enérgica, no son labios para dar besos, sino para dar órdenes, como dice Schiller. La mirada azul oscuro puede ser fría y escudriñadora, pero puede también ennegrecerse de ira. Doña Karin no ha dicho jamás las palabras «yo amo» o «yo odio». Sería impensable, casi obsceno. Esto no quiere decir, sin embargo, que Karin Åkerblom, que en estos días ha cumplido cuarenta y cinco años, sea ajena a los sentimientos apasionados.

Johan Åkerblom está sentado al borde de la cama en camisa de dormir ribeteada de rojo y anteojos. Está leyendo una revista especializada inglesa, *The Railroad*, que describe voluptuosamente una nueva locomotora de vapor de resultados asombrosos. La lámpara de la cama ilumina su ralo cabello recién lavado, la figura ligeramente encorvada y la larga nariz. La luz del techo ya está apagada, la habitación está en penumbra: las camas, pintadas de blanco, están juntas. Cortinas claras, artísticamente drapeadas, un gran armario con doble puerta y luna, cómodos sillones tapizados de verde claro, una amplia alfombra de tonos suaves, ingeniosas mesillas de noche, estables, para las garrafas de agua, los frascos de medicinas, libros y el armario del orinal.

En las paredes hay óleos heredados: Karin de joven con un vestido blanco de verano, un frondoso árbol contra un radiante cielo estival, una basílica italiana en una plaza en la que tres mujeres con trajes de muchos colores se han parado al sol.

Doña Karin cierra la puerta del cuarto de baño. Lleva gafas y una tijera de uñas curvada en la mano. Se sienta en un taburete bajo, junto al borde de la cama, y empieza a cortar las uñas de su esposo.

JOHAN: ¡Ay!, me has cortado el meñique.
KARIN: Es que veo muy mal. ¿No puedes volverte un poco?
JOHAN: Entonces no puedo leer.
KARIN: Yo no entiendo lo que haces con las uñas de los pies.
JOHAN: Me las muerdo.
KARIN: Deberías ir al callista.
JOHAN: Nunca en mi vida. ¡Ni que fuera pederasta!

KARIN: Aquí hay una dureza que no tengo más remedio que quitar.

JOHAN (leyendo la revista): Si me la quitas, pierdo el equilibrio. Y ya me resulta bastante difícil andar.

KARIN: Hay que ver la paciencia que tengo que tener. Es increíble. De verdad.

JOHAN: No te hagas la víctima, querida. Te encanta hurgar oídos, poner vendajes, reventar granos, sacar espinillas y arreglarle los pelos de la nariz a cualquiera. Y lo que más, cortar uñas de los pies. Eso es lo que te produce placer a ti.

KARIN: Podrías levantar el pie un poco, por lo menos.

JOHAN: Me gusta verte a mis pies.

KARIN: Estoy sentada a tus pies para que no acabes de convertirte en un cerdo.

JOHAN: Si uno tiene la conciencia limpia, no necesita lavarse los pies.

KARIN: ¿Y tú la tienes?

JOHAN: ¿Qué es lo que tengo?

KARIN: No te enteras ni de lo que tú mismo dices.

JOHAN: Porque me importunas constantemente. (Lee). «En los cilindros de las locomotoras modernas se utilizan las llamadas válvulas de aire, que automáticamente abren una comunicación entre los dos extremos de los cilindros, con lo que se evita la compresión del aire encerrado en el cilindro y la contrapresión que esto puede producir cuando la locomotora va con el vapor cortado». Ya has oído. Bueno, ya está bien de cortarme las uñas por esta vez.

El director de Tráfico deja la revista, levanta con cierta dificultad las piernas y se mete debajo del edredón. Doña Karin aprieta un timbre eléctrico y se vuelve sin hacer ruido hacia su cama. Lleva un camisón hasta los pies. Se toma tres pastillas, una detrás de otra, echando la cabeza hacia atrás y bebiendo un pequeño sorbo de agua con cada pastilla.

JOHAN: Cuando te tomas esas pastillas pareces una gallina con molestias en la garganta. Y además guiñas los ojos.

Llaman a la puerta y hace su aparición Siri con una pequeña bandeja de plata en la que hay una taza de caldo humeante y dos galletas de avena con queso en un platito. Coloca la bandeja en la mesilla de noche del director de Tráfico, da las buenas noches y se aleja tan silenciosamente como ha entrado.

Johan mordisquea una galleta y sopla el caldo caliente. Doña Karin, sentada en la cama, escribe en su diario con un delgado lápiz.

JOHAN: ¿Qué pasa?
KARIN: No sé. Estoy escribiendo lo que pasó ayer, pero lo raro es que no me acuerdo de nada. ¿Qué pasó ayer? ¿Me lo puedes decir?
JOHAN: No. Sí, sí, tuvimos carta de Martha. Y yo fui al dentista para que me extrajera una muela del juicio. Y tú compraste un disco de Arvid Ödman.
KARIN: A veces me siento tan triste, Johan. (Suspira).
JOHAN: ¿Por qué? ¿Qué tienes?
KARIN: No lo sé. Mejor dicho, sí que lo sé.
JOHAN: Pues si lo sabes, tienes que decírmelo.
KARIN: ¿No crees que Ernst viene cada vez menos por casa?
JOHAN: No me he dado cuenta.

KARIN: Pues sí. Cada vez menos.

JOHAN: Fuiste *tú* la que quisiste que se fuera de casa y empezara a vivir por su cuenta.

KARIN: ¿No se te ha ocurrido pensar que todo mi interés era porque quería que me llevara la contraria?: «No, mamaíta, no, yo estoy mucho mejor aquí, en casa, con vosotros».

JOHAN (sorprendido): No me digas que esperabas una cosa así.

KARIN: Resultó todo lo contrario. Se entusiasmó mucho.

JOHAN: Y tampoco está la niña. Está en un hospital. Muy lejos. ¡Gracias a Dios, casi curada, al fin! Pero, sí, esto ha estado endiabladamente vacío.

KARIN: Claro que sí. Pero ella se ha sentido muy bien en ese sanatorio y ha aprendido bien el alemán. No parece que nos haya echado de menos.

JOHAN: Y ahora tú vas a ir a traerla a casa.

KARIN: ¿Te parecería mal que Anna y yo nos diésemos una vuelta por Italia? A mí me gustaría volver a Florencia una vez más en la vida.

JOHAN: Entonces, vais a estar fuera mucho tiempo.

KARIN: Cuatro semanas, máximo. ¡Bien podrías venir tú también, Johan!

JOHAN: Ya sabes que no puedo.

KARIN: Lo tomaríamos con calma. Te haría bien un viajecito, Johan. ¡Imagínate Toscana en primavera!

JOHAN: *Tú* harás el viaje, no yo.

KARIN: Anna se pondría contentísima

JOHAN: Yo me quedo en casa, contando los días.

KARIN: Es mejor para Anna no venir justamente ahora. Mayo puede ser frío y lluvioso. En junio nos vamos directamente al campo.

JOHAN: ¿Crees que estará dispuesta a esperar tanto?
KARIN: ¿Qué quieres decir? Di lo que quieres decir.
JOHAN: Quiero decir, únicamente, que a lo mejor hay alguien que la atrae. Ahora que está sana.
KARIN: No acabo de entender. Quieres decir que…

El director de Tráfico contempla a su esposa con expresión pensativa: he aquí un dilema estratégico y moral. No le gusta andar con secretos sin compartirlos con doña Karin. Ahora debería callar. Pero no lo hace. Decisiones breves y consecuencias duraderas.

KARIN: ¿Qué es lo que pasa, Johan? Te veo en la cara que quieres decir algo que te preocupa.

Él no contesta, pero tira del cajón de la mesilla de noche y saca una carta. Es una carta de Anna. Para Ernst. Abierta. Bastante gruesa.

JOHAN: Cuando llegó el correo de la tarde, tú no estabas en casa. Así que lo recibí yo. Esta es una carta de Anna a Ernst, sellada en Ascona hace cuatro días.
KARIN: Seguramente, Ernst vendrá la semana que viene. No vale la pena remitírsela a Cristianía.
JOHAN: Se ve que Anna olvidó pegar el sobre o tal vez lo pegó mal y se despegó por sí solo.
KARIN: Pero ¿por qué lo dices en ese tono? No tiene nada de particular. Pasa muchas veces que…
JOHAN: En la carta para Ernst hay otra carta.
KARIN: … ¿Otra carta? ¿Para Henrik Bergman?

JOHAN: En el sobre dice «Henrik Bergman, para que le sea reexpedida, porque yo no sé su dirección».
KARIN: Pero ese sobre está despegado y vuelto a pegar.
JOHAN: Ese sobre estaba pegado, pero lo he abierto.
KARIN: ¿Qué crees que va a decir Anna...?
JOHAN: Fue muy fácil. Con un poco de vapor de la tetera.
KARIN: ¿Has leído la carta?
JOHAN: No, no la he leído.
KARIN: ¿Por qué no la has leído?
JOHAN: No sé. A lo mejor me dio vergüenza.
KARIN: Si leemos esa carta, lo hacemos por el bien de Anna.
JOHAN: O por celos. O porque nos pone furiosos que la niña actúe a espaldas nuestras. O porque no nos gusta el joven Bergman.
KARIN: Naturalmente, Johan. Es fácil complicar los motivos más íntimos que uno tiene. Esas tonterías son las que se pueden leer en las novelas.
JOHAN: ¡Léela tú! Yo no entiendo bien la letra de Anna.

Karin toma la carta para Henrik Bergman, la abre, se pone las gafas que acaba de quitarse, desdobla las páginas, son muchas y lee en silencio. Mueve la cabeza.

KARIN: ¡Oye, escucha lo que dice!

Doña Karin se gira, arruga la frente y se rasca la mejilla

JOHAN: No he oído nada.
KARIN (lee): ... «Todo queda muy lejos. Cuando hago memoria, me doy cuenta al fin de que me porté de una

manera infantil, inmadura y mimada. El largo tiempo pasado aquí, en el sanatorio, y la proximidad de personas de mi edad que están mucho más enfermas que yo, me han hecho reflexionar. Y entonces me he dicho…».

JOHAN (muy bajo): … No sigas leyendo.

KARIN: … Si *tú* no quieres oír, leeré para mí sola.

JOHAN: … No es justo.

KARIN (lee): … «y entonces me he dicho a mí misma: tengo una responsabilidad hacia ti, Henrik, una responsabilidad que creí que no iba a ser capaz de cargar y de la que, por eso, traté de deshacerme. Estaba enferma también, no podía pensar con claridad, era muy agradable hundirse en la fiebre y dejarse cuidar. Me sentí humillada y engañada, creí que me habías mentido, estaba convencida de que jamás podría volver a confiar en ti. Ahora, al cabo de tanto tiempo, eso me parece irreal y lejano. Además, mi culpa es, por lo menos, tan grande como la tuya, si se puede hablar de culpa cuando uno está ofuscado y confundido».

Doña Karin interrumpe la lectura y deja los pliegos doblados, con el membrete dorado del sanatorio arriba a la izquierda, en la cama. Le cuesta dominar un sentimiento que le estalla en la garganta y que la obliga a tragar.

JOHAN: … Extraño, imaginarse…

KARIN (sigue leyendo): … «yo no sé nada. Pero si tú todavía, después de casi dos años, si tú todavía me ves con los mismos ojos que cuando, sentados en el embarcadero del Duvtjärn, lavamos la sangre de la colcha…».

JOHAN: … La culpa es nuestra.

KARIN (lee): … «es tan fácil decir que se ama: te amo, papá querido; te amo, hermano querido. Pero en realidad se usa una palabra que no se sabe lo que significa. Por eso no me atrevo a escribirte que te amo, Henrik. No me atrevo. Pero si quieres tomarme de la mano y liberarme de este gran dolor, quizá podamos enseñarnos el uno al otro lo que esa palabra significa…». (Pausa).

JOHAN: … Ahora sabemos más de lo que habíamos deseado.

KARIN: … Sí, ahora va a ser duro.

JOHAN: … No podemos suprimir la carta.

KARIN: … Él no debe recibirla.

JOHAN: … Karin, te lo ruego.

KARIN: … Por el bien de Anna.

JOHAN: … Si se entera de que hemos…

KARIN: … Las cartas se pierden. Pasa todos los días.

JOHAN: … Eso no puede ser.

KARIN: … ¿Qué tonterías son esas, Johan?

JOHAN: … Haz lo que quieras. Pero yo no quiero saber nada.

KARIN: … Es precisamente lo que había pensado.

JOHAN: … ¿Crees de verdad que vamos a poder impedir…?

KARIN: … Tal vez no. (Hace una pausa). Pero voy a decirte algo importante. A veces yo sé con seguridad cuándo algo es un error o un acierto. Lo sé con tanta seguridad como si estuviera escrito. Y yo sé seguro que Anna y Henrik Bergman es un error. Por eso voy a quemar la carta a Ernst y la carta a Henrik. Y me iré a Italia con Anna y estaremos fuera todo el verano si es preciso. ¿Oyes lo que digo, Johan?

JOHAN: … En esta ocasión eres impotente.

KARIN: … No lo creo.

JOHAN: … Las cosas empeorarán.
KARIN: … Ya lo veremos.
JOHAN: … ¡No entiendo cómo te atreves!

El dormitorio se queda en silencio: desaliento, angustia, descontento, ira, celos, tristeza. Anna me deja, ya me ha dejado. Anna sigue su camino y se lleva la luz.

Doña Karin hojea los pliegos, son muchos y escritos con letra apretada, lee aquí y allá, tiene la frente enrojecida: Yo sé que Anna, en el fondo, no está segura. Solo cuando se enfada o se indigna se pone en contra. Tengo que andar con cuidado, en realidad lo que ella quiere es darle gusto a su madre, su mirada puede ser implorante: Dime lo que debo hacer, yo no lo sé bien.

KARIN (de repente): ¡Ajá!, aquí dice que Henrik Bergman ya ha sido ordenado sacerdote. (Lee). «Lamento no haber podido asistir a tu ordenación, y pienso en lo que tu madre tiene que…». Bien. Entonces va a desaparecer de la ciudad bastante pronto, eso es una…

Se calla. Es una pena que Johan no entienda. Incluso se distancia. Así ha ocurrido con frecuencia en su vida en común. Ella se ha visto obligada a llevar a cabo sola las decisiones desagradables.

KARIN: Johan.
JOHAN: Sí.
KARIN: ¿Estás triste?
JOHAN: Estoy perplejo y triste.

KARIN: ¿No podemos intentar ser buenos el uno con el otro, aunque pensemos de diferente manera en este asunto?

JOHAN: Pero es que es un asunto vital, Karin.

KARIN: Precisamente por eso. No quiero que te alejes. Yo asumo de buena gana la responsabilidad, pero no puedes alejarte.

JOHAN: Es un asunto vital.

KARIN: Ya lo he oído.

JOHAN: Para ti y para mí.

KARIN: ¿Para nosotros?

JOHAN: Si haces lo que piensas hacer, le haces daño a Anna. Si le haces daño a Anna, me haces daño a mí. Si me haces daño a mí, te haces daño a ti misma.

KARIN: ¿Cómo puedes estar tan seguro de que le hago daño a Anna? Es terrible que digas eso.

JOHAN: Le impides vivir la vida que es suya. Lo único que lograrás será angustiarla y confundirla, pero no podrás cambiar nada. Puedes dañar, pero no cambiar.

KARIN: ¿Y estás seguro de eso?

JOHAN: Sí.

KARIN: ¿Seguro?

JOHAN: Alguna vez, no muchas, pienso en el futuro. Tanto tú como yo sabemos que no tardaré mucho en dejarte. Lo sabemos, aunque no hablemos nunca de algo tan embarazoso y desagradable. Te quedarás sola y seguirás gobernando tus dominios. Me parece que vas a quedarte muy aislada. No te quedes más sola de lo necesario.

Karin está sentada derecha en la cama, no se apoya en las almohadas. Se quita las gafas con un gesto rápido, pero no las pone en la mesilla, sino frente a ella, en mitad de los pliegos extendidos de la carta. Su rostro queda en la sombra, las manos sobre el edredón. Durante un segundo se abre, vulnerable. Johan trata de darle la mano, pero ella la aparta sin brusquedad.

KARIN: No creo que me quede más sola de lo que estoy.
JOHAN: No entiendo.
KARIN: Ernst se traslada a Cristianía. Definitivamente.
JOHAN: ¿Tanto te duele?
KARIN: Sí, me duele.
JOHAN: En realidad, Ernst es la única persona…
KARIN: No sé. No puedo establecer jerarquías. Pero Ernst…

No puede seguir, golpea el edredón con la palma de la mano, una vez, dos veces.

JOHAN: ¿Tanto te *duele*?
KARIN: No pienso quejarme.
JOHAN: Los hijos nos dejan. Así tiene que ser.
KARIN: No me quejo.
JOHAN: Pero te desesperas.
KARIN: Usas unas palabras tan dramáticas…
JOHAN: Yo creo que pasa lo siguiente: este momento tenía que llegar. Pero no nos hemos preparado para ello. Y aquí estamos, perplejos, con el llanto en la garganta.
KARIN: No es verdad. Yo he educado a los hijos con libertad. He tratado de protegerlos, pero nunca les he cortado las alas. Ni a Ernst ni a Anna. Tú no puedes decir que les haya impuesto nunca nada.

JOHAN: Bueno, bueno. Yo he estado siempre encerrado en mi despacho. De vez en cuando he oído voces y pasos. Y cuando oía la puerta sabía que era Anna, que volvía de la escuela. Y el corazón me empezaba a latir más deprisa. ¿Vendrá corriendo por el salón y abrirá la puerta sin llamar? ¿Vendrá a verme al despacho? ¿Y a abrazarme? ¿Y a contarme a toda prisa algo importante?

KARIN: De eso hace ya mucho tiempo.

JOHAN: Sí, mucho tiempo. ¿Tanto?

KARIN (decidida): No sirve de nada estar aquí lamentándonos de algo que no tiene remedio. Lo importante es que todos tengan salud y estén más o menos satisfechos con su vida. Tú y yo, en términos generales, ya estamos acabados y debemos tener suficiente sentido común para dejarles paso. (Sonríe). ¿Verdad, amigo mío?

JOHAN: Tú estás, en todo caso, metiéndote en la vida de Anna. ¿Cómo se come eso?

KARIN: Yo no puedo cruzarme de brazos cuando veo que ocurre una desgracia delante de mí.

JOHAN: Así que estás decidida.

KARIN: ¿Decidida? ¡Como si hubiera tenido dudas alguna vez!

JOHAN: Buenas noches, Karin.

KARIN: Buenas noches.

Se inclina y le da un beso fugaz en la mejilla, le palmea la mano, luego ordena las cuartillas de la carta y las devuelve al sobre, que introduce en el otro sobre más grande y que guarda en el cajón de la mesilla cerrándolo con llave. Luego, doña Karin apaga la lámpara de la cama y se acomoda de espaldas, con las manos en el pecho. Al cabo de unos minutos su profunda respiración proclama que ha dejado atrás todas las preocupaciones para las próximas siete horas.

Johan Åkerblom está despierto mucho rato. Por una parte tiene que orinar cada tres horas, por otra, siente un vago dolor en el lado izquierdo y, además, le duelen, poco, pero constantemente, la rodilla y la cadera, lo que probablemente significa que va a cambiar el tiempo. La lámpara de la cama está apagada, pero la farola de la calle emite su pálida luz a través de la persiana, proyectando sombras en el techo: Yo no lloro, pero estoy *desesperado*.

Henrik Bergman termina de oficiar el servicio dominical de la tarde en la iglesia medieval de Mittsunda. Es una tarde apacible de mediados de junio. El sol brilla a través de las nubes coloreando la torre y la copa de los tilos. Un ligero frescor asciende de la reluciente superficie del pequeño lago. La puerta de la iglesia está recién embreada y despide un olor acre. Las sendas están rastrilladas, las sepulturas cuidadas, silencio. El cuclillo canta a los cuatro vientos.

Henrik se despoja de la capa pluvial, la cuelga en el armario pintado de amarillo de la sacristía y se sienta a la mesa, donde el delegado de la asamblea parroquial acaba de contar la colecta de la tarde. No tarda en dejarlo hecho y consignado. Me quedo un rato, dice Henrik. No se olvide de cerrar, advierte el delegado. Dejo la llave en el sitio de costumbre. Buenas noches, pastor. Buenas noches. Y Henrik se queda solo.

Más tarde está a la orilla del lago con los ojos clavados en la pálida quietud. El crepúsculo es suave y transparente.

Nadie habla, nadie contesta, nadie ruega y nadie escucha. Henrik, solo.

Algo más tarde está sentado en el cuarto de huéspedes en casa del pastor de Mittsunda. La esposa del pastor le ha dejado leche y bocadillos de pan galleta y fiambres. Henrik bebe y mastica. Se incorpora y enciende la lámpara de queroseno, se queda de pie escuchando la soledad, una herida.

Del comedor llegan conversaciones y risas apagadas. El pastor tiene invitados a cenar.

Insomnio. Levantarse al amanecer, afeitarse, lavarse, vestirse y enfilar la cuesta. Llovizna y brisa. Penetrantes aromas del jardín. Susurros en los olmos. Henrik está quieto. Duele. Da unos pasos. Duele casi lo mismo. No es posible que duela tanto, no es nada físico. Sin palabras. Recluido. Excluido.

Se oyen pasos inesperados en el camino de grava. Henrik se vuelve. Se acerca un hombre: frente amplia, cabello peinado hacia atrás, altos pómulos, nariz roma, boca ancha, barbilla grande, hombros fornidos, ademanes rápidos y enérgicos, anda con desenvoltura, le tiende la mano a Henrik y lo mira con ojos relucientes. Henrik se da cuenta al momento. Es Nathan Söderblom, catedrático de Ciencia Teológica, peromucho más que eso: admirado hasta la adoración por sus estudiantes, arzobispo en un futuro próximo con toda probabilidad, un talento de talla internacional, una amenaza de muerte contra la maquinaria de intrigas académicas. Músico. Va vestido con unos pantalones holgados, un chaleco desabrochado, una camisa sin cuello, una chaqueta de punto gastada.

NATHAN SÖDERBLOM: ¿Insomne?
HENRIK: Buenos días, profesor. Sí, insomne.
NATHAN SÖDERBLOM: ¿La luz nocturna? ¿O el alma?
HENRIK: Más bien el alma.
NATHAN SÖDERBLOM: Oí tu plática ayer por la tarde.
HENRIK: ¿Estaba usted en la iglesia? No vi que…
NATHAN SÖDERBLOM: … No, tú no me viste, pero yo sí te vi. Yo estaba con el organista, ¿sabes? Habíamos estado tocando preludios de Bach unas cuantas horas, turnándonos para darle a los pedales y para tocar. El viejo Morén es uno de nuestros mejores músicos, ¿no lo sabías? La cosa es que pensé que bien podía quedarme a escucharte.
HENRIK: Menos mal que no lo sabía.
NATHAN SÖDERBLOM: Pues, a lo mejor, sí.

El catedrático se para y enciende con rapidez la pipa, que prende con facilidad a pesar de la fina llovizna. Tiene las manos grandes, con venas acusadas. La pipa despide volutas de humo y crepita.

HENRIK: He tenido la suerte de que me dieran una plaza provisional durante el verano. No estoy, desde luego, nada preparado para la tarea, pero el pastor es muy amable y no se queja. No creo que mi sermón de ayer fuera muy… Yo escribo y *vuelvo* a escribir. Estoy tan terriblemente descontento de mis resultados… Me resulta más fácil bautizar y enterrar. Para eso no tengo que prepararme. Veo a las personas que están allí, junto a mí, y las palabras vienen solas. Perdone que hable tanto.
NATHAN SÖDERBLOM: Habla, habla.

Pero no. Henrik comprende que ha hablado atolondradamente y está avergonzado. Los dos hombres van paseando despacio hacia la verja y la estrecha senda que lleva a la iglesia y al camposanto. El catedrático fuma su pipa. Los mosquitos danzan.

NATHAN SÖDERBLOM: Yo estoy viviendo por el momento en el anejo, justo ahí al lado. El pastor es un antiguo compañero de estudios y me ofreció un refugio. Tengo que terminar un libro. En Upsala hay siempre demasiada agitación.

HENRIK: ¿Qué está usted escribiendo, señor profesor?

NATHAN SÖDERBLOM: Pues… No es muy fácil de explicar. Escribo que Mozart revela a Dios. Que los artistas demuestran la presencia de Dios. Eso es, aproximadamente.

HENRIK: ¿Es así?

NATHAN SÖDERBLOM: Eso no me lo puedes preguntar a mí.

HENRIK: Para mí, es ausencia, silencio. Yo hablo y Dios calla.

NATHAN SÖDERBLOM: Eso no tiene importancia.

HENRIK: ¿No tiene importancia?

NATHAN SÖDERBLOM: Tú estás en el mundo para servir a los hombres, no a Dios. Si te decides a olvidar esa cantinela de la presencia de Dios y la ausencia de Dios y diriges todas tus fuerzas a las personas, tus acciones serán acciones de Dios. No te disminuyas a ti mismo coqueteando con tu fe y tus dudas. Tú no *puedes* pedir claridad, seguridad, sabiduría. Trata de comprender que Dios es una parte de su creación, lo mismo que Bach vive en su *Misa en si menor*. Tú interpretas una partitura. A veces resulta enigmática, eso es inevitable. Cuando haces sonar la música, entonces revelas a Bach. ¡Lee las notas! Pero no dudes de la existencia de Bach y del Creador.

La pipa se ha apagado y el profesor se interrumpe. Se para a encenderla, una vez, varias, al fin. Henrik tirita, pero no por el frío de la mañana ni por la serena lluvia.

NATHAN SÖDERBLOM: Lo que no puedes hacer, en cambio, es exigir perfección. No sirve para nada desesperarse por la crueldad de la Creación. Carece de sentido pedir responsabilidades. Tu misión es ser concreto. No lleves a Dios a los tribunales. Ahí se han estrellado muchos de los cerebros más sutiles de la historia universal. Me parece que está empezando a arreciar la lluvia.

Doblan hacia la iglesia y entran en el pórtico. Henrik apoya la espalda en el áspero muro.

HENRIK: Yo estoy recluido. Y tengo miedo de que sea una condena perpetua, aunque nadie me lo haya dicho.
NATHAN SÖDERBLOM: Eso tampoco tiene importancia.
HENRIK: ¿No tiene importancia?
NATHAN SÖDERBLOM: Claro, hijo mío. No tiene importancia. Yo creo que tú eres capaz de una gran devoción. Me parece que llevas dentro un fervoroso anhelo de sacrificarte, solo que no sabes cómo. Tú eres tu propio enemigo y carcelero. Sal de tu prisión. Vas a descubrir, para tu sorpresa, que no hay nadie que te lo impida. No tengas miedo. La realidad fuera de tu celda no es tan pavorosa como tu espanto dentro de tu hermética cámara oscura.

HENRIK (casi inaudible): ¿Qué debo hacer?

NATHAN SÖDERBLOM: La semana que viene no tengo más remedio que ir a Londres para una reunión. Cuando regrese a finales de junio, ven a verme. Puede ocurrir que me equivoque, pero si las cosas son como yo creo, se vislumbra una pronta solución a tus dificultades.

HENRIK (cae de rodillas): ¡Bendígame!

NATHAN SÖDERBLOM: No. Así no. ¡Levántate!

HENRIK (le toma la mano y se la besa): ¡Bendígame!

NATHAN SÖDERBLOM: Levántate. Has dado tu primer paso hacia la libertad. Quédate aquí un rato cuando yo me vaya. Llora, si tienes ganas. Yo te dejo ya.

HENRIK: Señor profesor, usted no sabe siquiera cómo me llamo ni quién soy.

NATHAN SÖDERBLOM (de lejos, volviéndose): *Sé* cómo te llamas. Dios sea contigo.

Karin Åkerblom toma decisiones, lleva a cabo las acciones planeadas y asume la responsabilidad de sus actos. Pese a una latente sensación de inminente desgracia, a finales de mayo emprende el viaje a Suiza y recoge a su hija para seguir luego a Florencia, Venecia y Roma. En Amalfi piensan descansar unas semanas en casa de sus amigos, los Egerman. Después habrá llegado el momento de regresar a la familia y a la casa de veraneo.

Doña Karin encuentra a Anna bien y con las mejillas rellenas, pero callada. Anna asegura con sonrisas corteses que está contenta de ver a su madre, de haberse curado y de que pronto llegue el verano. Afirma, además, enérgicamente, que se alegra del viaje por Italia. Pregunta con interés por el estado de salud de la familia y dice que echa de menos a su hermano. A pesar de los encantadores esfuerzos de esta encantadora joven por darle gusto a su madre, en su fuero interno reina, sin embargo, la languidez y una inaccesible melancolía.

Un jueves de la primera semana de junio están madre e hija en el vetusto patio interior del Museo Nazionale. Doña Karin tiene las gafas en la nariz y lee en voz alta un pequeño y grueso libro. Anna está apoyada en el pozo, escuchando cortésmente. Visten ropa cómoda y elegante de tonos veraniegos, Karin lleva sombrero, Anna, un pequeño tocado de fino encaje.

KARIN (lee en voz alta): «La orientación realista del siglo XV trajo consigo un nuevo despertar del estudio de la naturaleza. El interés por el hombre y la realidad palpable predominaron en la escultura. El verdadero creador de la escultura renacentista fue Donatello, el artista más importante del siglo, cuyo minucioso estudio de la Antigüedad fecundó con acierto su innato talento para la creación original».

La blanca luz dibuja un marcado contorno sobre las losas del patio. Los turistas se desplazan en grupos indolentes, un rollizo gato de aspecto avieso contempla a unos pajaritos que se bañan en una charca que ha dejado la lluvia de la noche.

KARIN: ¿Estás cansada?
ANNA: No, no. Un poco, quizá.

KARIN: No hemos dormido mucho. Hubo tormenta y llovió casi toda la noche.

ANNA: De eso hablaba todo el mundo a la hora del desayuno.

KARIN: Deberías pedir el desayuno en la habitación, como yo. Es mucho más agradable.

ANNA: A mí me gusta la charla del comedor a esas horas. El señor Sellmér es especialmente amable.

KARIN: ¿Volvemos a casa para el almuerzo o comemos fuera? Sé de un sitio muy bueno aquí cerca.

ANNA: Lo que tú digas, mamá.

KARIN: Entonces propongo que comamos en el hotel, así podemos dormir una buena siesta después.

El hotel vuelve su, con toda justicia, famosa fachada hacia el Ponte Vecchio y el río. En su recinto hay cortesía inglesa, salones en penumbra con paredes de un rojo apagado, papeles y tapizados caros y algo desteñidos, grandes cuadros con relucientes marcos dorados, amplias escalinatas de mármol, gruesas alfombras que amortiguan los pasos, bruñidos bronces resplandecientes. El edificio abarca un patio interior con exuberante vegetación, dos fuentes y música por las tardes.

Karin Åkerblom y su hija están en el tercer piso, en habitaciones separadas, comunicadas por una puerta y con ventanas sobre el río. Los techos son altos, los dinteles, profusamente adornados y las camas, amplias. El cuarto de baño, común a las dos habitaciones, es nuevo. Todas las cañerías están a la vista y entonan sus propias melodías. Hay motivos para escuchar la conversación del almuerzo. Se desarrolla aproximadamente así:

KARIN: Por cierto, ¿sabías que el conde Snoilsky solía vivir en este hotel? Mamá lo conocía y se vieron muchas veces. Mejor dicho, ella en realidad conocía más a la condesa Piper, Ebba Piper. Fue un escándalo que dio mucho que hablar. Hace más de treinta años. Y ahora casi nadie recuerda al conde Snoilsky, una persona buena y triste.

ANNA (sonríe educadamente pero no contesta).

KARIN: Tuve carta de tu hermano Oscar, no sé si te lo dije esta mañana. Sí, ya ves. Es el mismo de siempre, pero tan atento, el mejor de todos vosotros. Pues bien, cuenta que todo marcha como es debido en casa, ¡papá y él dieron incluso un paseo! Es muy gentil por parte de Oscar ocuparse de papá en nuestra ausencia. De otro modo, estaría muy solo. Es verdad que papá dice que le gusta estar solo y Einar Hedin va a jugar con él al ajedrez los viernes por la tarde, pero ahora que Ernst está en Cristianía... No sé. Papá escribe que tiene ganas de que volvamos a casa, sobre todo tiene ganas de verte a ti, pero no se queja nunca.

ANNA (no contesta, vacía su vaso de vino).

KARIN: ... Es decir, a papá también le pareció que nuestro viaje era una buena idea. Tendríamos que tratar de llamar por teléfono a casa un día, menuda sorpresa se llevarían, aunque nunca se sabe, a lo mejor se asustan y piensan que nos ha pasado algo.

ANNA (no contesta, se deja servir).

KARIN: ... Lo principal es que ya te hayas curado, es lo que me digo todos los días.

ANNA: Me pregunto por qué no escribe Ernst.

KARIN: ¡Ernst! Ya sabes cómo es.

ANNA: Le escribí hace casi dos meses.

KARIN: Él sabe que no tardarás en volver.

ANNA: Ya.

KARIN: No te preocupes.

ANNA (impaciente): Yo no me preocupo.

KARIN: Ernst sabe, además, que papá y yo nos escribimos casi a diario.

ANNA (impaciente): Pero eso no tiene nada que ver.

KARIN: ¿Qué quieres decir? No, claro que no.

ANNA: Quiero volver a casa.

KARIN: Naturalmente, corazón. Ya estamos en camino.

ANNA: ¿No podríamos volver mañana? Directamente a casa.

KARIN: ¡Pero si ya tenemos nuestro plan de viaje decidido!

ANNA: ¿No se puede cambiar nunca lo que se decide?

KARIN: ¿Y qué crees que dirían los Egerman?

ANNA: A mí me trae sin cuidado lo que digan los Egerman. Los Egerman son amigos de mis padres, no míos.

KARIN: Elna es amiga tuya de la infancia, Anna.

ANNA: Me da igual. Elna me importa un bledo, sencillamente.

KARIN: A veces te comportas como una chiquilla indócil.

ANNA: *Soy* una chiquilla indócil.

KARIN: De cualquier manera, no podemos evitar a los Egerman en Amalfi. Se disgustarían y se molestarían.

ANNA: Vete tú a Amalfi y yo me voy a casa.

KARIN: Todo esto no son más que bobadas, Anna. Haremos lo que hemos acordado y punto.

ANNA: Lo que tú has acordado. No yo

KARIN: En Suecia hace frío y llueve. También el médico pensaba que debíamos pasar una temporada de transición en un clima más suave. Estaremos en casa después de San Juan.

Doña Karin tiene una manera inimitable de dar por terminada una conversación, sonríe para dar ánimos y da un golpecito en el mantel con su mano ensortijada, como si empuñara un bastón de mando. Al mismo tiempo, se pone de pie. Dos criados se precipitan a retirar las sillas. Anna no tiene la menor posibilidad de protestar, de permanecer sentada, de levantar la voz, de sacarse su propio billete de tren.

Siesta: persianas echadas, media penumbra en las habitaciones, la puerta entreabierta. De la ciudad llegan campanadas; de la calle, el pregón de un vendedor de periódicos, el pitido de un tranvía. Las dos mujeres descansan en sus camas respectivas, en salto de cama y calcetines de dormir y con el pelo suelto. El sueño reparador, que seguramente debía hacerse presente tras la molesta tormenta de la noche, no quiere llegar. Silencio. Distancia. Acaso tristeza. Tristeza, sin duda.

Inesperadamente, se oyen unos golpes en la puerta de doña Karin. Más golpes. Y por tercera vez, con apremio ya. Karin le dice a su hija que vaya a ver qué pasa y Anna se ciñe la bata sobre el camisón, se sujeta el pelo detrás de las orejas y se desliza silenciosamente por el pequeño vestíbulo. Al otro lado de la puerta está, sorprendentemente, uno de los directores del hotel con un redingote impecable y bigote engominado. Le entrega un telegrama en un sobre azul. Cuando Anna, con un gesto de desamparo, indica que no tiene dinero a mano para la propina, el hombre levanta el brazo en un ademán de rechazo, se inclina muy serio y se aleja con rapidez por el pasillo. Anna cierra la puerta y se queda con el sobre en la mano, indecisa y víctima de un profundo malestar. Karin pregunta qué pasa y Anna dice que es un telegrama. Tráemelo, pues, dice Karin con impaciencia.

Anna cierra la puerta del vestíbulo y entra en la habitación de Karin, que se ha sentado en la cama, ha encendido la lámpara de la mesilla de noche y se ha puesto las gafas. Anna le tiende el sobre cerrado. Ella lo rasga y despliega el mensaje escrito a mano. Lo lee y respira profundamente dándole el papel a Anna. Hay solo unas pocas palabras. Papá murió anoche. Oscar.

Es por la noche en la habitación de hotel extranjera, en la ciudad extranjera. Doña Karin y Anna han estado ocupadísimas durante toda la tarde: hacer las maletas, anular estancias, hablar con la señora Egerman, en Amalfi. Una conversación que se oía muy mal con Gustav y Oscar en Upsala, nuevas reservas en el expreso del Norte desde Milán (el viaje en aquellos tiempos duraba casi dos días). Ni un instante para pensar, para reflexionar, para sentir dolor, para llorar.

Cuando llega la tarde, con su dura luz flamígera colándose por las persianas, el toque de vísperas en la cercana iglesia de Santa María y, a lo lejos, música de baile, cuando llega la tarde, digo, doña Karin se queda de repente muy pálida. Está sentada a la mesa de la cena que han pedido en la habitación; no han comido mucho. Se sirve un vaso de vino, la mano le tiembla, está pálida y tiene profundas ojeras bajo los ojos. Anna se inclina sobre una maleta.

ANNA: Tenemos que cuidar de que no se nos olvide nada. Las maletas ya están listas, en todo caso, menos las cosas de aseo y la ropa de viaje. Hemos anulado la reserva de habitaciones en Venecia y en Roma y ya hemos hablado con la señora Egerman, gracias a Dios. El portero me aseguró que tenemos primera en el expreso del Norte que sale mañana por la tarde de Milán… así que estaremos en casa pasado mañana por la noche. Hemos hablado con Oscar y Gustav. Mamá, no creo que se nos haya olvidado nada.

Doña Karin se ha llevado el vaso de vino a los labios, pero no bebe. El dolor es tan inesperado y tan violento que tiene que mantenerse inmóvil para sobrevivir el próximo segundo y el otro y el siguiente.

ANNA (dulcemente): ¿Qué pasa, mamá?

La madre vuelve la cara hacia su hija y la mira interrogante, como una niña.

KARIN: Yo no comprendo. (Sacude la cabeza). No comprendo.
ANNA: Mamá querida, vamos a sentarnos aquí. Corro las cortinas si te molesta la luz, aunque no tardará en irse. ¿Quieres un poco más de vino? Te hace bien, mamá. Ahora estamos aquí tranquilas, las dos juntas.

Anna toma la mano de su madre y la aprieta. Los nítidos dibujos de la luz del sol sobre los cuadros de marco dorado de las paredes y el empapelado granate se apagan lentamente. El toque de la campana calla, el día calla. Ahora solo se oye el vals de *La viuda alegre* tocado por la orquesta del hotel en las profundidades del gran edificio: «Lippen schweigen, 's flüstern Geigen: hab mich lieb! All die Schritte sagen: Bitte, hab mich lieb!». Doña Karin toma un poco de vino, se reclina en los cojines del sofá y cierra los ojos.

KARIN: Lo peor es que lo dejé solo. ¡Estaba solo, Anna! Y fue por la noche.

ANNA (suplicante): ¡Mamá!

KARIN: Estaba solo y yo no estaba allí. Tenía dolores y se levantó de la cama. Luego se sentó al escritorio y encendió la lámpara, había sacado papel y pluma, luego se cayó de lado y al suelo.

ANNA: Mamá, no hay que pensar en eso.

KARIN: Te voy a decir una cosa muy curiosa, Anna. Cuando me decidí a hacer el viaje, cuando todo estaba dispuesto, cuando ya me había despedido de papá y estaba a punto de salir hacia el vestíbulo, pensé de repente y sin explicación de ninguna clase: *¡No lo hagas!*

ANNA: ¿Qué es lo que no debías hacer?

KARIN: … No lo hagas. No viajes. Quédate en casa. Suspéndelo todo. Durante un instante sentí una angustia terrible. ¡Qué raro, Anna!

ANNA: Sí que es raro, sí.

KARIN: No tuve más remedio que sentarme, me entró una especie de sudor frío. Después me enfadé conmigo misma. Yo nunca he cedido a caprichos pasajeros. ¿Por qué iba a ceder esta vez? No había ninguna razón.

ANNA: Pobre mamá.

KARIN: Sí, eso es. Pobre mamá. Yo tomo decisiones y llevo a cabo mis decisiones. Así ha sido toda la vida. Yo nunca cambio una decisión.

ANNA: Ya lo sé.

KARIN: A la mayoría de las personas no les gusta decidir. Así que tengo que ser yo.

ANNA: Mamá, no debes hacerte reproches.

KARIN: No, no sirve para nada. (Pausa). He tomado muchas decisiones estúpidas y equivocadas, pero no puedo asegurar que me haya arrepentido jamás. Aunque esta vez… (Respira). ¡Ay, Dios mío!

Por un instante se pone la mano sobre los ojos, pero la baja enseguida, como si el gesto le pareciera exagerado o, tal vez, melodramático; toma un poco de vino.

ANNA (con la mano de KARIN entre las suyas): Mamá.

KARIN: Cuando papá me preguntó si quería casarme con él, a pesar de que casi me doblaba la edad y tenía tres hijos crecidos, me decidí sin pensarlo dos veces. Mi madre me puso sobre aviso y mi padre estaba muy indignado. Yo no lo amaba, ni siquiera estaba prendada de él, eso lo sabía seguro. Pero le tenía cariño, me daba pena. Estaba tan solo con sus pobres y holgazanas gobernantas que le sacaban el dinero y le tenían la casa abandonada, y con esos tres muchachos desorientados y mal educados. Yo también me sentía un poco sola, así que pensé que seguramente íbamos a endulzarnos la soledad el uno al otro.

ANNA: No estaba tan mal pensado.

KARIN: Sí, Anna. Fue un error. *Una* soledad, puede pasar. Dos son difíciles de soportar. Pero lo que hay que hacer es no analizar nunca. Después llegasteis tú y Ernst. Fue como una salvación… Una redención.

Doña Karin sonríe como disculpándose, se escucha decir palabras que nunca ha dicho, se ve hacer gestos que jamás ha hecho, lucha contra una aflicción pesada y desbordante, una aflicción que no había experimentado antes. Vacía su vaso.

KARIN: ¿Quieres hacer el favor de darme un poco más de vino? ¿No tomas tú también?
ANNA: Ya tengo, gracias.
KARIN: Así nos libramos de nuestra soledad Johan y yo. No sé, acaso son solo cosas que se dicen. Pero tú y Ernst fuisteis nuestra gran satisfacción, nos convertimos de verdad en una familia. Siempre estábamos ocupados con vosotros, la cosa más insignificante adquiría importancia.
ANNA: Y Ernst se convirtió en el niño de mamá y Anna en la niña de papá.
KARIN: No sé... ¿Tú crees?
ANNA: ¡Pero mamá!
KARIN: Bueno, bueno. Quizá tengas razón.

Está sentada de espaldas, la herida sangra apaciblemente, ya casi no duele. Está anocheciendo. Se encienden las farolas de la calle. A través del silencio y del sordo rumor de la ciudad, se oye el murmullo del río.

ANNA (con dulzura): ¿Vamos a acostarnos, mamá? Mañana tenemos que levantarnos pronto.
KARIN (ausente): Sí, tendremos que acostarnos.

Y entonces apoya la frente en el hombro de Anna, se inclina profundamente y deja reposar su cabeza en el regazo de su hija; es un movimiento enigmático, casi prohibido. Anna recoge sus manos y se las pone en el pecho, no sabe qué hacer. Y de pronto, en un impulso, toma a su madre entre sus brazos y la aprieta contra sí. Se oyen unos largos y entrecortados sollozos de Karin. Resulta inusual y terrible.

Bruscamente se libera del abrazo de Anna, casi con brutalidad. Se sienta, bien derecha, se pasa las dos manos por la cara y se atusa el pelo, dos veces, se estira la frente con la palma de la mano, se inclina a un lado y enciende la lámpara de pie que está junto al sofá. Mira a su hija con frialdad, escrutadoramente.

ANNA (asustada): ¿Qué pasa, mamá?
KARIN: Hay algo que debes saber.
ANNA: ¿Algo que tiene que ver conmigo?
KARIN: Que tiene muchísimo que ver contigo.
ANNA: ¿No podemos aplazarlo un poco?
KARIN: No lo creo.
ANNA: Entonces, es mejor que me digas qué es eso tan importante.
KARIN: Se trata de Henrik Bergman.
ANNA (en guardia, de pronto): Sí. ¿Y…?
KARIN: Le escribes.
ANNA: Es cierto. Le he escrito. Le mandé la carta a Ernst porque no sabía la dirección de Henrik. Pero no he recibido contestación, por cierto. Ha debido de perderse la carta.
KARIN: No se ha perdido.
ANNA: Ahora sí que no entiendo.

KARIN: Tienes que saberlo. Vi la carta, la leí y la quemé.

ANNA: No.

KARIN: Yo destruí la carta.

ANNA: ¡No, mamá!

KARIN: Tengo que decírtelo porque tu padre me previno. Me dijo que hacía mal. Dijo que no teníamos derecho a meternos. Que era perjudicial. Él me lo advirtió.

ANNA: ¡Mamá!

KARIN: No tengo ninguna excusa. Consideré que lo que hacía, lo hacía por tu bien. Johan me advirtió.

ANNA: No quiero saber más.

KARIN (sin oír): Ahora que Johan ha muerto, me doy cuenta de que tengo que contarte lo que pasó. Ni siquiera puedo pedirte perdón, porque sé que nunca me perdonarás.

ANNA (serenamente): Creo que no.

KARIN: De todas maneras, ya lo sabes.

ANNA: En cuanto lleguemos a casa, pienso ir a buscar a Henrik y contárselo todo.

KARIN: Te pido una cosa, únicamente. ¡No le digas que yo quemé la carta!

ANNA: ¿Por qué no?

KARIN: Por si te casas con Henrik. ¿No comprendes? Si se lo dices, el odio será insuperable. Y tenemos que vivir juntos.

ANNA: ¿Por qué?

Anna contempla a su madre con circunspección. Una ira completamente desconocida se agita gratamente y despierta en sus entrañas.

KARIN: Ahora sabes.

ANNA: Sí. Ahora sé. (Pausa, en otro tono). Vamos a acostarnos... Necesitamos dormir un poco y mañana será un día largo.

Se levanta del sofá y se encamina hacia la puerta, se da la vuelta y da cortésmente las buenas noches.

Por esta época (un día de julio de 1912, por ejemplo) la académica ciudad está tan silenciosa que parece irreal o, quizá, soñada. Si no fuera por el gorjear de los pájaros en la sombría espesura de los árboles, el silencio resultaría seguramente aterrador. El reloj de la catedral, recordando el discurrir del tiempo hacia la muerte, hace el silencio aún más grandioso. El restaurante Flustret está cerrado y las orquestas han trasladado sus popurrís de *Los pescadores de perlas* y *La bella Helena* a algún balneario o a algunas termas. En las casas de los ricos cuelgan sábanas en las ventanas, como si hubiese cadáveres en las casas, y el olor a insecticida avanza tristemente sobre las recalentadas aceras. El fantasma del teatro anatómico del edificio Gustavianum se ha retirado a la pared tras el retrato de Olof Rudbeckius. El burdel del callejón de Svartbäcken está cerrado y sus diligentes inquilinas se han ido a atender la visita de la flota inglesa de Gotemburgo. En el viejo teatro de la ciudad se arremolina el polvo en los brotes de sol que penetran por las contraventanas mal cerradas y dibujan signos mágicos sobre las tablas jamás fregadas del suelo inclinado del escenario.

Sí, vacía, silenciosa, irreal, fantasmagórica, un poco aterradora si da la casualidad de que uno tiene inclinaciones de esa clase. El sol está alto en un cielo sin color. No hace viento, hay un olor a lágrimas secas, a tristeza agriada, un olor débil, pero perfectamente perceptible, acre y un poco mohoso.

Hay gente que sostiene que el mundo sucumbirá con un cataclismo, un estallido, una explosión, algo muy extraordinario. Yo, personalmente, estoy convencido de que el mundo va a detenerse, a callarse, a quedarse en silencio, a palidecer, a consumirse en una infinita calina cósmica. Este día de julio en la pequeña ciudad universitaria puede muy bien ser el principio de una catástrofe así, tan poco dramática como esa.

La escena representa el cuarto de estudiante de Henrik, sin gente y sin movimiento. La puerta se abre y Henrik entra de espaldas, maniobrando con su baúl forrado de chapa para hacerlo entrar por la puerta. Todo está fuera de su sitio y puesto en las mesas, las sillas, el suelo. Empieza a hacer el equipaje sin sistema y sin ganas. Finalmente se sienta en el suelo, enciende la pipa y apoya los codos en las rodillas. Así, en esta posición, permanece bastante rato.

De repente, surge Anna en el hueco de la puerta. Detrás de ella, la estrecha y sucia ventana de la calle, iluminada por el sol. Va vestida de luto, el pelo recogido bajo el gorrito, la gasa palidece el rostro y oculta la mirada.

HENRIK (sigue sentado): Casi me asusté.
ANNA (sigue de pie): ¿Te asustaste?
HENRIK: Estaba pensando en ti.
ANNA: Y de pronto estoy aquí.

HENRIK: Es como un sueño.
ANNA: Quiero darte una cosa.

Ahora está dentro de la habitación. Cae de rodillas a su lado, busca en el pequeño bolso de seda negra.

HENRIK: Estás distinta.
ANNA (lo mira): Tú también.
HENRIK: Más guapa.
ANNA: Tú pareces triste.
HENRIK: Probablemente porque estoy triste.
ANNA: ¿Estás triste ahora mismo o siempre?
HENRIK: Te he echado de menos.

Se calla y traga saliva, se quita las gafas y las deja en una pila de libros, mira por la ventana.

ANNA: Pero ya estoy aquí, Henrik.
HENRIK: ¿De verdad?
ANNA: Sí, de verdad. Ya estoy aquí.
HENRIK: Esto es como un sueño: primero vienes y dices algo que no entiendo. Y luego desapareces como por ensalmo.
ANNA: No, Henrik. No desaparezco.

Sonríe y busca en el bolso, encuentra un pequeño objeto envuelto en papel de seda, lo pone en la mano de Henrik, se levanta la gasa y se quita el sombrero, que acaba en el suelo. Un mechón de pelo le cae sobre la frente.

HENRIK: ¿Anna?

ANNA: Míralo. Lo compré el mismo día que nos fuimos de Florencia. No es nada del otro mundo, seguro que no es auténtico.

Él desdobla el papel de seda: es una estatuilla de unos cinco centímetros de madera oscurecida que representa a la Virgen María en la Anunciación. Henrik sostiene la imagen en su mano abierta.

HENRIK: Es María sin el niño. Es María en la Anunciación.
ANNA (mirándolo): Sí.
HENRIK: Está caliente, da calor, qué raro. Mira.

Anna se quita el guante y Henrik le pone la imagen en su mano abierta. Ella mueve la cabeza, sonriendo.

ANNA: No, yo no siento que dé calor.

Pone a la Virgen en la pila de libros junto a las gafas de Henrik y toma su guante.

HENRIK: Ha muerto tu padre.
ANNA: Sí. El entierro será pasado mañana.
HENRIK: ¿Estás muy triste?
ANNA: Yo vivía rodeada de su cariño, no sé si comprendes. No era consciente, excepto cuando me molestaba. Ahora me pesa haber sido tan infantil y desagradecida.
HENRIK: ¿Dónde tienes a Ernst?
ANNA: Está esperando en el patio.
HENRIK: ¿No le vas a decir que suba?

ANNA: No, no, todavía no. Luego. No me atreví a venir aquí sola. Era un poco a la aventura. Sabía que te habías ido de aquí. Pero no podía aguantarme. Así que le dije a Ernst: Ven, vámonos de la Casa del Duelo a dar un paseo. Podemos ir bajando por Ågatan, a lo mejor hasta nos encontramos con Henrik. Fue una broma. Nos echamos a reír. Cuando pasamos por delante de tu casa, dice Ernst: Mira a ver si está. Me apuesto cinco coronas a que está en casa. Casi siempre ganas cuando apostamos, dije yo. Y entré. Y aquí estabas y Ernst ganó cinco coronas. Ya sé que no recibiste mi carta.

Ella se levanta con rapidez y se acerca a la ventana abierta, corre la cortina y llama con voz queda a Ernst. Ernst está sentado en un montón de tablas fumando un puro, va sin sombrero y vestido de oscuro, con corbata blanca y un brazalete de luto en la manga. Al punto, levanta la cabeza hacia su hermana y sonríe.

ERNST: Yo estoy bien donde estoy. Ya me avisaréis cuando tengáis ganas de alternar.
ANNA: Te debo cinco coronas.

Ernst no contesta, solo hace un pequeño gesto con el puro. Anna se siente estallar de alegría: en el pecho, en la cabeza, en las piernas, en el sexo. Se vuelve hacia Henrik, que sigue sentado en el suelo, quizá piense que el sueño se esfumará si hace el más mínimo movimiento. Anna se sienta en una inestable silla de madera con el respaldo roto. Están callados y un poco confusos.

HENRIK: ¿Me escribiste?

ANNA: Sí, era una carta importante. Pero se perdió.

HENRIK: ¿Cómo sabes que se perdió?

ANNA: Porque lo sé.

HENRIK: ¿Y qué decías?

ANNA: Da lo mismo. *Ahora* da lo mismo.

HENRIK: Yo estoy de sustituto en una pequeña parroquia a unos cuantos kilómetros de aquí. Me lo han prolongado seis meses más. Por eso estoy haciendo las maletas. El profesor Söderblom, ya sabes quién es…

ANNA: Sí, claro que lo sé.

HENRIK: El profesor Söderblom me ha dicho que solicite una plaza en propiedad en la parroquia de Forsboda, en el norte de Gästrikeland. Me han dicho que es un lugar complicado, difícil. Mamá se disgustó, desde luego. Ella se había imaginado algo más elegante.

ANNA: Y ahora ya no estás solo.

HENRIK: No, claro. Puedo cambiar.

ANNA: Lo que haremos es ir a ver. (Tono práctico).

HENRIK: Claro que, si yo hubiera sabido…

ANNA (sobria): No seas tonto, Henrik. Si te has comprometido, te has comprometido, esas cosas no se cambian.

HENRIK: Parece que el pastor es viejo y anda mal de salud.

ANNA: Lo veremos, también.

HENRIK: Te das cuenta, supongo, de que el sueldo es raquítico.

ANNA: Y qué nos importa. (Se inclina hacia él). Además, Henrik, casándote conmigo te casas con un *buen partido*. Voy a heredar montones de dinero. (Cuchichea). Una cantidad de dinero terrible. ¿Qué te parece?

HENRIK: Yo no pienso dejarme mantener por ti.

ANNA: ¡Escucha, Henrik! (Práctica y decidida). Antes de nada, formalizamos nuestro compromiso, en cuanto pase el entierro. Encargamos los anillos esta tarde para tenerlos el sábado a más tardar. Nos prometemos e invitamos a Ernst a la fiesta, aquí, en tu cuarto, pero no se lo decimos a nadie más. La próxima semana nos vamos a ver a tu madre. Quiero conocerla cuanto antes. Tú le escribes al pastor y le dices que tú y tu futura esposa irán a Forsboda a finales de semana para inspeccionar la casa rectoral, la iglesia y al mismísimo pastor. Luego, nos casamos en septiembre o a primeros de octubre. Y ha de ser una *boda por todo lo alto*, Henrik. ¿Qué miras?

HENRIK: Te miro a ti.

ANNA: Ya hemos esperado bastante. Mamá dice siempre: Hay que decidirse y asumir la responsabilidad.

Cae de rodillas y toma la cabeza de Henrik con las manos y lo besa en la boca. Él pierde el equilibrio, cae al suelo y la arrastra consigo al caer.

HENRIK: No hay que olvidar los besos.

ANNA: No, los besos son importantes.

Y se besan con ansiedad y pasión. Anna se sienta. Su traje de luto se ha llenado de polvo.

HENRIK: Se te ha llenado el traje de polvo.

ANNA: Sí, ¿has visto qué pinta tengo? (Se ríe). Vamos a arreglarnos y bajamos a hablar con Ernst para invitarlo a la ceremonia de compromiso el sábado.

HENRIK: ¿Qué crees que va a decir tu madre?

ANNA: Desde nuestra estancia en Florencia, lo que mi madre diga o piense tiene poca importancia.

HENRIK: ¿Ha ocurrido algo?

ANNA: Pues… acaso.

HENRIK: Y yo no puedo saberlo.

ANNA: Acaso. Acaso una noche cuando estemos muy juntos, en nuestra cama, en la casa rectoral de Forsboda, con la tormenta de invierno bramando en las esquinas. Entonces podré contarte, acaso, lo que pasó. Pero solo acaso.

HENRIK: ¿Tiene que ver con la carta?

ANNA: ¡Henrik! Yo creo que los enamorados siempre se juran que van a ser sinceros hasta los huesos, que nunca van a tener secretos entre ellos. Es una tontería. Yo nunca te exigiré que me cuentes los tuyos.

HENRIK: Pero… ¿y la verdad?

ANNA: La verdad es otra cosa.

HENRIK: Tenemos que ser veraces. Ajustamos a la verdad.

ANNA (repentinamente seria): Tenemos que *esforzarnos* por la verdad.

HENRIK: Tendremos que entrenarnos.

ANNA (sonríe): Tendremos que entrenarnos. ¿Qué te parecieron mis albóndigas? ¿No estaban…?

HENRIK: ¡Repugnantes!

ANNA: ¿Ves? (Sonríe). Y así sucesivamente. ¡Ayúdame a sacudir el polvo!

Y se ayudan, pero tienen también que abrazarse y besarse, mejillas y manos ardientes. Por fin salen al pasillo y bajan la angosta escalera de madera. Ernst se levanta de la pila de tablas y hace gestos de asombro cuando ve a la pareja estrechamente enlazada. Los amigos se van acercando despacio, se paran a unos metros de distancia, mirándose con alegre ternura.

ERNST (a HENRIK): Tienes un aspecto absolutamente inverosímil.
HENRIK: *Soy* inverosímil.
ERNST: Y tú, hermanita. Hay que ver qué labios tan rojos tienes.
ANNA: Sí que los tengo, sí.
ERNST: Hace un rato estabas pálida como un pez.
ANNA: Me he declarado y Henrik dice que me quiere. ¿Entiendes lo fácil que puede ser todo a veces?

Ernst se acerca a Henrik y lo abraza, da un paso atrás, lo mira y vuelve a abrazarlo, palmeándole con fuerza la espalda. Luego besa a Anna en las mejillas, en los párpados y finalmente en la boca.

ERNST: Sois y seréis siempre los preferidos de mi corazón.

Luego se van a ver al orfebre de la calle Sankt Larsgatan.

Esta crónica convierte arbitrariamente cosas importantes en cosas secundarias y al revés. En ocasiones se permite hacer una amplia disquisición basada en un dudoso fundamento de tradición oral. En otras ocasiones presta gran atención a unas líneas de una carta. De repente pretende fantasear sobre fragmentos que surgen de las oscuras aguas del tiempo. La incertidumbre de los hechos, años, nombres y situaciones es total. Es, también, intencionada y consecuente. La búsqueda discurre por tenebrosos caminos, esto no es un proceso abierto ni encubierto a personas que ya no pueden hablar. Su vida en esta crónica es ilusoria, un simulacro tal vez, pero, pese a ello, más clara que su vida real. Su verdad más íntima, en cambio, no podrá describirla nunca esta crónica. La crónica tiene su propia verdad sumamente accidental. Las ganas de seguir escribiendo es la única explicación de la empresa. El juego mismo es el motor del juego. Es como en la infancia: abrir las gastadas puertas pintadas de blanco del armario de los juguetes y dar rienda suelta a los secretos que habitan en las cosas. No puede ser más sencillo.

Sobre la base de lo arriba dicho, el relato pasa por encima del instante en el que Anna alza su mano con el brillante anillo de compromiso ante la mirada cansada de doña Karin. Seguramente no habrá dicho muchas cosas. Ya sé, ya sé. Espero que lo veas claro. Ahora lo que hace falta es vivir en paz. Henrik debe saber que será bien acogido en la familia.

La crónica no menciona tampoco cómo estalló la bomba la tarde en que, después del entierro, se juntaron todos en el salón de *mammchen* para discutir inminentes problemas de carácter práctico.

Tampoco se cuenta cómo Oscar, más tarde, esa noche, va a acostarse con su cancerosa y siempre lánguida Svea. Se abre un agujero en el repleto depósito de su maldad y empieza a vomitar infamias sobre los curas en general y Henrik Bergman en particular. Por fin toma Oscar la palabra y dice bastante imperiosamente: ¡Svea, cierra el pico, joder! ¡Está a punto de convertirse en pariente nuestro!

Doña Karin ha convocado a toda la familia a una reunión en el comedor de su casa. Han pasado unos días desde el entierro y el sol de julio arde sobre los toldos. La enorme mesa con patas de león está desprovista de su mantel y reluce, negra; todos van vestidos de negro, es negro sobre negro contra el empapelado claro y el colorido de los cuadros. A la cabecera de la mesa, contra las ventanas, se ha colocado doña Karin, a su izquierda tiene a Oscar y a Svea, a su derecha, a Gustav y a Martha. Carl suda de abstinencia y tedio a la derecha de Svea. Las niñas están pasivamente sentadas en el sofá de respaldo rígido pegado a la pared. Finalmente, Ernst, Anna y Henrik se sientan frente a doña Karin.

KARIN: ... Os he pedido, pues, que acudáis para discutir algunas cuestiones. Antes quiero saludar a Henrik y darle una calurosa bienvenida a nuestra familia. Deseo que, de ahora en adelante, olvidemos las diferencias y los resentimientos. Tenemos que hacer cruz y raya con el pasado. Si nos esforzamos sinceramente, la reconciliación y la amistad deben ser posibles.

Doña Karin sonríe a Henrik y a Anna. El resto de la familia hace lo propio, es una variada colección de sonrisas. Una mosca zumba contra el cristal. Doña Karin da vuelta al solitario que lleva siempre entre las gruesas alianzas.

KARIN: Hemos estado en el bufete del abogado Elgérus para conocer la última voluntad de vuestro padre, el testamento. Si he interpretado bien las cosas, todos, sin excepción (mirada a Carl), habéis aceptado las disposiciones acordadas y os han parecido dictadas por la previsión. Me alegro de nuestra unanimidad. En vida de Johan discutimos alguna vez él y yo sobre el futuro de esta casa si él moría antes que yo. Dijo que su voluntad era que yo fuese la única propietaria de la casa y que los demás miembros de la familia recibieran su compensación en acciones y capital. Yo rechazaba la idea, no quería hablar del asunto, pero, al salir la casa a colación, me di cuenta de que no quería conservarla. Bajo ningún concepto. Por eso le he pedido al abogado Elgérus que mire qué posibilidades hay de venderla. Ayer por la tarde me comunicó que le han hecho una oferta muy ventajosa por parte de la Escuela Profesional del Hogar, al otro lado de la calle. Han vivido con estrecheces mucho tiempo y están dispuestos a que el negocio sea rápido. Yo he dicho que me parece bien su propuesta, pero que, como es natural, tengo que discutir el asunto con mis hijos, que viven en tres de los pisos de la casa. La Escuela está dispuesta a buscar viviendas equiparables. Por lo que a mí respecta, les he dicho que pienso quedarme aquí. Pienso partir este piso por la mitad. Levanto una pared en mitad del comedor y me quedo con cuatro habitaciones y la cocina. Le he dicho a Siri que no vamos a necesitarla a partir del primero de octubre. Lo sintió, desde luego, va a hacer veinte años que está con nosotros, pero tendrá una buena indemnización y se irá a vivir con su hermana en la región de Småland. ¿Hay alguien que quiera preguntar algo?

Henrik contempla a sus nuevos parientes. Rostros cerrados, miradas inseguras, labios apretados. No, Anna y Ernst no, parece que esto no les va ni les viene. Y así es. La tirantez no tarda en hacerse densa y viscosa. Carl ha cerrado los ojos, probablemente aparenta estar en otra parte. Oscar sonríe educada e impenetrablemente. Gustav juguetea con la cadena del reloj que reposa sobre el curvado chaleco, mira por la ventana y frunce los labios. Martha hace tintinear sus pulseras y se pasa la mano por el pelo. La cabeza de Svea ha empezado a dar sacudidas en su descarnado cuello. Tiene la frente enrojecida y pequeñas gotas de sudor perlan su velloso labio superior.

SVEA: Como de costumbre, no hay nadie que se atreva a decir nada cuando Karin nos presenta sus decretos.

OSCAR: ¡Por favor, Svea!

SVEA: Así que tendré que ser yo la que diga lo que todos están pensando.

GUSTAV: Me veo obligado a protestar. Svea no representa la opinión de la familia. Ella se representa, por lo que yo puedo entender, únicamente a sí misma.

SVEA: Esto es muy duro. ¿No dijo Gustav, ayer sin ir más lejos, que *mammchen* era peligrosísima? ¿Te atreves a negarlo, Gustav?

GUSTAV: Svea está mintiendo y lo sabe muy bien. Por lo que se ve, el odio de Svea hacia nuestra madre no tiene límites.

SVEA: Como voy a morirme pronto, está claro que soy la única que se atreve a hablar claro en esta familia.

OSCAR (con paciencia): Por favor, Svea.

SVEA: «Por favor, Svea, por favor, Svea». ¿Es eso todo lo que sabes decir?

CARL (de pronto): Cierra el pico, Svea. Antes de que estalles de maldad. No hay nadie que siga creyendo en tu cáncer.

Es imposible que exista en un cuerpo tan envenenado por la maldad. Por lo demás, tengo que decir que la decisión de *mammchen* ha resultado un poco inesperada. ¿Cuándo considera el jefe que van a echarnos?

GUSTAV: Yo creo que mamá Karin, con su movimiento de ajedrez, un poco brusco, es verdad, quiere indicarnos que nos ha aguantado más de veinte años y que ahora está cordialmente harta de nosotros y de nuestras familias. No hay que censurarla por ello.

MARTHA: Con lo a gusto que estábamos en nuestro piso… ¿Dónde vamos a ir ahora?

GUSTAV: No seas tonta, Martha. No nos quedamos precisamente en la calle.

OSCAR: Yo, personalmente, no tengo nada que objetar. La casa es de mamá Karin. Está dicho con toda claridad, sin el menor asomo de duda. Seremos generosamente recompensados. Que yo sepa, mamá puede hacer con su casa lo que le salga de las narices. Y además, ¿hemos tenido *nosotros alguna vez* consideración con ella?

SVEA: ¡Arrastraros, sonreír y decir babosadas, eso sí que lo habéis hecho! ¡Y burlaros y escupir en cuanto daba media vuelta, también! Gustav Åkerblom, Carl Åkerblom, Oscar Åkerblom. Los mosqueteros.

ERNST: Si esta cháchara de mierda va a prolongarse, yo me largo. Quizá deberíamos tener en cuenta que es la primera vez que Henrik Bergman está con nosotros. Por él y por Anna, os ruego que tratemos de refrenar las peores invectivas. (A Henrik, sonriendo). No te asustes, podría ser peor. A veces nos parecemos bastante a los seres humanos.

CARL: Es posible que la muerte de papá haya descorchado la botella.

GUSTAV: Una metáfora muy propia de Carl.

CARL: Debes saber, querido Henrik, que nuestro hermano Gustav es el cabeza espiritual de la familia. Le pides un consejo y te da tres. Si no sigues sus consejos, lo puedes pagar más adelante de un modo refinadamente académico. El señor catedrático forma parte de la Comisión Estatal de Investigación de Cátedras Universitarias, así que conoce bien la aguja de marear. Te prevengo con toda amabilidad, Henrik. Ten cuidado también con doña Martha. Es demasiado complaciente con los chicos guapos.

MARTHA (riéndose): Carl, eres un caso. (Le da un pescozón).

CARL (sudando): Ya te daré un beso grande y húmedo cuando finalice esta fiesta fúnebre.

OSCAR: Yo considero que la decisión de mamá es una decisión bien pensada. Hemos vivido juntos en una combinación de seguridad engañosa, coacción y costumbre. Y se ha convertido en agua estancada. Nuestras relaciones se han enmohecido sin que hayamos hecho nada por evitarlo. Será bueno para todos que la familia se separe.

SVEA: ¿Y qué pasará con la casa de veraneo?

OSCAR: La casa de veraneo siempre ha sido de *mammchen*.

SVEA: Así que ¿ahora nos quedamos sin casa también en verano?

OSCAR: Tranquilízate, Svea. Siempre lo has pasado fatal en la casa de veraneo y hablabas continuamente de balnearios y de viajes a París. (Ríe mordaz). Pensándolo bien no entiendo cómo hemos podido soportarnos, la verdad.

ANNA: ¿Por qué está mamá tan callada?

Todos miran a doña Karin. Está con la cabeza un poco echada hacia delante, jugando con una pequeña regla verde. Levanta la vista y contempla a su familia con una sonrisa ausente, casi sonámbula.

KARIN: ¿Qué queréis que diga? Siempre habéis estado riñendo entre vosotros. Ahora que ha muerto papá, os echáis contra mí. Es natural y comprensible.

GUSTAV: Perdón mamá, pero en realidad es únicamente Svea la que…

KARIN (levanta la mano): Déjame terminar de hablar. A veces no puedo evitar pensar en cómo hubiera sido la vida de esta familia si yo no me hubiera casado y hecho cómplice. (Sonríe). ¡Es, en verdad, una idea curiosa! Yo estaba llena de entusiasmo y de buena voluntad: orden, limpieza, espíritu familiar… educación. Buena voluntad. No creáis que estoy amargada. Solo pienso.

CARL: ¿Y qué habría sido de *mammchen* si *mammchen* no hubiera tenido que ocuparse de nosotros?

KARIN: ¡Ay, Carl! Haces unas preguntas muy atinadas a pesar de lo… irregular que eres. ¿Qué habría sido de mí? Pues habría sido maestra. Y habría seguido inculcando a los hijos de otros un poco de educación y de conocimientos. Yo creo que nunca he dudado acerca de la rectitud de mis acciones. Es posible que me haya equivocado en pequeñeces, pero en las cosas importantes no tengo nada que reprocharme.

Inseguridad. Reflexión. Vacío. Desgana. Indiferencia. Amargura. Cansancio. ¿No íbamos a tomar café en el salón, dice

Anna. He hecho una tarta. Sí, claro, dice Karin rápidamente, levantándose de la mesa.

No somos tan horribles como parecemos, dice Gustav, y tropieza con la taza en el estómago mientras le caen miguitas de las pastas por el chaleco. A veces podemos ser, incluso, muy simpáticos, ¿sabe usted, Henrik? Anna y Henrik tienen que venir a casa a cenar para celebrar el noviazgo, susurra Martha abrazando a Anna por detrás. Qué chico más guapo, le dice al oído. Olvide todo el rencor, dice Oscar Åkerblom, poniendo la mano en el brazo de Henrik. Llámeme Oscar, Henrik. A mí también me pareció muy desagradable nuestro último encuentro, pero consideré que tenía la obligación de ser extremadamente claro. Aunque esté mal decirlo, yo soy bastante buena persona. Henrik y Anna tienen que venir a cenar a casa antes de que nos vayamos al campo, ¡sin excusas de ningún género!

Svea acaricia la mejilla de Anna con una mano esquelética y llena de manchas. Estoy terriblemente avergonzada de mi arrebato. El médico dice que son los medicamentos los que me desequilibran así. Henrik no debe pensar de ninguna manera que tía Svea (Henrik puede llamarme tía Svea) es tan desagradable siempre. Ahora es Carl el que se acerca jadeando al desconcertado novio. ¡Te lo advertí y has caído en la trampa! Bueno, bueno, la culpa es tuya, pobre de ti. Anna es terriblemente dulce, pero no te dejes engañar por su cara bonita. Tiene mucho de los Åkerblom. Aquí estoy, poniendo en guardia a tu futuro esposo, ríe estúpidamente Carl echándole el aliento a Anna. Le pongo en guardia todo lo que puedo, pero me parece que es inútil. ¿Qué has bebido, Carl?, dice Anna con fingida indignación. Pues… agua de rosas no, precisamente, dice Carl, suspirando.

¡Ven, que nos vamos!, dice Ernst tirando de Henrik. Le he dicho a mamá que tenemos que sacarte a tomar el aire. Vamos, Anna, vaya mierda de tarta que has hecho. Adiós, tía Karin, y gracias por todo, murmura Henrik a espaldas de Karin. Ella se vuelve, acaba de hablar con Lisen de que se retrasa la cena una hora. Adiós, tía Karin, dice Henrik, inclinándose de nuevo. ¡Pero vendrás a cenar!, dice suavemente doña Karin, con la cara pálida y los ojos cansados. ¿Vendrás a cenar? No, mamá, gracias. No vendremos a cenar, dice Ernst decidido. Nos vamos por ahí de juerga, Anna, Henrik y yo. Vamos a agarrar una borrachera monumental Doña Karin sonríe y mueve la cabeza. ¡Que os divirtáis!, dice con premura. ¿Tenéis dinero? Sí, mamaíta, gracias, seguro que nos arreglamos, dice Ernst besando a su madre en la boca.

III

Después del entierro, la casa de la calle Trädgårdsgatan se cerró para ser invadida, a finales de agosto, por albañiles, artesanos y mozos de mudanza. La familia se dispersó, unos fueron a Austria, otros a tomar las aguas de Ramlösa, las niñas a casa de amigos de amigos en el archipiélago, Henrik a su vicaría en Mittsunda y Anna a casa de su amiga Fredrika Kempe, una compañera de curso en la Escuela de Enfermeras de la clínica Sophia. Al acabar la carrera, se había casado con un hombre que tenía mucho dinero y grandes propiedades en Dinamarca y estaba esperando su primer hijo. Doña Karin se fue a la casa de veraneo en Dalecarlia, acompañada de Lisen, que habría de vivir con su ama el resto de su vida, es decir, veinticuatro años más.

Doña Karin estaba sola ahora, por fuera y por dentro. Cuando terminó el año de luto, se encargó siete faldas y blusas y vestidos enteros, idénticos, en la casa de modas Leja, todos del mismo corte, color y modelo: las faldas hasta el tobillo, las blusas de *shantung* gris con un broche de plata en el cuello, los vestidos negros, sin entallar, botines negros altos, cuellos y puños blancos con calados. En el breve espacio de ocho meses encaneció su pelo, seguía siendo abundante y sedoso, pero era blanco, no gris.

El que sea aficionado a las explicaciones y a las interpretaciones puede reflexionar acerca de la parcial abdicación de doña Karin. A pesar de todo, no tenía más que cuarenta y seis años. Sin comentarios innecesarios vendió la casa, dividió su piso por la mitad y distribuyó una espléndida parte de la fortuna así obtenida entre los agradablemente sorprendidos y un tanto desconcertados miembros de la familia. Anna era, pues, dueña de un capital nada desdeñable, que sabía administrar y que durante muchos años habría de ser piedra de escándalo para el pastor Bergman (pero una ayuda considerable en la vida diaria de la familia).

Ese verano el otoño llegó pronto. Ardía en las aguas de los ríos y en la oscura linde del bosque. Por las mañanas había carámbanos en la hierba y en la pila de la bomba pintada de verde del patio. Las noches eran claras y estrelladas, sin viento. Las fogatas de madera de abedul crepitaban en las estufas de azulejos, y las lejanas cimas de Djurås y Gimmen se perfilaban nítidas. La lechuza volvía del bosque ya al anochecer y se acomodaba en el tejado del cobertizo.

Doña Karin y Lisen pasaron el verano y el otoño en una silenciosa, pero en absoluto hostil, simbiosis. Cuando cayeron las primeras nieves, a finales de octubre, les comunicaron que el piso de la calle Trädgårdsgatan 12 estaba listo. Las dos mujeres empaquetaron lo que había que empaquetar, cerraron lo que había que cerrar, pusieron postigos en las ventanas y sábanas blancas sobre los muebles y el piano. Se almacenaron botellas de zumo y tarros de confitura en cajas de madera, para enviar a las nuevas direcciones de los miembros de la familia. El viejo gato rubio se puso a pensión, se cerró la puerta y las dos mujeres emprendieron en silencio el regreso a Upsala en el tren de la mañana. El día era de una belleza conmovedora, justo como suelen ser los días en que se parte. Una ligera neblina humeaba en el lecho del río.

La nieve caía sin el menor ruido en copos blandos, la luz era intensa y sin sombra. La casa de veraneo lucía como una mancha roja en el gris y el blanco, igual que una serba.

La breve e insignificante escena que quiero relatar ocurre diez días antes de la mencionada partida. El lugar es la amplia y luminosa cocina con ventanas al bosque y a los cerros. Doña Karin y Lisen están sentadas a la mesa plegable en buena armonía. Están limpiando moras. El fuego crepita en el fogón, un alto puchero de confitura exhala aromas y algo de vaho. Los cristales cuadrados de la parte superior de las ventanas han vuelto a empañarse. En las tazas, café recién hecho. Unas moscas de verano dan tumbos, soñolientas, sobre la caliente pared del fogón.

KARIN: He recibido carta de Anna esta mañana.

LISEN: ¿Todo bien?

KARIN: Anna dice que está decidida.

LISEN: ¿Va a hacer al fin el curso ese de labores del hogar? Pues me alegro, porque así la tendremos en casa este invierno.

KARIN: No vendrá a casa y no piensa hacer ningún curso.

LISEN: Anna debería aprender un poco de cocina de diario. Aunque de repostería, sí sabe. Y de tartas. (Pausa). Casi tanto como yo.

KARIN (sonríe): Pero, en todo caso, no vendrá.

LISEN: ¿Qué va a hacer, entonces?

KARIN: Se casarán ya en noviembre. Porque Henrik tiene que tomar posesión allá en Forsboda.

LISEN: Ah.

KARIN: Anna quiere estar desde el primer momento. Dice que eso es lo más importante de todo.

LISEN: Así que en noviembre tendremos boda.

KARIN: Queramos o no queramos.

LISEN: ¿Cómo han pensado hacerla?

KARIN: Fastuosa, Lisen. (Sonríe). Una boda fastuosa. A veces hay motivos para celebrar las contrariedades.

LISEN: Creo que entiendo lo que la señora quiere decir. Pero, desde luego, hacen una pareja espléndida. Como de cuento.

KARIN: Eso es. Como de cuento.

Las manos se mueven con agilidad. Las bayas limpias relucen negras en la fuente de barro amarilla. Lisen se levanta y echa leña al fogón. Vuelve a sentarse. Suspira de dolor en las articulaciones y de mansa confianza.

LISEN: ¿Han ido a ver a su madre?

KARIN: Anna comentó que irían a Söderhamn por estas fechas. Luego seguirán a Forsboda para ver la casa rectoral. Les han prometido hacer algunos arreglos, dice Anna. Van a vivir en casa de los Nordenson. Nordenson es el dueño de la explotación.

LISEN: ¿Es pariente de los Nordenson de Sjösätra?

KARIN: Claro, es hermanastro.

LISEN: Tenían mucho dinero, ¿no?

KARIN: Eso dicen.

LISEN: Mi hermana trabajó en casa de un primo de Nordenson en Sjösätra. Se llamaba… ¿Cómo se llamaba? Helmerson. La señora era una buena pieza… Y Helmerson también. Así que no duró mucho.

KARIN: Bueno, puede que el director Nordenson sea buena persona.
LISEN (incrédula): Claro.
KARIN: Oscar dice que la explotación atraviesa grandes dificultades económicas. Él no suele equivocarse.
LISEN: Pero la explotación no es la que paga al cura.
KARIN: No, no, él tiene su sueldo.
LISEN: Nuestra pequeña Anna... Quién lo iba a decir.
KARIN: Sí que se hace raro, sí, Lisen.

El fogón retumba, la tapadera del puchero repiquetea débilmente y deja escapar el vapor, una mosca se da contra la ventana y cae patas arriba. Doña Karin deja de limpiar moras, apoya los codos en la mesa, inmóvil. Lisen continúa su labor, pero como a otro ritmo. Mira lo que tiene entre manos.

LISEN (al cabo de un largo silencio): Claro.
KARIN: Ya no entiendo nada de nada.
LISEN: La señora se queda muy sola.
KARIN: Eso no me importa.
LISEN: Ah, ¿no?
KARIN: No. La soledad no me preocupa.
LISEN: Pero ¿qué podría entonces...?
KARIN: A veces me pregunto si he sabido alguna vez cuáles eran las *verdaderas razones* que me han llevado a hacer esto y no lo otro. ¿Comprende, Lisen?
LISEN: Yo no entiendo eso de las verdaderas razones.
KARIN: No, no, claro.
LISEN: Si una piensa en eso, acaba completamente perdida. Porque detrás de eso que la señora llama «las razones

verdaderas» pueden esconderse otras razones que están aún más adentro. Y así sucesivamente.

KARIN: Es verdad.

LISEN: ¿Le sirvo un poco más de café?

Doña Karin acerca su taza.

La madre de Henrik anunció de modo bastante lacónico que, desgraciadamente, no tenía fuerzas para ir a esperar a los novios a la estación, porque su asma había empeorado durante el verano. De ahí que se hubiera apostado a la puerta del vestíbulo, vestida con su mejor traje de seda violeta, tocado de encaje en el ralo cabello cuidadosamente peinado y una gran sonrisa de bienvenida que, sin embargo, no alcanzaba a su triste mirada. Anna se dejó abrazar, cayendo en una tiniebla informe con leve olor a sudor. Alma tendió a continuación sus pequeñas manos gordezuelas al muchacho, le tomó la cara y lo besó en la frente, en las mejillas y en la barbilla. Sus ojos claros se llenaron al momento de lágrimas y su respiración se hizo pesada.

ALMA: … Ya veo que no te has quitado ese horrible bigotito. (Pícara). Ya veremos lo que podemos hacer Anna y yo, uniendo nuestras fuerzas. Seguro que le ganamos, ¿verdad, Anna? Pero, pasad, pasad, hijos míos, no vamos a quedarnos aquí en la escalera. ¡Dejadme que os vea! Tu novia es aún más guapa de lo que parecía en la foto que mandaste. Niña querida, ¡ojalá seas feliz con este hijo mío! ¡A ver! ¿Eres feliz ahora, Henrik? Pero qué tonta soy. Vais a sentiros azorados con tanta indiscreción. Vamos a ver, he pensado lo siguiente: Anna va a dormir en la antigua habitación de Henrik, la lástima es que, normalmente, tengo un huésped que ha tenido la amabilidad de irse a otro sitio por unos días, pero fuma puros. He ventilado mucho, pero me parece que sigue oliendo a tabaco…

Anna asegura que no nota olor a tabaco y no dice nada del acre hedor a humedad que se desprende del empapelado verde oscuro y desteñido a trozos.

ALMA: … Pero, de todas maneras, puede ser divertido para Anna dormir en la antigua habitación de su novio. Sí, esa fotografía que está encima de la cama es del padre de Henrik, se la hicieron cuando éramos novios. Me parece que la foto no le acaba de hacer justicia… Era tan alegre y tan guapo, ¿sabes, Anna?

ANNA: … Yo lo encuentro guapísimo y muy parecido a Henrik. Parece un artista.

ALMA: … Artista. Sí… A lo mejor. No sé. Le gustaba mucho cantar, era muy musical. Y fue a casarse con esta desmañada gordita. Bueno, entonces no estaba tan gorda como… Pero la verdad es que tenía muchos pretendientes, así que había competencia, como comprenderás.

HENRIK: … Entonces, yo duermo en la butaca del comedor.

ALMA: … No, no. En la butaca del comedor voy a dormir *yo*. Así Henrik estará cómodo y a gusto en mi cuarto. (Bromeando). Yo estaré como una espada desenvainada entre los dos amantes. (Se ríe).

HENRIK (decidido): Mamá, por favor, no digas tonterías. Yo duermo en la butaca del comedor y no se hable más del asunto.

ALMA: ¡Fíjate qué dictador! ¿Es así contigo también o es solo a su vieja mamá a la que le da órdenes? Pero ¿qué hacemos aquí discutiendo? He preparado un poco de té y unos canapés en el comedor. Henrik me escribió que ibais a cenar en el restaurante de la estación de Gävle, de otro modo os hubiera hecho algo bien rico.

HENRIK: ... Estarán muy bien, los canapés que prepara mamá son unas exquisitas obras de arte, te lo puedo asegurar.

ALMA: ... Henrik bromea con su vieja mamá. Tengo que tener cuidado con el peso todo el tiempo, por el asma. Me lo ha dicho el médico. Y ya no tengo el menor interés por la comida, no es como antes.

Alma extiende la mano en un anhelo sin palabras. Anna la besa fugazmente.

ALMA: Niña querida, niña querida.

Durante un corto instante las dos mujeres están muy juntas. Henrik, que iba camino de la puerta abierta del comedor, se vuelve y ve el gesto rápido, irresoluto. Alma ha apoyado su pesado brazo sobre la espalda de la joven, su rostro se petrifica en un dolor súbito. Henrik piensa una palabra, surge como un pequeño rótulo en algún recoveco de su conciencia: inevitablemente, *inevitablemente*. Y al momento todo vuelve a ser como siempre y oye la voz de Anna: ¿Qué pasa, Henrik?

HENRIK: Yo creo que a mamá le ha caído bien su nuera. Estábamos un poco nerviosos los dos.

Exhibición de álbumes, la eterna tabla de salvación en la primera visita de todos los novios cuando ya las conversaciones se han agotado y los minutos se hacen largos. Exhibición de álbumes en el sofá, iluminado por la lámpara de queroseno. Henrik está sentado al otro lado de la mesa redonda. Le han dado permiso para fumar su pipa. Oculto por la media penumbra y la nube de humo puede contemplar a sus anchas a su madre y a su novia.

ALMA (señala con un dedo pequeño y gordo): ¡Ahí tienes a Henrik! Un verano en Öregrund. Henrik debía de tener... ¿Cuántos años tenías aquel verano que nos permitimos el lujo de veranear en Öregrund? Tenías once años. Once años.

HENRIK: Y en el otoño caí enfermo de escarlatina.

ALMA: No, no, eso fue el otoño siguiente, me acuerdo muy bien. Estuviste estupendamente después de aquel verano en la playa, no te pusiste enfermo en todo el invierno. Qué pequeño era. Y ese barco de vela se lo hizo él siguiendo las instrucciones de una revista; era un niño muy solitario, pobre Henrik. Lo que más le gustaba era coleccionar plantas para estudiarlas y clasificarlas según la botánica. ¿Te acuerdas de tu colección de plantas, Henrik? La tengo guardada en algún sitio de la buhardilla. Pobre Henrik, no puedo menos que reírme, aunque debiera llorar cuan do veo esa foto de Öregrund. ¿Quieres un poco más de oporto, Anna?

ANNA: Sí, gracias, pero no mucho.

HENRIK: ... Sigo con el coñac.
ALMA: ... Ay, Señor, Señor.

Y Alma se echa a reír mirando la foto de Öregrund. Como ya he dicho anteriormente, mamá Alma tiene una risa magnífica y sana y notablemente diferente del resto de su personalidad. Una risa amable de dientes sanos, garbosa y atractiva.

ALMA: ¡Mi pobre, pequeño Henrik! Mira, Anna, qué lastima. (Señala). Esta soy yo, ya me había convertido en la «mamá gorda», pero llevaba una pluma enorme en el sombrero. Y esta es una de las tías de Elfvik, debe de ser Beda, sí, sí, es Beda, que tenía una cintura de avispa y había que ayudarla siempre a atarse el corsé. Y ese verano tuvimos, por cierto, una doncella, la vieja Riken, hay que ver las cosas que nos permitíamos entonces. Yo nunca he sabido administrar el dinero. Y Henrik, tampoco. Ya lo verás Anna, ya. Vendí una joya de familia... Bueno, da lo mismo. Y esta es mi mejor amiga, también se quedó viuda joven. ¿Te acuerdas, Henrik, de la tía Hedvig, aquella del eccema? Era tan simpática y tan buena... ¿Te acuerdas de ella, Henrik? Murió unos años más tarde. (Se ríe). Ella tampoco era una sílfide, precisamente. Todas éramos gordas menos el flacucho de Henrik, al que todas echábamos a perder a base de mimos. ¡Ay, Señor, cuánto te mimábamos! ¿Te acuerdas de que jugábamos a las iglesias y tú hacías de sacerdote y nosotras éramos la feligresía? En aquella casita tan pequeña, ¿cómo pudimos caber tantas mujeres gordas? (Se ríe). Tú eras tan bueno y tan rico, daban ganas de comerte, siempre contento y de buen humor y bien educado y cariñoso. La lástima y la pena es que nunca estabas con otros niños, aunque yo invitaba a casa a tus compañeros de colegio, pero Henrik se iba corriendo a esconderse o se encerraba en el retrete. (Se ríe, se pone seria). Mi querida Anna, ahora serás tú la que se ocupe de él. Me voy a sentir sola y triste (llora), pero así es la vida. Y la vida no ha sido nunca especialmente misericordiosa con Alma Bergman. Pero siempre me he resignado pensando que ya vendrían tiempos mejores. Y ahora Henrik ya es sacerdote, como yo soñaba. Es lo principal. No, no es que me lamente. (Llora).

HENRIK: No llores, mamá, por favor. Esta noche tenemos que estar de buen humor.

ANNA (con prudencia): Tía Alma puede venir a pasar temporadas con nosotros. Vamos a tener mucho sitio en la casa rectoral.

HENRIK: Mamá querida. No te abandonaremos nunca. Los malos tiempos ya se terminaron. De ahora en adelante todo irá mejor.

ALMA (con súbita burla): …«Los malos tiempos ya se terminaron». Hablas como si no tuvieras cabeza. ¿Qué sabes tú de mi vida? No pienso vivir de gorra aprovechándome de vuestra buena voluntad. Es verdad que no soy demasiado inteligente, pero tampoco soy tonta. Vosotros dos vais a vivir vuestra vida y yo voy a acabar la mía. Así es y así debe ser.

Los ojos de Alma están muy abiertos y serenos, casi brillantes, no acaba de entenderse del todo esa oscura mezcla de lenta descomposición, quejumbrosa desdicha femenina y luego esa mirada azul oscuro, la risa, las acertadas palabras, la inesperada sagacidad.

Dicho sea de paso, la imagen del álbum descrita más arriba existe en la realidad, y es exactamente como la cuenta Alma: una pequeña casucha con terraza y maderas toscamente ornamentadas. En una silla de jardín hay una figura encogida con el pelo rubio cortado a cepillo y blusa de marinero, sin calcetines, con un barco de vela en los brazos y una reluciente caja de latón para guardar herbolarios en el hombro izquierdo. A la derecha hay dos mujeres altas y exuberantes con vestidos de verano blancos y pamelas. En la terraza, detrás de una viga maestra, se vislumbra a una sirvienta gorda que muestra una sonrisa, probablemente desdentada, pero avispada. La reacción espontánea del espectador tiene que ser: ¿qué pasa por la noche y dónde encuentra esta esmirriada criatura un espacio para vivir y respirar, encerrado en esta ondeante y compacta carne femenina? ¿Cómo se defiende?

Una vez terminado el álbum, queda la música. Mamá Alma y Anna tocan a cuatro manos. Hay mucho donde elegir en los arreglos para cuatro manos, desde los últimos valses (Alma suele tocar en los festejos) hasta sinfonías de Haydn y piezas corales. El piano, sin embargo, no dura mucho, lo que es un alivio, porque pronto se demuestra que Alma, como es natural, toca mejor que Anna, cosa que tampoco Alma se priva de manifestar. Se deja de tocar, llaman a la puerta.

Alma retira las manos del teclado y explica con cierto embarazo que seguramente es Freddy, un viejo amigo. Se lo había encontrado por casualidad, abajo, en la plaza, hacía unos días, y entonces ella mencionó que estaba esperando la visita de Henrik y su novia. Sí que te acuerdas del tío Fred, dice Alma suplicante y un poco sofocada. Es una persona un poco original y muy obstinada, e insistió mucho en venir a saludar a Henrik y a su futura esposa. El tío Paulin. Era archivero en el Ministerio de Asuntos Exteriores, diputado durante varias legislaturas y ahora ya está jubilado y se ha trasladado a Söderhamn, para estar más cerca de su tierra natal. Papá y él eran amigos de juventud. Llaman otra vez, voy a abrir, tenéis que perdonarme, hijos míos. La voluminosa mujer se mueve con agilidad y parece alegremente confundida. Se estira la falda y el talle del vestido, se atusa el pelo y desaparece en el oscuro vestíbulo, abre, saluda y empuja al invitado hacia dentro.

Lo primero que llama la atención en el tío Freddy es su ojo izquierdo, desorbitado y de oscura y penetrante mirada, como exasperado. El ojo derecho está tapado con un cristal ocular ahumado y opaco. Tiene la cara ancha, la boca delgada, la frente alta y la coronilla casi calva. Esta pesada y cesárea cabeza descansa directamente en unos hombros anchos y en un cuerpo achaparrado y algo encorvado. La barba, gris, bien cuidada, grandes manos duras, bastón con puño de plata, pasos recios.

FREDDY: Ya veo que irrumpo imperdonablemente en el círculo familiar más íntimo. Pero tu madre, querido Henrik, me insistió mucho y yo nunca he sabido resistirme a sus deseos. Buenas tardes, Henrik, tanto tiempo, me parece que hará unos diez años más o menos que no nos vemos. Buenas tardes, señorita Åkerblom, encantado. Qué joven tan hermosa, Henrik ha heredado el gusto de su padre por la belleza femenina. Si me permiten que me siente unos minutos, me iré enseguida, pero no diría que no a una copa del licor que hace Alma. Gracias, muchas gracias. Me siento aquí, no, aquí estoy bien. No quiero molestar. Se oía música, ¿era Haydn?

ALMA: Los jóvenes siguen viaje mañana. Tienen que ir a Forsboda para ver cómo están la casa rectoral y la iglesia. Henrik ha obtenido una vicaría para bastante tiempo y con posibilidad de quedarse en propiedad.

FREDDY: ¿Forsboda? Muy bonito, un paisaje salvaje y virgen, y luego está la explotación y la casona en mitad del bosque, encima de los rápidos. ¿Le gusta la pesca a Henrik? Porque en ese caso… (Se calla).

Freddy Paulin vuelve su negro ojo fosforescente hacia Henrik, que sonríe cortésmente. La sonrisa, sin embargo, no es correspondida, y se queda casi inmediatamente de dientes afuera.

FREDDY: … Así pues, ya eres sacerdote, mi buen Henrik. Yo conocía a tu padre, el rebelde, el boticario. Fue uno de mis mejores amigos, ¿sabes? Aunque era mucho más joven que yo. Yo me acerco más a la edad de tu abuelo.

HENRIK: Yo, en realidad, no he conocido a mi abuelo.

FREDDY: … No, ya lo sé. Ya lo sé. Éramos compañeros de banco en el Parlamento. Yo tampoco puedo decir que lo conociera. No era ese tipo de persona.

HENRIK: … No.

FREDDY: A tu abuela, en cambio, sí que la conocí. Era, lo que se dice, una persona encantadora. Una vez, en una fiesta, nos pasamos hablando toda la noche.

El tío Freddy fija en Henrik su horripilante ojo, ahora no hay escapatoria. Ahora se tiene que revelar la infamia y la palabra «inevitablemente» brilla, como en una columna de fuego, en las tinieblas interiores de Henrik.

FREDDY: Tu abuela me habló de ti.

HENRIK: Sí. (Pausa). ¿Ah, sí?

FREDDY: Ella decía que tu abuelo y el resto de la familia habían cometido un verdadero crimen con tu madre y contigo. Me explicó que la vida se le hacía insoportable cuando pensaba en el nieto que le habían arrebatado. No sabía qué hacer como reparación. Decía que pensar en la indefensión y la indigencia de tu madre y tuyas la ponían enferma. Trató también de explicar su impotencia. Y para alguien que conozca a la familia Bergman, no es muy difícil entender esa impotencia.

HENRIK: … No.

FREDDY: … Luego murió, la pobre, ¿no?

HENRIK: … Sí, luego murió.

FREDDY: … ¿Llegaste a verla antes de morir? Tenía verdadera necesidad de…

HENRIK: Estaba ingresada en el Hospital Clínico de Upsala. Yo estaba preparando un examen y aplacé la visita. Cuando al fin me decidí, había muerto unas horas antes.

FREDDY: ¿Viste a tu abuelo?

HENRIK: Nos cruzamos en un pasillo del hospital, pero no teníamos nada que decirnos.

FREDDY: Yo fui al entierro, pero no te vi.

HENRIK: … No fui al entierro de mi abuela.

FREDDY: … No. Ya comprendo.

Ya no queda nada más que decir. El resto de la conversación se pierde en el aire. Cuando Freddy Paulin termina de beber su licor, se levanta con premura, como aliviado, y se despide amablemente.

Alma se inclina sobre la joven que ya está acostada en la cama. Buenas noches, hija mía, dice en voz baja. Buenas noches, no te olvides de contar los cristales de las ventanas, hay que hacerlo siempre que se llega a un lugar nuevo, para que los sueños se conviertan en realidad. Buenas noches tía Alma, murmura Anna. Gracias por dejarnos venir, ha sido una tarde muy agradable. Se abstiene de abrazar a Alma, algo se lo impide, pero Alma le acaricia las mejillas: ¿Apagas la luz o la dejas encendida? La apagaré dentro de un ratito. No te duermas sin apagar, dice Alma. No, no, sonríe Anna, y Alma sale silenciosamente de la habitación envuelta en su bata gris y con la delgada y austera trenza de pelo a la espalda. Cuando no lleva faja, su cuerpo se desparrama, la cabeza se le adelanta y la espalda se encorva como si arrastrase un peso demasiado grande.

Henrik está sentado en la butaca, convertida en cama, que está contra el aparador; se ha puesto la camisa de dormir y está dando cuerda al reloj de bolsillo con una llavecita. Delante de él hay una silla con una vela. La madre se aproxima desde la penumbra, no hace ruido al andar. Su cara está pálida como la tiza, pero no se le ven los ojos, parece un enorme pez ciego en las profundidades del agua. Llega, pone la vela en el aparador y se sienta en la silla, ya se le ven los ojos, respira pesadamente: Anna es una buena chica, murmura de modo inesperado, y su aliento huele a leche ácida. Anna es una buena chica y muy guapa, una verdadera princesa. Tienes que cuidarla mucho. Henrik mueve la cabeza: Me sigue pareciendo un sueño, dice en voz baja, tratando de evitar el aliento de su madre. Me parece que esto le pasa a otro, no a mí. La madre se inclina y lo besa a un lado de la boca. Buenas noches, hijo mío adorado. Duerme bien. No te reproches lo de tu abuela. Nadie está más libre de culpa que tú. Alma contempla a su hijo con una mirada de apagado brillo, tiene los labios húmedos. Henrik mueve la cabeza, va a decir algo, pero se arrepiente y no dice nada. Buenas noches, dice Alma besando la mano de Henrik. Buenas noches. Y acuérdate de apagar la luz. Inclina la cabeza dos veces y desaparece en la oscuridad con un leve jadeo, cierra en silencio la puerta de su habitación. Henrik se queda perplejo y amedrentado. ¿Qué es lo que pasa?, dice para sí mismo.

Alma se ha quitado la bata y da vueltas por su habitación, pero inaudible y furtivamente. El reloj del comedor da las once y el de la iglesia responde, una ráfaga de viento sopla en la calle haciendo rechinar un letrero, luego vuelve el silencio. Alma se ha echado el edredón sobre el vientre, está sentada muy derecha, mirando el pequeño crucifijo de marfil negro que cuelga en la pared de la alcoba, con las manos cruzadas. Dios mío, dice Alma, perdona mis pecados hoy y siempre. Dios mío, ¡protege y bendice a mi hijo querido! Dios mío, perdona que no pueda querer a esa chica. Dios mío, apártala de la vida de Henrik. Si me equivoco, si solo es maldad lo que ennegrece mis pensamientos, ¡castígame a *mí*, Señor! ¡Castígame a *mí*! ¡No a él ni a ella!

Apaga la lámpara de queroseno pero sigue largo tiempo despierta, escudriñando la oscuridad, aguzando el oído, alguien se mueve en el comedor, seguro que es Henrik que va junto a esa extraña. Alma tiene que sentarse, siente el corazón desbocado y está a punto de ahogarse. ¡Claro que es Henrik yendo junto a esa mujer!

Anna se llena de alegría cuando aparece la blanca figura en el rectángulo gris de la puerta. Echa el edredón a un lado y se corre hacia la pared, al momento lo tiene en sus brazos, hablan en voz baja y ríen, hacen causa común en una insurrección de primera magnitud frente a la autoridad paterna.

ANNA: ... Tienes los pies fríos.

HENRIK: ... Sí, pero se van a calentar enseguida.

ANNA: ... Yo siempre tengo los pies calientes, tengo que sacarlos fuera del edredón. Luego, da gusto meterlos.

HENRIK: ... Tú y tus gustos.

ANNA: ... Pues sí, estoy ávida de gozar, de gozar sin límites. Ya te enseñaré a ti también, ya lo verás.

HENRIK: ... ¿Qué es lo que me vas a enseñar?

ANNA: Túmbate para que te bese. (Lo besa en la boca). ¿Qué tal?

HENRIK: ... ¡Sí, gracias!

ANNA: ... ¡Imagínate si nos oye tu madre!

HENRIK: ... ¿Eso también...?

ANNA: ... ¡Pues claro!

HENRIK: ... No tienes la más mínima consideración. (Encantado). ¿A que no?

ANNA: ... Tú eres *mío*. No tengo la más mínima consideración, no.

HENRIK: ... Pobre mamá.
ANNA: ... «Dejarás a tu padre y a tu madre y te irá bien y vivirás mucho tiempo en la tierra prometida del Señor, tu Dios». ¿No es así?
HENRIK: ... No exactamente, pero suena muy bien, también.
ANNA: ... ¡Pobre Henrik!
HENRIK: ... Pensar que estoy aquí en mi vieja cama de cuando era chico. Aquí, apretujado contigo, no puedo creerlo.
ANNA: No, pero de todas maneras tienes que volver a tu cama. No podemos quedarnos dormidos aquí juntos.
HENRIK: No estoy muy seguro de que mamá nos sirviera el café en la cama.
ANNA: ... Buenas noches.
HENRIK: ... Buenas noches, no me olvides, por favor.
ANNA: ... Voy a empezar a pensar en ti ahora mismo.

Henrik cierra la puerta y se desliza hacia su cama en el comedor. No oye que mamá Alma llora en la almohada.

Las réplicas que se pronuncian durante el temprano desayuno al día siguiente son casi imposibles de transcribir. Alma se presenta en bata, despeinada y con la cara hinchada de llorar, la boca lamentablemente temblorosa. Anna y Henrik están alegres, pero encogidos, y disimulan educadamente la dicha que experimentan por irse, por quererse, por tocarse, por estar juntos.

ALMA: ¿Quieres más café, Anna?
ANNA: No, gracias. No, no se levante, tía Alma. Yo lo cojo. ¿Quieres más café, Henrik?
HENRIK: Sí, gracias. ¿Tenemos prisa?

ALMA: El tren de Sundsvall sale a las siete y cuarto.

HENRIK: Entonces me tomo otra tostada.

ALMA: ¿Con queso o con embutido?

HENRIK: Con las dos cosas.

ANNA: Tenemos que cambiar de tren dos veces, no llegaremos hasta la tarde.

ALMA: He preparado un cesto con la merienda, está en el vestíbulo.

ANNA: ¡Qué atención!

ALMA: ¡Oh, hijos míos!

HENRIK: Ha empezado a llover.

ANNA: Un verdadero chaparrón de otoño.

ALMA: Os puedo prestar un paraguas. Dejadlo en la consigna cuando lleguéis a la estación y ya lo recogeré yo después.

HENRIK: Muchas gracias, mamá.

ALMA: Oh, de nada.

ANNA: Es divertido viajar en tren cuando llueve. Nos acurrucamos bien juntos y comemos chocolate y bocadillos... y naranjas, claro.

ALMA: Tengo una cosa para Anna.

Alma se precipita a su habitación y tarda un ratito, pero se la oye sonarse y abrir un cajón.

ANNA (en voz baja): Tu madre ha llorado.

HENRIK: ¿Que ha llorado?

ANNA: ¿No ves que tiene los ojos rojos y la cara hinchada? Ha llorado.

HENRIK (en tono ligero): Mamá siempre tiene la cara hinchada. Además, se pasa la vida llorando. Yo creo que le gusta.

ANNA: Lo sabe.
HENRIK: ¿Qué es lo que sabe?
ANNA: No te hagas el tonto.
HENRIK: ¿Quieres decir que oyó…?
ANNA (asiente): Claro. Y ahora piensa que una perdida se lleva a su hijo del alma.
HENRIK: Figuraciones tuyas. ¡Bah!
ANNA: Calla, que viene.

Alma abre la puerta. Se ha puesto su pequeño tocado de encaje y se ha peinado. También se ha cambiado las gastadas zapatillas por unos zapatos. En la mano sostiene un fino collar de oro labrado con un medallón en el que hay una A grabada rodeada de pequeños rubíes. Alma extiende la mano con la joya, Anna se pone de pie, casi asustada; no hay sombra de amabilidad en el ademán de Alma.

ALMA (fría): Me dieron este medallón el día que me prometí. Me lo dio el padre de Henrik; le costó, por supuesto, una barbaridad, pero a él el dinero le traía sin cuidado. Como puedes ver, Anna, hay una A grabada. Por eso creo que debes tener esta joya, como un regalo del padre de Henrik, como si él estuviera presente. Así. Si me lo permites, voy a ponértelo.
ANNA: Pero es demasiado bonito. Tía, no tiene que…
ALMA: Cállate, tonta. Este es un regalo sin importancia. Tú debes de estar acostumbrada a cosas mejores.
ANNA (en tono apagado): Gracias.
ALMA: Ahora es mejor que os vayáis. No os acompaño, espero que no lo toméis a mal. Me cuesta mucho andar.

El asma. (Besa a su hijo). Adiós, Anna, deseo estar en condiciones de asistir a la boda. ¡Daos prisa! Aquí está el paraguas. (Besa a Anna en la mejilla). Gracias por haberte molestado en venir.

ANNA (aterrorizada): Volveremos pronto.
ALMA: ¡Me alegrará mucho!
HENRIK: Adiós, mamá.

Se van volando escaleras abajo y salen a la lluvia. Llevan la maleta entre los dos, Henrik sostiene el paraguas sobre Anna, van medio corriendo por la desierta y mojada acera. Corren como huyendo de un peligro. De pronto, Henrik se echa a reír.

HENRIK: ¡Esa mujer! ¡Esa mujer!
ANNA: ¿Qué es lo que pasa, Henrik?
HENRIK: ¡Esa mujer es mi madre!
ANNA: Venga, vamos.
HENRIK: Sí, tenemos que darnos prisa.

¿Está Alma tras las cortinas? En el diario de mi abuela paterna, que es bastante esporádico, hay una anotación el 14 de septiembre de 1912: Henrik de visita con su novia. Ella es extraordinariamente hermosa, él parece contento. Por la noche visita de Fredrik Paulin. Habló de viejas desavenencias. Fue inoportuno y Henrik se puso triste

El revisor ha pasado corriendo por el pasillo anunciando: Próxima estación, Forsboda. Anna y Henrik están sentados uno al lado del otro tomados de la mano, nerviosos y serios. La lluvia los ha acompañado hacia el interior del país, pero ahora el sol da de repente en el vagón polvoriento dibujando acusados perfiles y sombras fugaces sobre rostros y paneles. Es por la tarde y el sol ya está bajo. Henrik apoya la cara en la mejilla de Anna y dice: ¡Anna! Pase lo que pase, por muchas sorpresas que nos encontremos, por raras que sean las personas a las que tengamos que dar la mano, ahora estamos juntos. Sí, ahora estamos juntos para siempre, murmura Anna a través del estrépito y el rechinar de frenos; las ruedas retumban sobre un pequeño puente, la locomotora toma impulso dando unos cuantos resoplidos más y soltando violentas bocanadas de humo. El tren se para en el andén empedrado de Forsboda, reluciente bajo la lluvia. Golpes en el vagón de mercancías, suenan las barreras, cambia la luz del semáforo y el jefe de estación da la señal con el brazo, la locomotora se pone en marcha con un resoplar de pistones, es un pequeño tren local y no tarda en desaparecer en la curva del lago. Anna y Henrik están en el andén, mirando a su alrededor. Entre los dos hay dos maletas, una grande y otra más pequeña.

Junto a la pared del edificio de la estación hay un caballo y un coche esperando, un cabriolé con la capota echada. Al lado del coche hace guardia un hombre con un largo gabán, galones en el cuello y una gorra de visera muy encasquetada. ¿Es el pastor?, pregunta la gorra visera sin moverse. Sí, contesta Henrik. El director ha dicho que lleve al pastor a casa del señor párroco. Pero no me dijo nada de la compañía. Es mi novia, contesta Henrik. Ah, entonces la novia tendrá que ir también, aunque el patrón no dijo nada de novias, dice la gorra todavía sin moverse. Anna y Henrik agarran sus maletas y las llevan al coche. La gorra visera las mete debajo del asiento y se montan. El cochero se sienta en un banco, detrás de los pasajeros: Suerte que no saqué el tílburi, porque solo tiene dos plazas, dice la gorra visera chasqueando al caballo que emprende una marcha rápida. La señorita habría tenido que quedarse en la estación, añade la gorra visera, y sonríe con sonrisa desdentada, pero no hostil.

Henrik entiende que es una broma que da pie a conversar y pregunta si ha llovido todo el día. Ha llovido todo el día y lloverá más por la noche, así que suerte que no traje el tílburi, como dijo el patrón, porque no tiene toldo. Bajé el toldo justo antes de que llegara el tren.

Luego no se dice nada en un buen rato. Ahí está la iglesia, dice la gorra visera señalando un armatoste de basílica del siglo XIX que está tirada en una pendiente rodeada de unos cuantos árboles de hojas enrojecidas por el otoño. Pero seguro que el pastor no va a predicar mucho en la iglesia grande, sino más bien en la capilla de la explotación. El tono de la voz no está desprovisto de apreciación. Será seguramente la capilla de la explotación lo que le toque al pastor. Gabriel de Geer, el que puso en marcha la explotación y trajo la serrería y levantó la mansión, de esto hará aproximadamente cien años, estaba empeñado en tener un invernadero, más bien un invernadero de palmeras, quería tener palmeras para poder sacarlas en verano, porque en invierno tenían que estar dentro, claro, así que hizo una casa especial para las palmeras, pero el padre de Nordenson, que vino después de De Geer, pensó que aquello de las palmeras era un disparate, con todo el combustible que hacía falta para calentar las palmeras en el invierno, así que quemó las palmeras y regaló la casa al cabildo, porque la iglesia grande estaba a diez kilómetros, de modo que la gente de la mansión y la serrería tuvieran una casa de Dios. Estuvo bien pensado. El padre de Nordenson era bueno. Aunque luego vinieron los Amigos de Pentecostés. Y la gente empezó a ir más a su oratorio. Aunque el padre de Nordenson era bueno.

Después de este largo discurso la gorra visera ha agotado sus recursos y guarda silencio durante el resto del viaje. Van a buen paso por un camino de arena en cuesta entre grupos de sólidas fincas de labranza y amplios paseos de bosque tupido. Sopla un viento helado que presagia nieve. El sol descansa sobre un cerro afilado, la luz es cruda, amarillenta. ¿Tiene frío el pastor?, pregunta el cochero. Vamos muy bien, dice Anna, volviéndose. La gorra visera asiente en silencio.

La residencia del párroco consiste en un cuerpo con dos alas, jardín con una glorieta y altos olmos en pleno esplendor otoñal. Se ven luces encendidas en varias ventanas. En la cocina hay preparativos para la cena.

Henrik llama a la puerta, pero nadie parece oír, ni ver, ni esperar invitados, así que entran en el zaguán y en el vestíbulo. Se oyen voces de diferentes lugares y unos pasos presurosos en el piso de arriba. Un reloj de pie, decorado y pintado, da cinco tajantes campanadas, pero marca las cuatro.

Una mujer de gran belleza, con pelo entrecano y grandes ojos oscuros, aparece en la escalera. Al ver a los huéspedes sonríe afable y exclama: ¡Por fin! Hemos estado esperándolos todo el día, el párroco traspapeló la carta con la hora de llegada y Frid ha estado esperando todos los trenes imaginables. No hemos podido llamar porque el teléfono del despacho no funciona desde hace tres semanas. Y además, no sabíamos dónde localizarlos. En la calle Trädgårdsgatan, en Upsala, no contestaba nadie, pero ¡muy bienvenidos! Yo me llamo Magda Säll y soy el ama de llaves del párroco y también su sobrina. ¡Pasen, pasen! Si me permiten, sus abrigos. ¿Qué tal el viaje? Es una pena que vivamos tan lejos de la estación. ¿Ha pasado frío la señorita Bergman? Ha hecho un viento terrible y seguramente va a nevar después de esta lluvia. Voy a decirle al párroco que ya han llegado. Pasen a la sala, mientras. Enseguida tomaremos café.

La bella y parlanchina señorita Säll desaparece en las interioridades de la casa. Anna y Henrik se quedan sentados cada uno en su silla en la espaciosa sala con dos arañas, muebles diseñados por Karl Johan, tapizados de seda, y suelo de madera clara cubierto en parte por enormes alfombras de trapo estampadas. En las paredes hay clérigos de mirada bondadosa y candelabros. Las puertas se abren hacia una biblioteca con grandes librerías. En la estufa de azulejos arde una fogata mortecina que no despide mucho calor. Un pesado reloj de pared de falso estilo barroco señala las siete menos veinte. Un reloj de sobremesa da las ocho.

El párroco llega por la biblioteca, se mueve con cuidado apoyado en la señorita Säll. Su rostro es pálido y bien formado detrás de una gran barba; los ojos, de un gris oscuro protegidos por gruesos cristales; el pelo, echado enérgicamente hacia atrás y en desorden. Lleva sotana y zapatillas. La sonrisa es acogedora, pero desfigurada por una dentadura postiza mal ajustada. Anna y Henrik se levantan inmediatamente y dan unos pasos hacia él. El anciano extiende su fornida mano sin decir palabra y saluda en silencio. Los ojos grises escudriñan.

Inclina la cabeza, como contento de lo que ha visto, y hace un gesto a los jóvenes para que tomen asiento. La señorita Säll dice que va a buscar el café y desaparece. El párroco se sienta en una silla de respaldo recto a la mesa de la sala. Al mismo tiempo pesca su reloj de oro en el chaleco, debajo de la botonadura de la sotana. Mira su reloj, el de pared, el de sobremesa.

PÁRROCO GRANSJÖ: Un reloj de fiar debe marcar las cuatro y cinco. En esta casa todos los relojes van mal. Dicen que es a causa de un campo magnético subterráneo. Mi reloj, en cambio, va siempre bien, porque parece que es inmune a los poderes subterráneos.

Henrik saca su reloj. Marca las cuatro y diez.

HENRIK: Mi reloj marca las cuatro y diez.
PÁRROCO GRANSJÖ: Hay que ver qué cosas.

El anciano mira un punto a la derecha de los pies de Henrik y parece ausente. El silencio se prolonga, pero no es incómodo.

PÁRROCO GRANSJÖ (de repente): Mi gran amigo, el profesor Söderblom, estuvo aquí de visita. Te dedicó muchos elogios, Henrik Bergman. Yo tengo una gran confianza en el juicio de Söderblom. Somos viejos amigos. Claro, que él es mucho más joven que yo. Pero a pesar de eso, somos viejos amigos.

El párroco se ríe en silencio y conmovido, chupa con cuidado su colmillo y dirige la mirada gris hacia Anna.

PÁRROCO GRANSJÖ: También habló de la señorita Åkerblom. No sé cómo puede conocer a la señorita, pero es que conoce a todo el mundo. Estaba convencido de que Anna Åkerblom sería una buena esposa para un sacerdote. Henrik no me tomará a mal que cuente lo que dijo Söderblom.

HENRIK (sonríe): Me siento orgulloso.

PÁRROCO GRANSJÖ: Bien, bien. ¿No iba a venir Magda con el café? Yo no voy a tomar café. Así que, si me lo permiten, voy a retirarme. Vamos a cenar en casa de los Nordenson esta noche, he de cambiarme. Y me gustaría dormir un poco.

El párroco se incorpora trabajosamente, agita los brazos un momento, pero se agarra al respaldo de una silla y recupera enseguida el equilibrio. Henrik y Anna se han puesto de pie.

PÁRROCO GRANSJÖ: Siéntense, siéntense. Si yo me las arreglo estupendamente. Es Magda la que se empeña en ayudarme a tiempo y a destiempo. Yo me retiro, pues.

El anciano dice adiós con su robusta mano y sonríe a Anna, que hace una reverencia. Se va por la biblioteca, una puerta se abre y se cierra. Un perro negro, grande, asoma por la puerta del vestíbulo, con la cola malhumoradamente caída. Cuando Anna extiende la mano, se acerca desconfiado y olfatea comedidamente, tras lo cual mueve la cola tres veces y se aleja. Magda Säll entra precipitadamente con la cafetera, seguida de una facha de mujer, alta y pálida, que lleva la bandeja.

MAGDA: Perdonen la espera. Vaya, tío Samuel se ha ido. Bueno, es su hora de dormir y eso es sagrado, es comprensible.

Gracias, Ottilia, así está bien. Recuérdele a Frid que el coche tiene que estar listo lo más tarde a las cinco y cuarto y que ponga la botella de agua caliente, a ser posible sin prender fuego al coche, como la otra vez. ¿Quiere la señorita Åkerblom dos terrones de azúcar? Me da un poco de apuro haber dicho señorita Bergman, hace un momento. Le pido, por favor, que me disculpe. ¿Desea el pastor nata? ¿Y un terrón? Sírvanse, por favor. Vamos a cenar a casa de los Nordenson esta noche. No va a ser muy divertido, es decir, con todo lo que ha pasado, pero el director se empeñó. Hubiera sido preferible hacer una cena sencilla aquí, en casa, tío Samuel lo dijo también. Pero Nordenson insistió mucho, yo creo que habrá sido la señora Nordenson la que habrá presionado, es muy… ¿Cómo diría yo?, piensa mucho en las cuestiones fundamentales de la vida y se siente profundamente desdichada con todo lo que ha pasado este último año. El pastor es, a lo mejor, *schon im Bilde*, como dicen los alemanes.

HENRIK: Yo no estoy enterado de nada.

MAGDA: Ah, ¿no? Entonces, será mejor que yo no le venga con cuentos. Pero, más pronto o más tarde, el pastor Bergman se tendrá que enterar de lo que pasa.

HENRIK: ¿Qué es lo que ha pasado, pues?

MAGDA: Nadie lo sabe a ciencia cierta. Pero una cosa está clara, y es que la explotación está arruinada. Y que Nordenson ha estado envuelto en *negocios* sucios. Llegó a hablarse incluso de cárcel. Todo este año ha sido una maraña de rumores y de historias. Pero no voy a seguir con chismorreos, sino que les mostraré a nuestros huéspedes sus dormitorios. La joven novia, por cierto, va a ocupar la habitación del obispo. Es el cuarto donde duerme Su Ilustrísima cuando viene en visita pastoral. Y el pastor dormirá en el pabellón, donde hemos arreglado una habitación muy agradable en el piso de arriba, porque tenemos huéspedes a menudo. Tío Samuel forma parte de una comisión que está preparando la *Enciclopedia ecuménica internacional*. Como ya no puede viajar con facilidad, ahora los doctos señores vienen a casa.

Henrik se encuentra en una habitación cuadrada con techo abuhardillado y empapelado de flores en las paredes, cortina almidonada delante de una estrecha ventana que da a la rumorosa penumbra otoñal del jardín. Una cama blanca de altos cabezales, un escritorio blanco, una silla, un armario ropero blanco, alfombras de trapos, lámparas de queroseno, olor a recién fregado y a frío húmedo, a pesar de la fogata de leña de abedul que arde en la estufa de azulejos. Se fija en todo esto y se sienta enseguida al escritorio. Hay pluma y tinta. En el cajón, que se resiste por la humedad, encuentra papel rayado. Empieza inmediatamente a escribir con su pulcra y fluida letra:

En la residencia del párroco de Forsboda, a 12 de septiembre de 1912.

Queridísima y amada Anna, mi esposa ante Dios. En cuanto estamos separados, por corto que sea el tiempo, por insignificante que sea la distancia, soy presa de la insistente angustia de no volver a verte. Todo se convierte en un sueño que se disuelve en la nada y yo despierto a una soledad extremadamente dolorosa después de la compenetración tan intensa del sueño. Tus manos, tu sonrisa, tu voz buena, toda tú. Trato de recuperar en mi fuero interno todo eso que eres tú, pero el miedo es demasiado grande… De repente ya no estás.

Lo que más desearía es convertirme en tu hijo no nacido. Yo me albergué en un vientre acongojado. En ocasiones me parece recordar un frío terrible, como si tuviera frío ya antes de nacer. Estoy seguro de que debajo de tu corazón hace calor, me dan envidia nuestros hijos, que van a poder dormir dentro de ti. Perdona, Anna queridísima, si parezco melodramático, pero ahora mismo ¡tengo tanto miedo y siento tanta zozobra frente a todas estas cosas, tan grandes y tan desconocidas, que nos esperan! Sé que en cuanto te veo vuelvo a sentirme tranquilo. ¿Cómo podré darte alguna vez esa seguridad que tú necesitas? ¡Tú, que dejas un mundo grato y cómodo para enfrentarte a mi lado con una realidad que apenas podemos imaginar! A veces veo con claridad mi debilidad y mi falta de carácter, todo lo que hay en mí de incertidumbre y de indecisión. A veces tengo el impulso de decir: ¡Ten cuidado conmigo! Y al mismo tiempo grito: No me dejes, no, no me dejes nunca. Solo a través de ti podré crecer y madurar.

Una vez firmada y leída la carta, Henrik añade una postdata: Como sabes, puedo ser bastante agradable en la vida cotidiana. Además, tú dices a veces que soy guapo. Además, la verdad es que nos hacen gracia las mismas cosas. La próxima vez que te cases, te casarás seguramente con tu antiguo pretendiente, Torsten Bohlin. Acabo de leer en el periódico que lo han nombrado catedrático de Exégesis. Eso es ascender con rapidez. Tiene, te lo garantizo, más dinero que yo. ¡Pero yo canto mejor! *Vale*.

La mansión Forsboda es un alto edificio de tres plantas, tejados con mansarda, columnas a la entrada y una amplia balaustrada a la altura de los salones y zonas nobles del primer piso. El parque desciende hasta el lago Storsjön y en la esquina izquierda está la oficina de la explotación, un edificio alargado del siglo XVIII.

Todo tiene un aspecto imponente, pero lleva la marca de una insidiosa decadencia y de una falta de mantenimiento. A estas horas, sin embargo, cuando la luna de septiembre rueda en la dilatada superficie acuática iluminando la construcción, que se asemeja a un palacio, no se notan las grietas de la argamasa, los desconchados de la pintura de las ventanas arqueadas, los postigos de madera en los tragaluces, el descuidado jardín o el surtidor seco. Los hachones flamean en la subida y un criado con librea y enguantado de blanco abre la puerta mientras una doncella recoge los abrigos y los gabanes.

En el salón grande hace calor, arden las velas, ocultando piadosamente los defectos del empapelado, los rasguños del suelo, los agujeros de las gastadas alfombras y la fea vejez del tapizado de los muebles. Los huéspedes de la residencia del párroco son objeto de una cordial, por no decir elusiva, bienvenida por parte del director Nordenson y su esposa Elin. Los otros invitados son los de rigor: el médico provincial, Algotson, su esposa, Petra, y el administrador de la explotación, Hermann Nagel.

Nordenson recuerda a un ave de presa mal encarada. Es alto y delgado, de nariz grande y pelo bastante escaso. Contempla el mundo echando vistazos bajo sus espesas cejas, tiene las orejas velludas, la frente demasiado pálida, la boca larga con labios estrechos. Las manos son largas y delgadas y tienen manchas marrones de vejez. La delgada figura anda inclinada, con la cabeza adelantada, la voz es profunda y armoniosa.

Doña Elin está, al igual que su marido, vestida con una elegancia impecable, sin ninguna exageración (hay que tener en consideración la clase social inferior de los estimados huéspedes). Elin Nordenson no es lo que se dice hermosa, pero tiene una sonrisa atrayente, cálidos ojos oscuros y una manera de moverse suave y distinguida. Irradia sensualidad y una leve melancolía.

El avejentado médico provincial, que se desplaza penosamente, y su charlatana esposa, vestida con un traje de flores rojas, pertenecen a esa especie de consumados figurantes que hay en la vida, que, sin una emoción demasiado sincera y sin una simpatía excesivamente entusiasta, son testigos de nuestras grandes tragedias y de nuestras turbadoras comedias. En el administrador no desperdicio ni una palabra, muere de un infarto la semana siguiente y ha ayudado a Nordenson, con insobornable lealtad e incompetencia, a hundir la economía de la explotación.

Como la señorita Magda y doña Elin son personas consumadamente sociables, casi se tiene la impresión de que la conversación es cordial y desenvuelta. La cena se sirve en el comedor pequeño, una habitación octogonal con empapelado pintado a mano, araña de cristal y cornucopias, muebles de estilo Gustavo III, relucientes candelabros de plata, flores de otoño y platos calientes. Se bebe a la salud del nuevo pastor y su futura esposa, por la tarea enciclopédica del párroco y por la esposa del médico provincial, que acaba de ser bisabuela, aunque no tiene más que setenta años cumplidos.

Un fantasma pasa de pronto por la habitación y rompe el ambiente frágil, alegre y confiado. Es el administrador, que, ante una pregunta del médico, replica que los altos hornos, los talleres de laminación, la herrería a vapor y la fragua de manufacturas han estado paradas durante la tarde. Los obreros se reunieron primero en el almacén del puerto, porque llovía a mares, pero los guardias los echaron de allí. Entonces se metieron en una de las casas en derribo, abajo en los rápidos. El administrador y dos de los oficinistas habían estado allí, amenazándolos con la policía, pero el director dijo que podían quedarse si echaban al agitador y volvían al trabajo para el tercer turno.

¿Qué es lo que pasa?, pregunta Henrik. El director vuelve la cara con asombro hacia el pastor: Nada, prácticamente nada, dice, sonriendo cortésmente. Si el pastor estuviera más al tanto de la situación política actual, sabría que no hemos tenido ni una semana de tranquilidad desde la huelga general. Durante más de cien años hemos tenido aquí, en la explotación, una casta de obreros capaces y responsables que comprenden nuestras dificultades y quieren ayudarnos y ayudarse a sí mismos a salir de una situación complicada. Luego tenemos una generación nueva: charlatanes, agitadores, elementos criminales que se cuelan entre nosotros y los trabajadores. Viven del odio de clases y de propagar embustes. Siembran miedo e inseguridad.

HENRIK: No entiendo cómo pueden hacerse escuchar si su mensaje es falso.

Se hace el silencio durante unos segundos. La sonrisa del ingeniero Nordenson se acentúa cuando se vuelve hacia el párroco.

NORDENSON: Es de lamentar que a los jóvenes sacerdotes no se les dé la menor formación política antes de soltarlos al mercado. Porque yo estoy convencido de que un clérigo entendido podría tener una cierta impronta en la formación de la opinión pública, por lo menos entre las mujeres y, a través de ellas, indirectamente…

PÁRROCO GRANSJÖ: Querido amigo, ser incómodos forma parte de nuestra misión. No he venido a traeros la paz, sino la guerra, dijo el Maestro una vez en que estaba descontento con las disputas de sus discípulos.

NORDENSON (con tranquilidad): Hablemos, por favor, con claridad: *¡populacho y gentuza!* Hay que llamar a las cosas por su nombre, eso aclara las ideas y las hace más fáciles. Populacho y gentuza. Seamos, además, francos: pretenden arrebatarme mi patrimonio. Quieren echarme a los caminos. Hablemos claro: quieren matarnos a mi familia y a mí. Yo acepto su odio. Puedo incluso llegar a sentirme un poco impresionado por el vigor de sus embustes y de su pasión. Que no quede, por favor, la menor duda: ¡su aversión es correspondida! Yo podría de muy buena gana descolgar la escopeta de la pared y matarlos como a perros rabiosos. ¡Digamos las cosas como son, señor pastor! Los tiempos de entendimiento han pasado y lo que se avecina es la lucha. Uno desearía acaso un enemigo que combatiera con armas más lustrosas, pero seguramente eso es pedir demasiado de un populacho ansioso de sangre. Yo hubiera agradecido que no se suscitase esta cuestión. Nuestras damas se sienten, sin duda, afligidas. A la hora de acostarme voy a recibir una reprimenda de mi querida esposa por haber exigido conciencia política de un hombre de espíritu.

HENRIK: No suponía que la situación estuviera tan inflamada.

NORDENSON (se ríe): «Inflamada», excelente palabra tomada del noble arte de la medicina. ¡Como si se tratase de una enfermedad de meras víctimas inocentes! ¡Pero no es así! ¡Esto es una *revolución*, señor mío! Y los que nos sentamos en torno a esta mesa somos los perdedores. Serán nuestras cabezas las que rueden.

ELIN (se ríe): ¡Mi esposo se está poniendo demasiado macabro! Propongo que demos por terminada esta conversación absurda y nos levantemos de la mesa. Tomaremos el café en el salón verde.

PÁRROCO GRANSJÖ: Permítanme que me dirija primero a la anfitriona para, en nombre de los otros invitados y en el mío propio, darle las gracias por una cena tan exquisita como de costumbre. Vivimos ciertamente en una época revolucionaria y amenazadora —qué iba a decir yo—, una buena comida es y será siempre una buena comida —en realidad quería decir otra cosa, una cosa mejor—, lo que quería decir era más bien… quería afirmar que una buena comida, bien disfrutada, es un sillar de la barricada que nos corresponde levantar contra —sí, eso es—, levantar contra la violencia, el caos y el desorden —bueno, había pensado decir otra cosa más inteligente, pero se me fue el santo al cielo, justo cuando lo tenía en la punta de la lengua—. En fin, nos conformamos con esto. Salud, Elin, y muchas gracias.

NORDENSON (súbitamente afable): Bravo, querido amigo, bravo. Como de costumbre, das poco a poco con la palabra exacta. ¡Salud, pastor, salud por la encantadora y joven novia! Tengan la bondad de perdonar a un viejo y rudo lobo al que acaban de morderle la cola una vez más. Juventud y belleza es lo que necesitamos aquí, en estos eriales. Luego ya vendrá la sensatez por añadidura.

Todos brindan con la anfitriona y con los novios. Se levantan y van entrando en el salón verde. Henrik se inclina rápidamente sobre Anna y le da un beso en la oreja, al tiempo que saca una carta (con un corazón dibujado en el sobre) del bolsillo del pecho y se la da en la mano. Ella sonríe conspirativamente y la hace desaparecer en su bolso: Léela esta noche antes de dormirte. ¿Son malas noticias?, susurra Anna. Es amor, sobre todo, contesta Henrik.

ELIN: ¿Así que mañana el pastor y su prometida van a ir a ver la capilla y la casa rectoral?

ANNA: Sí, ese es el programa.

ELIN: Siento no estar presente. Me voy a Estocolmo a ver a una vieja amiga que ha caído enferma.

MAGDA: Yo acompañaré a nuestros jóvenes y les enseñaré todo lo que haya que enseñar.

ELIN: Hay muchas cosas que arreglar y ordenar. No se asusten. La capilla ha estado en desuso dos años, y la casa rectoral, aún más.

ANNA: Estamos preparados y prevenidos.

ELIN: Estando Magda me siento tranquila. (A Magda). Porque Magda se encargará de atender bien a estos jóvenes y de evitar que huyan de puro susto, ¿verdad? La casa rectoral, a decir verdad, está muy estropeada.

MAGDA: Hemos recibido respuesta del consejo parroquial con la decisión de hacer una reparación total. Entonces hay también posibilidad de decir lo que uno desea, ¿no, Elin?

ELIN: ¡Desde luego, Magda! ¡Oh!, me parece que nuestras hijas han regresado de la escuela de baile. Figúrese, pastor, hemos sido capaces de organizar un curso de baile moderno en Älvnäs, a unos kilómetros de aquí. Así pueden reunirse los jóvenes una vez por semana y divertirse un poco. Estas son mis dos hijas, Susanna y Helena.

Las niñas saludan educadamente. Susanna tiene catorce años, es bajita, morena y parecida a su madre. Helena tiene trece años, alta y delgada, y se parece, quizás, a sí misma. Doña Elin toma a Henrik del brazo y lo lleva, dirigiéndolo suavemente, a una habitación contigua débilmente iluminada: Hay algo que tengo que decirle, pastor, algo importante.

ELIN: Susanna y Helena no van a la escuela, estudian en casa. Tenemos una institutriz, muy buena persona y muy competente, no pudo acompañarnos esta noche porque acaba de contraer una molesta infección de vientre y ha preferido cenar en su habitación. Susanna tiene catorce años, y Helena, trece. Más adelante ingresarán en un instituto en Upsala o en Gävle, pero son las niñas mimadas de su padre y él quiere que se queden aquí lo más posible. ¿Va a tener usted alumnos? Me refiero a la enseñanza del Catecismo.

HENRIK: Supongo que sí. Verdaderamente, no…

ELIN: Bien, bien. (Exaltada). Yo deseo ardientemente que las niñas reciban la confirmación. *¡Es lo único que deseo!*

HENRIK (sorprendido): No habrá ningún problema.

ELIN: Un gran problema, pastor. Su padre no quiere de ninguna manera que las niñas se confirmen. Se pone furioso cuando saco la conversación, se pone tan frenético que me da miedo. Es una ira incomprensible, pastor. Yo no la entiendo.

HENRIK: Y las niñas, ¿qué quieren?

ELIN: ¡Oh, pastor! No hay nada que deseen tanto como eso.

HENRIK: Tendré que hablar, pues, con el director. No puede ser muy…

ELIN (lo interrumpe): … No, no. Usted no debe hablar con mi marido. Yo hablaré con él. Más pronto o más tarde tendrá que ceder.

HENRIK: ¿Tan difícil es?

ELIN: Es difícil… Algún día, algún día… (Se interrumpe). Con el párroco no puedo hablar, mi marido y él son viejos amigos y seguramente le daría la razón a él.

HENRIK: Qué raro.

ELIN: Hay muchas cosas que se han vuelto raras con los años. Pero vamos a regresar junto a los otros. Alguien puede empezar a extrañarse y no estaría bien.

En el salón se está desarrollando un drama de menor entidad: al administrador le ha dado un ataque de flato y dolores en el costado derecho. Está resoplando y sudando en una silla baja mientras el médico le desabotona el cuello y su esposa busca el tubo de las pastillas en el bolsillo interior de la levita. Sonriendo abochornado y tartamudeando disculpas, se arrastra el jadeante sujeto hasta la puerta, apoyado en su esposa y en un criado. Nordenson lo acompaña palmeándolo en el brazo todo el tiempo: Es que no te acordaste de tomar las pastillas, viejo descuidado, ya verás como ahora se te pasa enseguida. Tómate un coñac cuando estés en la cama. No, no, te acompaño hasta el coche, no faltaba más. Ahora mismo vuelvo.

A la esposa del médico se le ha ido subiendo el color de las mejillas en el curso de la cena. Se precipita hacia Anna y Henrik, aprieta la mano de Magda y afirma en voz baja que está *en las últimas*. Su marido, que le ha hecho un reconocimiento muy detenido, dice que puede llegar el *final* de un momento a otro. Morirse de golpe, como suele decirse. Es la explotación lo que lo ha destrozado. Él será la primera víctima, pero seguro que no la última. Todo está en peligro algo *va a pasar* cuando Nordenson pegue un puñetazo en la mesa.

Cuando Anna, horas más tarde, se queda sola en el confortable dormitorio del obispo, saca la carta de Henrik y la lee despacio por lo menos dos veces. Luego se sienta inmediatamente y escribe su contestación en unas hojas que arranca de su diario. La luna es blanca como el marfil y casi llena, su fría luz es tan intensa que domina las paredes y el suelo de la habitación. La lámpara de queroseno alumbra blandamente las manos de Anna y las palabras que ella forma con su educada letra redonda:

Amadísimo, no puedo contestar debidamente tu carta. Hay muchas cosas que no comprendo, es decir, comprendo las palabras, pero no *la realidad* que hay detrás, como es natural. Yo he vivido una niñez muy mimada y la tuya ha sido muy expuesta, y ahora estos niños que fuimos se miran y se ponen a prueba. Yo no sé por qué te quiero tanto como te quiero, supongo que es imposible saberlo. Sí, tienes una boca bonita y ojos dulces y yo te gusto porque no estoy mal, claro. Pero por qué me he pegado a ti así, por qué me parece que te comprendo incluso cuando no te comprendo, por qué me figuro que pienso tus pensamientos y siento lo que tú sientes, eso es un misterio, y tal vez sea ese, a fin de cuentas, «el Misterio del Amor». Ya ves lo filosófica que me pongo escribiéndote aquí sentada, en la habitación del obispo, en camisón, chaqueta y calcetines. El suelo está helado, pero la causa de que me ponga tan solemne debe de ser la serie de conceptos episcopales que se habrán ido pegando a estas paredes al correr de los años. ¡Buenas noches, amado esposo mío! También a mí me parece que vivimos en un sueño, pero me despierto una y otra vez y me doy cuenta, con un estremecimiento de alegría, de que despierto a otro sueño mucho mejor aún que el que acabo de soñar.

Anna firma sin leer lo que ha escrito, apaga la lámpara de queroseno y se mete en el casto y magnífico lecho. No ha bajado las persianas. La penetrante luz de la luna da en los cuadrados cristales de la ventana.

El día amanece frío y claro, la iluminación no deja nada que desear. La luz del sol resplandece alrededor de la casa amarilla y los abedules. Está espléndidamente situada en la bajada hacia el caudaloso río y los rápidos. En el jardín silvestre hay árboles frutales, arbustos de bayas y macizos para flores y verduras llenos de maleza. Junto a la pared de la izquierda de la casa hay un cenador rodeado de tilos, con sillas rotas y una mesa destartalada. Cerca de la puerta de la cocina vigila una bomba verde; un cubo completamente oxidado se ha caído por la tapa podrida del pozo. La escalera de incendios ha perdido algunos peldaños y varias tejas han abandonado el lugar que les estaba destinado.

El grupo se compone de los futuros habitantes de la casa, acompañados de Magda Säll y del encargado de la iglesia, Jesper Jakobsson, hombre de pocas palabras, cara alargada, ojos empañados y parco en gestos. Lleva un manojo de llaves y, según Magda, es el responsable de las reparaciones y el mantenimiento de las dependencias de la iglesia.

Ya en la verja, antes de que los visitantes se hayan bajado de la calesa, se vuelve y dice que él, *personalmente*, no está de acuerdo con la decisión del cabildo de crear otro puesto de sacerdote en la parroquia. Además, él, por su parte, opina que arreglar la capilla de la explotación es tirar el dinero. El número de asistentes a la iglesia grande es cada vez más reducido, la iglesia va a menos, la secta de los amigos de Pentecostés y la de los misioneros van a más. Además, la juventud está envenenada por doctrinas herejes y política. Forsboda está abandonada a la ruina espiritual y material. No se puede hacer nada para impedirlo, todos los esfuerzos por detener la perdición están condenados al fracaso... Un despilfarro.

La alargada cara de Jesper Jakobsson resplandece de apesadumbrado triunfo. Vamos a no aguarles completamente la fiesta a los jóvenes, dice Magda tratando de parecer de buen humor. Nada más lejos de mi intención, contesta el encargado. ¡Nada más lejos de mi intención, verdaderamente! Prueba a mostrar una sonrisa que, en realidad, resulta más triste que su tristeza anterior.

Anna echa a andar por el sendero de grava cubierto de hierba y mira a su alrededor. Se vuelve a Henrik, que sigue junto a la vieja. Esto es bonito, dice Anna. Si se aguantan los rápidos, dice el encargado. Y hay que tener cuidado con los niños, que no se caigan. Antes había una valla, pero se cayó con la nieve el invierno pasado. Entonces habrá que hacer otra valla, dice Magda un poco irritada. Sí, claro, contesta el encargado, molesto, eso habrá que hacer. Magda toma a Anna del brazo y le dice que no se preocupe de Jesper Jakobsson. Es verdad que tiene un puesto importante en el Ayuntamiento, pero ya ha venido un maestro de obras de Gävle y ha hecho un plan preliminar de mejoras y reparaciones. El proyecto ya ha sido presentado y aprobado, Anna no tiene que preocuparse, la lista está a su disposición. Si se desean otras mejoras (dentro de unos límites razonables, naturalmente), *todo* es posible. Los trabajos darán comienzo a primeros de año y terminarán a mediados de mayo.

Jesper Jakobsson abre bruscamente la puerta de la cocina, que ha vuelto a hincharse; un pequeño vidrio cuadrado ha sido sustituido por un cartón abombado. La cocina es grande y orientada al norte, solo tiene una ventana. Ha caído argamasa de la chimenea, el viejo fogón se ha inclinado unos cuantos grados y la puerta de la despensa, desenganchada y perdida, está apoyada contra un fregadero oxidado.

Esto hay que arreglarlo, dice Jesper Jakobsson súbitamente afable. He insistido en que se meta el agua, se podría hacer la toma general con una bomba en el fregadero y me han dicho que no. Pero, por lo demás, esto hay que arreglarlo, hay que tapiar la chimenea y cambiar el fogón. Tenemos un fogón magnífico y casi nuevo en la oficina de la explotación, que traeremos aquí. Y el suelo hay que ponerlo, está podrido. La viga maestra está carcomida ahí arriba en la esquina. La cocina va a quedar muy al gusto de la señorita Åkerblom, se lo puedo garantizar». El encargado mueve la cabeza significativamente dos veces mirando a Anna con sus ojos velados.

Luego abre la puerta de un minúsculo cuarto de servicio en el que hay un sofá cama de color rojo. Para las criadas, dice lacónicamente. Pueden dormir dando pies con cabeza o, si no, se pone un catre en la cocina. Magda Säll suaviza: Si la señorita Åkerblom me da su confianza, yo me encargo de buscar un par de chicas trabajadoras. Ya he estado preguntando. ¿Tenemos que tener dos?, dice Anna horrorizada. ¿Para qué queremos dos? Es la costumbre, dice Magda. En casa de un sacerdote siempre surgen muchas cosas imprevistas, ya lo verá, señorita Åkerblom. Anna suspira en silencio. Henrik no ha dicho ni una palabra en todo el tiempo. Anna busca sus ojos, pero él está ausente. Y esto sería el comedor y la sala, explica el encargado. El constructor quiere hacer dos habitaciones por razones de calefacción, la pared iría aquí, pero yo he dicho que no, muchas veces el sacerdote necesita una habitación grande para las reuniones de la parroquia, el local de la iglesia está lejos, junto a la iglesia, y no es fácil llegar, especialmente en invierno. Así que he propuesto que dejemos esta habitación como está y hagamos una estufa de azulejos más grande en este rincón, donde va un cañón de la chimenea hacia el piso de arriba. De modo que vamos a tener esto calentito y cómodo, señorita Åkerblom. El encargado da un golpe con la palma de la mano en la pared y arranca un trozo suelto de papel. Señorita Åkerblom, no tiene que preocuparse, esto quedará caliente y en buenas condiciones, se lo garantizo yo. Jesper Jakobsson abre otra puerta. Este es el vestíbulo de la entrada principal. Hay que arreglar la escalera que va al piso superior. Es un poco chocante que la entrada principal dé al bosque y la de la cocina a la verja. Va a resultar algo incómodo para las visitas, sobre todo si vienen en coche. Henrik clava los ojos en Jesper Jakobsson: La casa está, sencillamente, puesta al revés, dice con repentina arrogancia. El encargado se pica al momento: Yo no soy el que ha construido la casa. Luego, silencio.

El cuarto de los huéspedes, dice lacónico, y empieza a subir la combada y crujiente escalera. No pisen ese peldaño, advierte parándose y señalando. Este peldaño no es de fiar y puede uno hacerse daño. ¡Tenga cuidado, señorita Åkerblom! Deme la mano. Bien, este es el piso de arriba y está bastante bien conservado, aunque me esté mal decirlo. Así que aquí solo pintaremos y empapelaremos. Aquí tienen: el cuarto de los niños, no es que sea muy grande, pero tiene un pequeño cuarto de aseo y la vista es bonita. Vamos a ver si cortamos algunos árboles, ahora no se puede ver el agua, pero hemos hablado de hacer una tala, la orientación es puro sur. El cuarto de los niños a la derecha y el despacho del pastor a la izquierda. O al revés, naturalmente, si lo prefieren. No tienen más que decirlo porque se puede arreglar, sol por la tarde o sol por la mañana. ¿Y dónde está mi despacho?, dice Anna de repente.

El enrarecido ambiente que ha estado al acecho durante un buen rato se manifiesta ahora con toda claridad. Magda se queda mirando sorprendida a la personita vestida con un abrigo de elegante corte. Ojos oscuros y serios. Barbilla decidida, tono firme. A mí me gustaría saber dónde voy a meterme yo. Yo tendré, por lo menos, tanto trabajo como mi marido. Sin sueldo, además. Bueno, eso pase, pero ¿dónde voy a meterme cuando quiera escribir cartas y leer y llevar la contabilidad de la familia? Anna mira al encargado, que mira a Henrik un poco suplicante. La verdad es que estoy acostumbrada a disponer de una habitación propia, sigue diciendo la voz con aplomo. Comprendo que resulta un poco excesivo, pero es, realmente, una exigencia por mi parte.

La perplejidad ahora es total: una condición real, ¿qué demonios quiere decir esta mujer? ¿Es que no piensa venir si no tiene un cuarto para ella o qué es lo que pasa? Es que no es mucha costumbre que la esposa del pastor tenga su propio despacho, media Magda. ¡Ah!, ¿no? Bueno, pero ¿cómo voy a saber yo eso? ¿Podría considerarse el cuarto de los huéspedes?, dice el encargado con un carraspeo, sorprendentemente sumiso. La señorita Åkerblom puede quedarse con el cuarto de los huéspedes como despacho. Propongo que Henrik se quede con el cuarto de los huéspedes, dice Anna zanjando el asunto. Yo quiero estar a mano, cerca del cuarto de los niños. Será un poco molesto con la gente entrando y saliendo ahí abajo, dice la señorita Sall con prudencia. El pastor necesita tranquilidad para preparar sus sermones. Que se ponga algodón en los oídos, contesta Anna sonriendo a Henrik. ¡Di algo, querido, Henrik!, dice su mirada, tú eres el dueño de tu casa, tú eres el que decide. Pero Henrik se ha quedado mudo. ¿Hay que decidir eso ahora mismo?, murmura suplicante. El señor Jakobsson y yo vamos al jardín a ver las dependencias, decide Magda comprendiendo de pronto.

Y Anna y Henrik se quedan abandonados a sí mismos. Era solo una broma, dice Anna riéndose. Era solo una *broma* porque todo es tan lamentable que nos estábamos dejando acoquinar. Le echa los brazos al cuello y lo retiene. ¡Ríete, Henrik! Esto no es ninguna catástrofe y yo… puedo… hacer danzar a… Jesper… Jakobsson… con… mi… dedo… meñique. ¿Verdad que te fijaste? Gracias a Dios que te ríes, por un momento creí que te habías enfadado.

La señorita Säll y el encargado comprueban que la joven pareja está de buen humor cuando sale a la luz del sol otoñal. Juntos van a ver la choza de la leña, el taller de carpintería, el retrete, los depósitos de hielo y la pequeña bodega: Ya veo que vamos a tener muchas fresas silvestres en el tejado, dice Anna.

A continuación hay que inspeccionar la capilla. Henrik abre la alta y desnuda puerta de hierro: Le pedí la llave a Jakobsson. Dije que queríamos estar solos al entrar por primera vez en nuestra iglesia.

La capilla de Forsboda fue construida a finales del siglo XVIII y, como se ha dicho, estaba destinada a albergar las palmeras del parque durante el invierno. El espacio tiene altas ventanas, un poco arqueadas, con cristales de colores en el coro, muros gruesos y suelo de piedra. Alrededor de la capilla hay un cementerio abandonado, cubierto de maleza, se divisan las sepulturas a través de las hierbas amarillas.

Henrik y Anna entran en la iglesia. Unas palomas levantan el vuelo y salen por un cristal roto. Los bancos están apartados y apilados en un oscuro montón a lo largo de la pared corta trasera, el suelo empedrado se extiende, desnudo y resonante, hacia la elevación del altar. El prealtar ha desaparecido y un andamio de madera está entreabierto y vacío, se ha excavado un hoyo en un rincón. En la tabla de los salmos cuelgan unas cifras: salmo 224, segundo verso: «Por la felicidad, el pan y el honor en este mundo, no por la guerra. No permitas que te corroa la tristeza el corto tiempo de esta vida».

Es casi como una exhortación, dice Henrik tomando a Anna por los hombros. La luz del sol da con fuerza sobre la pared encalada y dibuja cuadros y sombras de árboles. En la puerta de entrada se levanta un andamio de albañilería hasta el techo, que se curva en un arco suave. Alas de pájaros. Sombras de sol. Se oye viento a lo lejos. Por las ventanas rotas, condenadas en parte, han entrado hojas marchitas.

El púlpito es del siglo XVI, dice Henrik, con suficiencia. ¡Fíjate qué madera más bien trabajada! Ahí están san Pedro y san Juan, y ahí tienes al arcángel con la espada y el sol y el ojo. Me gustaría saber adonde se han llevado el sagrario, a lo mejor está en la sacristía.

Pero la sacristía está vacía. Solo hay un armario pintado de marrón con las puertas abiertas de par en par. Sobre las anchas tablas del suelo hay cubos de pintura y brochas, ya han dado una mano a la pared de las ventanas, las grietas y los desconchados del muro han sido enlucidos. Ya ves que están metidos de lleno en la restauración, susurra Anna.

Luego examinan el armonio que está cubierto cerca del altar, a la derecha. Es una construcción alta, bien tallada, con dos teclados y muchos registros. A un lado hay dos pedales:

¿Probamos a ver cómo suena?, dice Anna, y se sienta en la banqueta del armonio.

Henrik pliega el lienzo en el suelo y pedalea aire en los fuelles. Anna saca algunos registros y toca las teclas en un amplio acorde en do mayor. El instrumento emite una poderosa, pero terrorífica, disonancia. Habrá que arreglar el armonio también, dice Anna retirando las manos. Me pregunto si Jesper Jakobsson ha pensado en ese detalle. Es un magnífico armonio de coro antiguo. ¿Dónde puede haber estado antes de venir a parar a este destierro? Por cierto, ¿no estará el sagrario ahí, en ese rincón debajo de esa tela?

Levantan la polvorienta colgadura y abren las puertas del armario. En el centro, una *Última cena* torpemente tallada pero llena de dramatismo, los discípulos con los ojos en blanco, el Maestro levantando una mano desproporcionada, las comisuras de la boca estiradas hacia abajo. Judas tiene la cara negra, abrumado por el crimen que va a cometer. A la derecha está Cristo clavado en la cruz, con la cabeza colgando. Las heridas son espantosas y el centurión romano está justamente clavándole la lanza en el costado, la sangre brota a borbotones. A la izquierda se ve la Anunciación: María con las manos en el vientre, una figura impresionante batiendo las alas alza un largo dedo índice en solícita advertencia. Al fondo, el sol brilla sobre un cordero que pace pacíficamente.

Todas estas imágenes, toda esta voluntad y ternura están a punto de perderse. El polvo de la madera vuela, hay pequeños detalles que se han caído al suelo, las manchas de humedad oscurecen los colores, los ratones y los insectos han participado en la comunión. Una profunda grieta, como una herida, o quizás un grito, atraviesa de arriba abajo el Gólgota.

Anna y Henrik se quedan tristes e impresionados. Vuelven a colocar con cuidado la tela manchada.

Voy a referir ahora el altercado que no tardará en estallar entre Anna y Henrik. Aquí, precisamente, en este ruinoso invernadero de palmeras convertido, por un capricho, en casa de Dios y, por otro capricho, arruinado de nuevo. Siempre es difícil rastrear la verdadera causa de un conflicto. El origen y el estallido son, además, rara vez idénticos (como ocurre con el lugar del crimen y el lugar del hallazgo). Uno puede imaginar bastantes posibilidades, tanto irreflexivas como fundamentales. Se trata de hojear y de especular, esto es un juego de sociedad. ¡Vamos allá! Hay, sin embargo, dos hechos claros. En primer lugar, asistimos al primer enfrentamiento desgarrador entre nuestros dos protagonistas. En segundo lugar, Lutero tiene razón cuando dice que a la palabra que ha echado a volar no se la puede agarrar del ala. Y eso significa que ciertas palabras no pueden retirarse jamás, y tampoco perdonarse. Palabras así van a cruzarse en la confrontación que se describirá a continuación. En realidad yo no sé, como es natural, casi nada de lo que ocurrió ese viernes por la tarde en la ruinosa iglesia de Forsboda. Recuerdo únicamente unas palabras de mi madre: Era la primera vez que estábamos en la capilla y de repente nos enfadamos. Creo recordar que rompimos nuestro amor y nuestro compromiso. Yo creo que tardamos mucho en perdonarnos. Y no estoy segura de que nos hayamos perdonado nunca del todo.

Tal vez deba advertirse que Anna fue toda su vida muy rápida para enfadarse y aún más rápida para reconciliarse. Tenía un carácter vehemente que le era muy difícil sujetar en el corsé de la indulgencia cristiana. Henrik tenía un largo camino antes de manifestar su ira, pero cuando perdía los estribos, era de una brutalidad espantosa. Además, era tan rencoroso que casi resultaba cómico. Jamás olvidaba un agravio, aunque, con manifiesto talento teatral, consiguiera mostrar un rostro sonriente ante quienes lo herían.

Ahora empieza, pues, esta escena, y yo sostengo que empieza justo en este instante: Anna se queda de pie junto al armario del sagrario tapado, tiene la cabeza agachada y los brazos caídos. Empieza a ponerse los guantes que se había quitado para la prueba del armonio. Henrik avanza hasta el comulgatorio para arrodillarse en su manchado y raído cojín. Está de espaldas a Anna, contemplando los cristales de colores de la ventana del coro. ¿La iluminación? ¡Dramática y rica en contrastes! El sol ha detenido su caída ante una nube colmada de nieve que se ha levantado sobre el bosque. La nube forma una pared azulnegra y la luz es blanca y despiadada, pero solo sobre una de las mitades de los rostros. La luz de ajuste sobre la otra mitad se ha apagado en gris.

HENRIK: Anna.
ANNA: Dime, querido.
HENRIK: Quiero que… (Se calla).
ANNA: ¿*Qué* quieres?
HENRIK: Cuando nos casemos… ¿no podemos dejar que nos case el viejo párroco Samuel Gransjö?
ANNA: Pues claro. Si tú lo quieres.

HENRIK: Aquí.

ANNA: ¿Aquí?

HENRIK: Sí, aquí, en el coro de nuestra iglesia sin terminar. Solo tú y yo. Y dos testigos, claro.

ANNA (con dulzura): No entiendo. ¿Quieres decir que nuestra boda se celebre aquí?

HENRIK: Solo tú y yo y el párroco y dos testigos. La señorita Säll, por ejemplo, y el encargado. Y así inauguramos esta iglesia y nos vinculamos a esta iglesia. ¿No podemos hacerlo así, Anna?

ANNA: No, no podemos.

HENRIK: No podemos. ¿Qué quieres decir?

ANNA: Tú y yo nos casaremos en la catedral de Upsala y nos casará el deán Tisell, que nos lo ha prometido. Y tendremos una boda de verdad, con damas y guardias de honor y el coro de la universidad y montones de parientes y amigos y una cena en el hotel Gillet. Ya nos hemos puesto de acuerdo en todo eso, Henrik, por favor, no se puede cambiar.

HENRIK: ¡No se puede cambiar! Vamos a casarnos en marzo y estamos en septiembre, ¿no?

ANNA: ¿Qué crees que dirá mamá?

HENRIK: Pensaba que ahora ya no te importaban mucho las opiniones de tu madre.

ANNA: He invitado a la boda a todas mis compañeras de curso de la escuela de Enfermería. Casi todas han confirmado su asistencia. Por favor, Henrik, ya hemos discutido acerca de todo esto.

HENRIK: Tú me has dicho cómo iba a ser. Mis opiniones me las he guardado para mí.

ANNA: Tú fuiste el que quiso que cantase el coro. Tú y Ernst habéis decidido el programa. No es posible que no te acuerdes.

HENRIK: Bueno, y si ahora te propongo que dejemos todo eso, ¿resulta tan imposible?

ANNA: Sí, es imposible.

HENRIK: ¿Por qué había de ser tan…?

ANNA (enfadada): *¡Porque yo quiero tener una boda de verdad!* Una fiesta por todo lo alto. Yo quiero celebrarlo. Quiero estar contenta. Quiero que sea una boda sonada.

HENRIK: ¿Y la boda que yo propongo?

ANNA: Vamos a dejar esta discusión estúpida porque vamos a acabar riñendo. Y estaría bonito.

HENRIK: *Yo* no riño.

ANNA: No, tú no, pero yo sí.

HENRIK: Podrías pensarlo, al menos. (Suplicante). ¡Anna!

ANNA: *Ya* lo he pensado y de todas las idioteces que he aguantado durante bastante tiempo, este último capricho tuyo es la idiotez más idiota. Y si no lo comprendes, es que eres más idiota de lo que yo pensaba y eso no quiere decir poco.

HENRIK: ¿Y si yo no quiero?

ANNA: ¿Qué?

HENRIK: Si yo no quiero prestarme a ese teatro en la catedral. ¿Qué haces tú, entonces?

ANNA (enfadada): Pues voy a decírtelo ahora mismo, Henrik Bergman. Entonces, te devuelvo este anillo en este mismo momento.

HENRIK: Pero… ¡Pero eso es un disparate!

ANNA: *¿Qué es lo que es un disparate?*

HENRIK: ¿Sacrificas nuestra vida en común, *nuestra vida*, por un mezquino ritual?

ANNA: Eres *tú* el que sacrifica nuestra vida en común por un ridículo, teatral, melodramático, sentimental... yo no sé qué. Mi *fiesta* es, de todos modos, una *fiesta*. Todos se alegran y todos se enteran de que tú y yo ya estamos casados, al fin, como Dios manda.

HENRIK: ¡Pero es *aquí* donde vamos a vivir! *Aquí* es donde vamos a vivir, ¿no lo comprendes? Y por eso es importante que empecemos nuestra nueva vida justamente aquí, en esta iglesia.

ANNA: Importante para ti, pero no para mí.

HENRIK: ¿No comprendes nada de lo que quiero decir?

ANNA: No *quiero* comprender.

HENRIK: Si me amaras, lo comprenderías.

ANNA (enfadada): ¡No me vengas con esas monsergas! De la misma manera te puedo contestar que si tú me amaras me dejarías celebrar mi fiesta.

HENRIK: Tus aires de niña mimada no conocen límites. ¿No te das cuenta de que esto es *serio*?

ANNA: Te voy a decir exactamente de lo que me doy cuenta: a ti no te gusta mi familia, quieres humillar a mi madre todo lo que puedas, quieres demostrar tu poder: Anna viene conmigo. A Anna ya no le importa lo que opine su familia. Quieres vengarte de una manera hiriente y refinada. ¡Eso es exactamente lo que quieres, Henrik, reconócelo!

HENRIK: Es extraño cómo puedes interpretar tan mal las cosas. Extraño y perverso. Pero, naturalmente, es bueno que me entere de...

ANNA (aún más enfadada): No te quedes ahí con esa cara. ¿Qué risas estúpidas son esas? ¿Te crees que pareces irónico o algo por el estilo?

HENRIK: … Lo único que veo es que estás de parte de tu familia… *contra* mí.

ANNA: … ¿No estás *bien de la cabeza* o qué? Casi mato a mi madre para irme contigo. Y papá, ¿te crees que se hubiera…?

HENRIK: … Lo que te pido es un insignificante y ridículo sacrificio.

ANNA: … No, tú no estás bien de la cabeza. ¿Sabes *qué*, Henrik? A veces me resultas lamentablemente vulgar. Tienes una manera de hacerte más…

HENRIK: … ¿Cómo dices?

ANNA: … Te haces más tonto de lo que eres, haces una especie de teatro que no te va en absoluto. ¿Sabes qué? Tú te haces el interesante con tu pobreza, con tu infeliz y menesterosa infancia, con tu infeliz y menesterosa madre. Es repugnante.

HENRIK: … Recuerdo cuando me preguntaste en qué trabajaba Frida y te dije que era camarera. Recuerdo tu tono, recuerdo la cara que pusiste.

ANNA: … No es necesario andar con la camisa sucia y los calcetines rotos. No es necesario llevar caspa en las solapas y las uñas sucias.

HENRIK: … Yo *nunca* llevo las uñas sucias.

ANNA: … No te lavas y a veces hueles a sudor.

HENRIK: … Estás hablando demasiado.

ANNA: … ¡Hombre, claro! El señor pastor no aguanta las verdades.

HENRIK: … No aguanto que seas cruel.

ANNA: … No me pisotees, Henrik.

HENRIK: … Es bueno que esta conversación haya surgido antes de la boda.

ANNA: … Sí, es estupendo. Ahora sabemos dónde nos tenemos el uno al otro. Estuvimos a punto de cometer un error muy grande.

HENRIK: … Así es que estás dispuesta a tirar…

ANNA: … ¿Que soy *yo* la que tira?

HENRIK: … No, lo peor es que los dos…

ANNA: … Sí, es curioso lo fácil que ha resultado.

HENRIK: … Terriblemente.

ANNA: … Tengo ganas de llorar, pero no puedo. Debe de ser que estoy demasiado triste.

HENRIK: … También yo tengo ganas de llorar, estoy terriblemente triste. No quiero perderte.

ANNA: … Hace un momento no lo parecía.

HENRIK: … No, ya lo sé.

Distancia geográfica y anímica. La luz del sol se ha apagado en la pared de nieve azulnegra que se alza lentamente sobre el bosque. La luz es gris, pero penetrante. Anna se sienta en la sucia almohada del comulgatorio. Henrik se sienta en el mismo cojín, pero a distancia, dos metros o más. La tristeza es real, pero también la ira y las palabras venenosas que se arremolinan en los nervios y el silencio. Aquí podía terminar el relato de *La buena voluntad*, puesto que los protagonistas se consideran, ahora y al mismo tiempo, abandonados, extraños y solos. Anna piensa con desagrado en el cuerpo de ese hombre y en sus olores. Henrik piensa con aversión en esa niña mimada y cruel. Los dos piensan (quizá): Horroroso, vivir juntos un solo día, una hora. Humillante. Indigno. Terrible. Todos los caminos se han hundido, los muros brotan como mala hierba.

ANNA: ¿Henrik?
HENRIK (guarda silencio).
ANNA: *Henrik.*
HENRIK: No.
ANNA (extiende una mano): ¡Henrik!
HENRIK: No finjas.
ANNA: Lo siento.
HENRIK: ¡Ah!, ¿sí? Es una lástima.
ANNA: He dicho cosas horribles.
HENRIK: Sí.
ANNA: ¿Podrás perdonarme alguna vez?
HENRIK: No lo sé.
ANNA: Entonces, ¿hemos terminado?
HENRIK: Creo que sí.
ANNA (suspira): Tengo esa sensación.
HENRIK: A la palabra que ha echado a volar no se la puede agarrar del ala.
ANNA: Ahora no entiendo.
HENRIK: Lutero. Significa que uno puede decir casi cualquier cosa, pero no *cualquier cosa.* Ciertas palabras son irreparables.
ANNA: Y tú quieres decir que yo…
HENRIK: Sí.
ANNA: Pero es horrible.
HENRIK: … Sí, es horrible.
ANNA: … Pero tú eres sacerdote…
HENRIK: … Mi profesión no tiene nada que ver con…

ANNA: … *Tienes que* perdonarme.

HENRIK: … No puedo, estoy furioso. Te odio. Podría pegarte.

ANNA: … Eso es hablar claro.

HENRIK: Que te aproveche.

ANNA: Y yo aquí, humillándome y…

HENRIK: Nadie te lo ha pedido.

ANNA: … Y empeñándome en que tú… ¡*Tú* me perdones a *mí*!

HENRIK: Si tuviera fuerza, me levantaría ahora mismo y me iría por aquella puerta y la cerraría con llave y no volvería nunca más.

ANNA: ¿Estás llorando?

HENRIK: Sí, lloro, pero lloro porque estoy furioso. No, no te acerques a mí. No me *toques*.

Anna lo roza, él aparta el brazo de un golpe, el golpe tiene más fuerza de lo previsto, ella se asusta y cae hacia atrás contra la barandilla del comulgatorio. Estupefacción y espanto.

ANNA: ¡Me has pegado!

HENRIK (furia desencadenada): Y puedo volver a pegarte. ¡Fuera de aquí! No quiero volver a verte en mi vida. Eres repulsiva, me martirizas. Me martirizas porque *quieres* martirizarme. ¡Fuera de aquí, me cago en la puta!

ANNA: Eres un perfecto animal. Ahora empiezo a comprender al fin por qué mamá tenía miedo de ti. Ahora empiezo a darme cuenta…

HENRIK (interrumpe): … Vaya, todo arreglado, por fin. Tu madre y tú cayendo en brazos una de otra y dando gracias a Dios por haberte librado de una buena, salvo el susto y el virgo averiado.

ANNA (furiosa): Hay que ver lo bruto que eres, *maldita sea*. No fueron solo mis padres, para que te enteres. Ernst me lo advirtió todo el tiempo. Decía que eras una persona doble de la que no se podía…

HENRIK (blanco): ¿*Qué* decía Ernst? ¿Qué decía?

ANNA: Que no eras de *fiar*. Que eras un embustero. Un embustero de la peor especie, porque no te dabas cuenta cuando mentías. Que eras absolutamente incapaz de distinguir la verdad de la mentira. Que esa era la verdadera razón de que te hubieras hecho cura.

HENRIK: ¿Ha dicho eso Ernst?

ANNA: No.

HENRIK: ¿Qué ha dicho Ernst de mí?

ANNA: Nada. Él te quiere. Tú lo sabes.

HENRIK: *Ahora* ya no sé nada. (Espanto).

ANNA: Yo creo que debes ir a buscar a Frida y reanudar la relación. Según Carl, podría resultar una buena esposa para un sacerdote. Lo de Anna Åkerblom queda como un paréntesis instructivo.

HENRIK: Deja de hacer teatro, porque te sale rematadamente mal. Y deja a Frida al margen de esta sucia…

ANNA: … La señorita Frida no exigía nada. Amaba a su pequeño Henrik. Su espíritu maternal no conocía límites.

HENRIK: Cierra el pico.

ANNA: Tu grosería es verdaderamente…

HENRIK: … del mismo calibre que la tuya.

ANNA: Sí, desde luego.

Silencio e ira, es casi audible, ruge en el espacio oscurecido, se ha desprendido de las partes en litigio y golpea contra el techo y las paredes, es capaz de reventar los cristales, vuela como llamas de soplete por las losas del suelo.

HENRIK: Ahora vuelvo a reconocer mi vida. Al fin regresa y es como ha sido siempre. Antes soñaba. Ahora estoy despierto.

ANNA: A veces hablas como en una novela. Una novela de criadas.

HENRIK: No he aprendido a hacerlo mejor.

ANNA: ¡Y nosotros íbamos a tener hijos! Tres hijos íbamos a tener. Dos niños y una niña. Todo es repugnante. Y estúpido. Es que no es normal. Aquí metida, en una casa de palmeras en ruinas, en un despoblado, está oscureciendo, me parece que incluso ha empezado a nevar. *Yo*. No es normal. Un extraño, un hombre extraño que me grita y me pega. Es una verdadera locura.

HENRIK: ¿Cómo vamos a poder vivir después de esto?

ANNA: Pues sí, sí que podremos.

HENRIK: ¿No ves lo peor de todo?

ANNA: ¿Y qué sería lo peor de todo?

HENRIK: Teníamos un capital de amor. Y ese capital de amor lo hemos dilapidado en una…

ANNA: … tontería. Es verdad.

HENRIK: A mí, en realidad, me importa un comino esa boda. Que sea en cualquier sitio. En el Polo Norte.

ANNA: A mí todo eso me da igual, es lo mismo. Decide tú.

HENRIK: No, no. Eso del ritual tiene más importancia para ti que para mí. Y, además, es tonto disgustar a tu madre más de lo que ya está.

ANNA: Podría venir ella aquí.

HENRIK: ¡Tu madre y mi madre! ¿Aquí? Mejor, entonces, una fiesta enorme en la que todo y todos se hundan en un mar de idioteces teatrales.
ANNA: Pues no nos casamos. Yo seré tu ama de llaves.
HENRIK: Gracias por el ofrecimiento. Lo consideraré.
ANNA: ¡Henrik!
HENRIK: Sí. Anna. Sí.
ANNA: Hemos reñido y gritado delante de Dios. ¿Qué piensas que dirá Él?
HENRIK: No sé. El sitio es un poco especial.
ANNA: ¿Piensas quizá que esto ha sido una especie de boda?
HENRIK: No, eso sí que no lo creo. Lo que hemos estado haciendo es acabar con el amor a marchas forzadas.
ANNA: ¿Cómo podemos llevar tanto odio dentro?
HENRIK: No sé. Estoy muy cansado, Anna.
ANNA: También yo. ¿Cómo hacemos para irnos de aquí?
HENRIK: Ven a sentarte aquí, a mi lado.
ANNA: ¿Ya no piensas seguir pegándome?
HENRIK: ¡Anna!
ANNA: ¿Está bien así?
HENRIK: Dame la mano. Está helada. ¿Tienes frío?
ANNA: En realidad, no. Solo por dentro.
HENRIK: Así. ¿Estás bien así?
ANNA: Tengo que llorar.
HENRIK: Yo te abrazo.
ANNA (llora): ¿Crees que nos habremos vuelto más cuerdos después de esto?
HENRIK: No sé. Más prudentes.
ANNA: ... ¿Más cuidadosos con lo que tenemos?
HENRIK: Más o menos eso.

Están muy juntos en el crepúsculo.

Mis padres se casaron el viernes 15 de marzo de 1913 en la catedral de Upsala ante un gran número de parientes, amigos y conocidos. Cantó el coro de la universidad y el deán Tisell ofició la boda. Damas y guardias de honor asistieron a la ceremonia y los pajes de la novia pisotearon el velo. Después de la boda se ofreció un banquete en el gran salón de festejos del hotel Gillet. Por mucho que busco en álbumes y entre fotografías heredadas, no logro encontrar una sola fotografía de la boda. Esto es notable, teniendo en cuenta que los Åkerblom eran una familia particularmente aficionada a fotografiarse. Gran cantidad de reuniones de poca importancia han quedado perpetuadas. En nuestra casa había profusión de felices novias y apuestos novios colocados en las repisas de las estufas de azulejos y en mesitas, pero yo no he visto nunca una fotografía de boda de mis padres. Hay explicaciones: la más fácil es que a mi madre (a quien le encantaba guardar y pegar en el álbum) le pareciera que la novia no había quedado lo suficientemente guapa o que el traje de novia no le sentaba bien o que, sencillamente, la joven pareja había salido con un aspecto bobalicón. Otra explicación (muy improbable) es que se suspendiera la sesión fotográfica. Alguien que se opuso, alguien que se sintió mal, o triste o, tal vez, enfadado sin más. Una tercera (igualmente improbable) explicación es que el fotógrafo hubiese fallado. Que no hayan salido las fotos, simplemente, y no va a vestirse uno otra vez, con corona y ramo de novia. Esta es una insinuación inverosímil. Wennerström e Hijo, establecidos en la calle Övre Slottsgatan, eran los fotógrafos más importantes de la ciudad, y un fallo de su parte resulta impensable.

El hecho es, sin embargo, que no existe ninguna fotografía de la boda, ni en álbum ni en archivo. Yo tampoco les pregunté nunca a mis padres acerca de su boda. En general, a mis padres les pregunté demasiado poco de todo. Me arrepiento de ello, sobre todo ahora que me encuentro con lagunas importantes en el material documental. Y me arrepiento de ello en todos los aspectos. Toda esta indiferencia y falta de curiosidad. ¡Tan estúpidas y tan bergmanianas!

Bueno, la cosa es que la boda fue magnífica y el banquete, festivo. Tengo una invitación amarillenta (muy bonita, con el anagrama de las iniciales de los novios en azul, por fuera, y la invitación propiamente dicha en el interior, elegantemente impresa). Los discursos fueron seguramente ingeniosos, conmovedores y divertidos, los valses bien ejecutados y la comida exquisita.

Quiero contemplar un instante una corta escena de este soleado día de marzo. La imagen representa el comedor de la casa de Trädgårdsgatan. La gran mesa con las patas de león está corrida contra el panzudo aparador. Un alto espejo de pie ha sido trasladado del dormitorio de doña Karin y colocado entre las ventanas del comedor. Ante el espejo, en medio de la luz que entra por todas partes, está la novia, ya vestida, con la corona de boda de la catedral y el velo del ajuar de novia de la familia. La señora Söderström, empleada de la casa de modas más elegante de la capital, está de rodillas arreglando un pisotón (cosa de los nervios) en el dobladillo del vestido. Anna contempla su imagen con atención objetiva, como una actriz a punto de salir a escena en un papel único, nunca antes representado, concebido y escrito solo para ella. La respiración es controlada, el corazón golpea, la cara está pálida, la mirada, dilatada.

Se entreabre la puerta del comedor. Anna ve en el espejo a su hermano Ernst, con un frac que le sienta muy bien y el emblema de guardia de honor. Los dos hermanos se miran unos instantes en silencio, luego Ernst da unos pasos y abraza a su hermana con ternura. La señora Söderström muerde el hilo y se coloca la aguja en la hombrera izquierda del delantal, después se aparta en silencio, actriz importante en el drama del día, y, sin embargo, una sombra. Durante semanas, con mano firme y otras tres destacadas profesionales, ha estado trabajando en su obra de arte, y esa misma mañana ha llegado con su creación a la calle Trädgårdsgatan. Tiene el dedo índice en los labios, alta, ancha de hombros y de cutis oscuro, con el pelo negro recogido en un pesado moño en lo alto de la cabeza. Tiene motivo para estar satisfecha de su obra: la joven novia debe moverse con más empaque y lentitud, seguro que la señora Söderström se lo va a advertir cuando el hermano se haya ido de la habitación.

ERNST: ¿Qué tal?
ANNA: Bien.
ERNST: ¿Bien de verdad o es un decir?
ANNA: Tendrás que adivinarlo.
ERNST: Estás guapa.
ANNA: Tú también estás guapo.
ERNST: Pero estás pálida, hermanita.
ANNA: Es que estoy aterrorizada.

ERNST: Has conseguido lo que querías. En todo.
ANNA: Me da pena que papá…
ERNST: Sí, es una pena. Por otro lado, él hubiera estado muy triste de que se le fuera su niña mimada. Puedes imaginártelo. (Calla).
ANNA: ¿Cuándo te vas?
ERNST: Pasado mañana.
ANNA: ¿Y vuelves?
ERNST: Dentro de un año… quizás. Es una expedición larga.
ANNA: Y después te quedas en Cristianía.
ERNST: Tengo allí mi trabajo.
ANNA: Mamá se queda muy sola.
ERNST: A veces creo que *quiere* estar sola.
ANNA: ¿Ha llegado Henrik?
ERNST: Sí. Está anonadado. Tengo que darle un copazo de coñac.
ANNA: Dile que no tardaré en salir. ¿Ha ido alguien a recoger a su pobre madre al hotel?
ERNST: No te preocupes de nada, hermanita. Hay un organizador al acecho en cada esquina. Este jubiloso espectáculo no puede fallar.
ANNA: Ahora viene mamá.

Unos golpecitos en la puerta. Sin esperar respuesta, entra doña Karin vestida con un traje de brocado granate y joyas de familia. Está tranquila y sonriente. Ha engordado últimamente. Parece, curiosamente, más ancha de hombros, aunque puede ser un error de apreciación. La forma de andar sigue siendo enérgica, los movimientos, como de costumbre, ligeros y bien controlados.

KARIN: Ernst, ¿quieres hacer el favor de ocuparte de que Carl no se emborrache? Acaba de llegar y no parece muy lúcido.
ERNST: De acuerdo, mamá.
KARIN: Querida señora Söderström, ¡qué obra de arte!
SEÑORA SÖDERSTRÖM: Gracias, señora Åkerblom.
KARIN: Desearía hablar a solas con mi hija un momento.
SEÑORA SÖDERSTRÖM: No faltaba más, señora Åkerblom.

Quedan madre e hija solas. Doña Karin se sienta en una de las sillas de respaldo alto que está como perdida en el suelo (ahora que la mesa está corrida contra el aparador).

KARIN: Me parece que me voy a emocionar un poco. Pero es natural.
ANNA: Ya sabes, mamá, lo agradecida que estoy por esta magnífica boda.
KARIN: No hay nada que agradecer, mi vida.
ANNA: Qué pena que papá…
KARIN: Sí.
ANNA: Yo creo que está con nosotras ahora mismo. Lo siento.
KARIN: ¿Crees?
ANNA: Mamá, hay una cosa que tengo que decirte.
KARIN: Sí.
ANNA: Henrik y yo hemos suspendido el viaje de novios. Ernst ha tenido la amabilidad de anular los billetes y las reservas de hotel.
KARIN: Vaya. Por eso se ha pasado fuera toda la mañana.
ANNA: Sí.
KARIN: Bueno, y ¿qué planes tenéis, si puede saberse?
ANNA: ¿Te has disgustado, mamá?

KARIN: Pero hija, el viaje de novios era para alegraros a vosotros.

ANNA: Henrik y yo podemos ir a Italia otro año. Podemos dejar el viaje para más adelante, ¿verdad?

KARIN (un poco cansada): Desde luego. ¿Qué vais a hacer entonces?

ANNA: Nos vamos directamente a Forsboda.

KARIN: ¿Mañana?

ANNA: Mañana. Temprano.

KARIN: Ah. Vaya. No me lo esperaba.

ANNA: Mamá, no debes disgustarte.

KARIN: No, si no me disgusto. (Suavemente).

ANNA: Hemos hablado con la señorita Säll. Nos ha ofrecido que vivamos en la residencia del párroco. En el dormitorio del obispo. Es precioso, ¿sabes? Como la *suite* nupcial más bonita que uno se pueda imaginar. Dice que todos se alegran de que vayamos enseguida.

KARIN: Comprendo. Así podéis seguir de cerca las reparaciones de la casa rectoral…

ANNA: … y la iglesia.

KARIN: Quedará muy bien. ¿Crees que podréis venir a la casa de veraneo en julio?

ANNA: Claro que sí. Una semana por lo menos.

KARIN: Habíamos dicho tres semanas, me parece recordar.

ANNA: Yo creo que Henrik tiene interés en empezar antes de lo acordado. Y yo quiero estar con él desde el principio. Es importante para los dos.

KARIN: Ya comprendo.

ANNA: Yo tengo que ser un poco flexible, también. Henrik ha tenido que ceder en muchas cosas.

KARIN: ¿Sí? (Sonriendo).
ANNA: Sí, pero no vamos a hablar de eso ahora.
KARIN: Claro que no, Anna.

Karin se acerca a su hija y le toma suavemente la cara. Se miran las dos.

ANNA: Intenta querer un poco a Henrik. Hazlo por mí. Solo un poco.
KARIN: Lo pasado, pasado.
ANNA: Deseo que sea cierto.

La mirada de doña Karin se nubla. Besa a Anna en la mejilla y en la frente. Luego se va de la habitación. Anna se vuelve lentamente hacia el espejo.

ANNA (en voz baja para sí misma): ¡Qué jaleo! ¡Qué organización! Hago lo que me da la gana. ¿Que no hacemos viaje de novios? ¡Ah! ¿Que tampoco vamos a la casa de veraneo? ¡Ah! Pero… ¿Quería yo verdaderamente todo esto? No lo sé. ¿Sé verdaderamente lo que quiero o quiero solo un montón de tonterías en general? ¿*Tengo* siquiera voluntad? ¿Pienso alguna vez que *esto* es lo que quiero y, así, se hace lo que yo quiero? ¿Tengo el mismo tipo de voluntad que mamá? No es seguro. *¿Quiero vivir con Henrik?* Sí, eso lo quiero sin ninguna duda. Pero ¿quiero casarme? No lo sé. No es seguro. Hay que tener cuidado de no querer demasiadas cosas, sobre todo ahora que mamá y los otros empiezan a prestar atención a lo que una quiere.

Se entreabre la puerta y asoma la envejecida cara de payaso de Carl. Pasa, pasa, dice Anna, contenta de haber sido interrumpida en su inmotivado monólogo. Carl acaba de entrar, el frac no le sienta muy bien a su rechoncha figura, le suda la frente y se le empañan los quevedos. En la mano, una copa de coñac. Hace un gesto señalándose los ojos.

CARL: Me deslumbras.
ANNA: Ernst acaba de ir en tu busca.
CARL: Me libré. (Bebe). ¿Quieres probar?
ANNA: Sí, gracias. (Bebe). ¡Uh!
CARL: ¡Uh! ¡No es para menos! Hay que ver la que has armado, Schwesterchen.
ANNA: ¿Verdad que es *terrible*?
CARL: Yo me emborracho y no tengo opinión.
ANNA: ¿No puedes esperar a la cena?
CARL: Sí, sí, no te preocupes. No voy a deslucir tu fiesta. ¿Estás de acuerdo, por cierto, en que mamá me ponga bajo tutela?
ANNA: ¿Qué es eso de bajo tutela?
CARL: Un tutor. Tutor económico. Mamá y Oscar se quedan mi dinero y se lo dan a un tutor. ¿Qué te parece?
ANNA: Pobre Carl.
CARL: Podré sacar, firmando, cierta cantidad al mes.
ANNA: ¿No será una especie de previsión?
CARL: ¿Previsión?
ANNA: Es que eres muy descuidado con el dinero, eso ya lo sabes.
CARL: ¿Quieres otro poco? Estás muy pálida.
ANNA: De buena gana. (Bebe).

CARL: ¡Basta ya, coño! Tienes que dejarme unas gotas a mí también. Siéntate aquí, en mis rodillas.
ANNA: No me atrevo a sentarme. Se me arruga la falda.
CARL: Entonces me tumbo.

Hay cuatro sillas de la sala en fila junto a la pared. Carl se acuesta, apoya la cabeza en la mano. Contempla a Anna con una sonrisa triste, quebrada.

ANNA: ¿Por qué me miras así?
CARL: Cuando te miro y disfruto de tu fabulosa belleza, Schwesterchen, tengo visiones cósmicas. Veo vías lácteas y galaxias y la polca enloquecida de los planetas. ¡Y ahí estás tú! (Suspiro).
ANNA: ¿Te sientes bien, Carl?
CARL: Sí, sí. Me siento estupendamente. (Suspiro). Ahí estás tú y toda la belleza del mundo brilla alrededor de ti y quedo deslumbrado, mis ojos se llenan de lágrimas. ¿Sabes por qué?
ANNA: Dímelo pronto, porque después tengo que…
CARL: Porque tú contradices el absurdo. Justamente ahora, en este preciso instante, querida hermana, contradices el helado absurdo de las vías lácteas y el despiadado vacío del universo. Si yo me pongo aquí, a tu lado… No, mira para aquí, no mires el reloj. ¡Míranos a los dos! Mira nuestra imagen en el espejo. Yo respondo a las más altas exigencias del absurdo galáctico. Y luego te miramos a ti, hermosa flor mía. Y tú estás llena a rebosar de sentido y de contenido. Casi se siente uno religioso. Puede decirse que tú encarnas la inspiración divina, un sentido ciertamente

escondido, pero intuido. ¿A que lo que he dicho era bonito y divertido? ¿Entiendes lo que quiero decir?

ANNA: Sonaba muy conmovedor, pero no quiero empezar a llorar. Tú y yo somos muy buenos amigos, ¿a que sí?

CARL: ¿Crees que, *en realidad*, soy un idiota? ¿Un débil mental?

ANNA: ¿Por qué dices esas tonterías?

CARL: ¿Eclipse creciente? ¿Demencia?

ANNA: Tú eres la persona más buena, más sensata, más…

CARL: Yo debo de estar enfermo, ¿sabes?

ANNA: ¿Estás enfermo?

CARL: Sí, pero no se puede decir.

ANNA: ¿No son imaginaciones tuyas?

CARL: No. ¡Oh, no!

ANNA (prudente): Tenemos que irnos ya. (Silencio).

CARL: Si cierro los ojos, puedo imaginarme inmediatamente la Muerte infinita. Si abro los ojos, te veo y veo la inconcebible y grandiosa Vida. Así es.

ANNA: Ven, querido hermano Carl, y cógeme del brazo para darnos apoyo el uno al otro. Vamos juntos hacia los invitados y lo que nos espera.

Y de este modo entran al salón. El sol cabrillea en las arañas y las cornucopias. La familia está reunida charlando animadamente, los actores se saben su papel y todos conocen el tono del drama. Cuando entra la novia todos los personajes se ponen en pie con exclamaciones de entusiasmo y aplausos. Anna resplandece de sonrisas y se mira en miradas y comentarios. Allí está Henrik con una sotana nueva muy bien hecha. De repente a Henrik se le llenan los ojos de lágrimas. Si es de alegría o de dolor o de ambas cosas, no es fácil de decir.

La noche de bodas sin viaje de novios se transformó con discreción y rapidez en una cuestión organizativa. Doña Karin ordenó que se instalase otra cama en la habitación de soltera de Anna. Las afirmaciones de que no era necesario fueron ignoradas. La luminosa alcoba se engalanó con una ínfima parte de las flores de la fiesta. En las almohadas, ramitos de combalaria, y en el blanco escritorio de Anna, telegramas y cartas en montones bien ordenados. La propuesta de Martha de tomar champán y canapés adecuados a las circunstancias fue, sin embargo, rechazada con resuelta indignación.

Por unas horas, la actividad de la casa ha disminuido. La lámpara de la calle alumbra a través de las claras cortinas pintadas, la fogata arde en silencio. La catedral da los cuartos y las horas, seguida del gran reloj de la sala, allá lejos, en el piso. Las camas están a medio metro de distancia, Anna y Henrik están tomados de la mano sobre el abismo.

ANNA: ¿Qué hora ha dado?
HENRIK: Las cuatro.
ANNA: No puedo dormir.
HENRIK: Tampoco yo.
ANNA: Estoy demasiado exaltada.
HENRIK: Pues yo… estoy… demasiado… excitado.
ANNA: Es como la víspera de Navidad cuando uno era niño.
HENRIK: Yo me siento… ¿Cómo me siento?
ANNA: Vas a ver. Imagínate cuando estemos en el dormitorio del obispo. ¡Qué besos!
HENRIK: Esta noche ha sido más como hermanos.
ANNA: Mejor así.
HENRIK: Dentro de tres horas estamos en el tren.

ANNA: Parece mentira.
HENRIK: ¿No estás triste?
ANNA: Nada. Ni en el rincón más pequeño de mi corazón.

Están acostados, de la mano, con los ojos cerrados. Anna sonriendo, Henrik algo serio. Las flores exhalan su fragancia. La fogata crepita y arde. En este momento, bien podría rondar el director de Tráfico en la flotante oscuridad.

HENRIK: He pensado en tu padre toda la tarde.
ANNA: También yo. (Se sienta). ¡Maldita sea!
HENRIK: ¿Qué pasa?
ANNA: Maldita sea. ¿Sabes de lo que nos hemos olvidado?
HENRIK: Del fotógrafo.
ANNA: Del fotógrafo. La fotografía de boda. Maldita sea.
HENRIK: ¡Todos se olvidaron del fotógrafo!
ANNA: ¡El coñac de Carl!
HENRIK: ¿Qué?
ANNA: Justo cuando íbamos a salir hacia la iglesia, vino a hurtadillas con una copa y me dijo: Tómate esto, que te sentirás más tranquila y segura. Y yo me lo tomé casi todo.
HENRIK: Ya me pareció a mí que olía a coñac en el altar. Pero pensé que era el deán.
ANNA: Y se nos olvidó la fotografía.
HENRIK: ¿Lo sientes?
ANNA: Ni lo más mínimo. (Se acuesta).
HENRIK: Podemos retratarnos en Gävle. (Se acuesta).
ANNA: Tenemos una fotografía *interior*.
HENRIK: Me parece que ahora casi voy a dormirme.
ANNA: Yo también.

Ante mí, en el escritorio, hay dos fotografías fechadas en la primavera de 1914. Una de ellas representa a mis padres: mi madre sonriendo con labios tiernos, como muy besados, el pelo ligeramente despeinado, con la cabeza apoyada en el hombro de mi padre, tal vez se siente un poco mareada, debe de estar en el cuarto mes de embarazo. Mi padre está serio y manifiestamente orgulloso, estirado en la pulcra sotana. La figura antes bastante flaca se ha vuelto más sólida. Rodea con brazo protector el hombro de mi madre (no se ve, pero se supone). La imagen destila modesta felicidad y armonía. Y una conciencia en ciernes del propio valor. La otra fotografía es de mi madre sentada en una incómoda butaca, ligeramente inclinada hacia delante, elegante como siempre, con una falda hasta el tobillo y una fila de botones a un lado, botas de tacón hechas a mano, blusa de fino estampado y un alfiler de oro en el cuello. El pelo bien peinado, pero rebelde. Delante de ella, sentado, Jack, un perro lapón, pequeño, musculoso, casi cuadrado.

La expresión de la cara es la del samurái devoto hasta la muerte. Mamá y Jack se miran sonriendo. En fotografías anteriores mi madre no se ríe nunca. Ahora está contenta, sosegada, gentil. De estos testimonios puede sacarse la no muy arriesgada conclusión de que Anna y Henrik vivieron relativamente bien juntos durante los primeros años, cosa que, por cierto, han atestiguado los dos.

Lo que posiblemente empañó la alegría fue que la madre de Anna nunca visitó la casa rectoral. En las cartas alega diferentes impedimentos. En el mes de julio, la joven pareja hace una corta visita a la casa de veraneo. Dag nace en el mes de octubre en el Hospital Clínico de Upsala. Tras unas semanas de convalecencia, la familia regresa a Forsboda. El primogénito está sano y da voces por las noches, lo que se comenta en las cartas con rendido regocijo.

El día de Año Nuevo de 1915, anuncia Ernst su visita. Se dirige a Estocolmo desde Cristianía, pero pasa por Falun, cambia a un tren de vía estrecha en el apeadero de Mackmyra y llega a Forsboda a las dos de la tarde.

Enormes diques de nieve, día claro, sin viento, el sol poniente en una llameante nebulosa, los pasos crujen, la locomotora lanza bocanadas de humo, los tubos de la calefacción de los vagones hierven, todo el tren está envuelto en un vapor húmedo. Por eso Anna no puede descubrir a su hermano, por eso la abraza él por la espalda, la alegría es intensa y sin palabras. Ambos han cambiado, pero no demasiado: guapos, buenos, pulcros, cálidos, todavía intactos. Ernst se ha casado: una belleza morena y rellenita de la alta burguesía, aceptada desde el primer momento por doña Karin y el resto de la familia. Viven en el país vecino y no se dejan ver mucho. Ni siquiera la boda pudo ser una cosa de familia, se casaron por lo civil, lo cual era una novedad en aquella época, y se fueron inmediatamente a Egipto. La familia recibió la noticia por correo. Los comentarios fueron sorprendentemente benévolos: Ernst no quiere prestar oídos, nunca hace lo que se espera que haga. O bien: María siempre ha hecho lo que ha querido, no hay más remedio que aceptarlo. Ernst y María eran niños mimados por definición, se movía la cabeza condescendientemente, pero sonriendo al mismo tiempo. Ahora María estaba embarazada y se había quedado en Cristianía.

Ernst llega, pues, solo. Una vez subido a la parte de atrás del trineo el baúl facturado, los dos hermanos se meten entre las pieles, una muchacha alta y pelirroja se sienta en el banco del cochero y viajan así, con rapidez y facilidad, a través del anochecer azul y helado.

Supongo que la conversación es un poco exaltada, hace mucho que no se han visto. La espera ha sido larga, hay tantas cosas que no se escriben en las cartas, y las nimiedades llegan unas tras otras, pero no importa, ahora van a estar juntos cuatro días. ¡Es mucho!

ANNA: Henrik me encargó que te diera un abrazo de su parte y que te dijera que también eres *su* hermano y que se alegra mucho de volver a ver al viejo Laban. A propósito, ¿es verdad que tus amigos te llamaban Laban? Nunca lo supimos. Como lo de todos tus devaneos con las mujeres, yo no sabía ni la mitad.

ERNST: María también os manda saludos, claro. Lo pasa fatal por las mañanas, así que no quiere andar de viaje ahora. Queremos que vengáis a casa este verano. Tenemos una casa de veraneo en el fiordo Sandefjord, justo al borde del mar. Bueno, la casa es de María, se la dio su padre como regalo de boda. Te va a caer bien María, ya lo verás. Se parece muchísimo a ti, solo que es más alta. Como no pude casarme contigo, tuve que hacerlo con María, y por ahora no tengo ningún motivo de queja. Ya verás. Tengo algunas fotografías muy buenas.

ANNA: ¿Tienes frío? Sí, tienes frío en las orejas, estás loco, sin... Toma, ponte mi chal y tápate la cabeza, esta mañana estuvimos a veintitrés grados bajo cero y anunciaron más frío para la noche, treinta, seguramente. No, deja, quítate ese sombrero absurdo, que te envuelvo con el chal. Así estás muy guapo. Tú siempre estás guapo. Yo creo que eres el hombre más guapo y más bueno del mundo. Te he echado de menos tantísimo, no puedes imaginártelo. Precisamente por lo feliz que me siento, ¿sabes? ¡Cuando se es tan feliz se vuelve una insaciable!

La casa rectoral los acoge con faroles en los puntales de la verja y en la escalera y velas encendidas en las ventanas; todavía se siente el aroma de Navidad. Bienvenido a mi bogar, dice Anna cuando han cruzado el umbral y se han despojado de los abrigos y las botas. Vas a dormir en mi despacho, sigue diciendo, y abre la puerta. La lámpara de queroseno alumbra desde el techo muebles y papeles claros, el que tenga ojos para mirar puede reconocer muchas cosas del cuarto de soltera de Anna. La pelirroja Mejan y la morena Mia meten el voluminoso baúl, son dos jóvenes altas y fuertes, hermanas, pulcramente vestidas de azul, se ríen a hurtadillas, son trabajadoras y huelen a sudor. Ahora tomarás café y bollos que acaba de hacer Mia, ordena Anna. Pero antes tienes que ver a Dag. Ven enseguida a ver a tu sobrino.

Muy rico, dice Ernst sin mayor interés. Por cierto, creo que se parece a nuestro hermano Carl. Solo le faltan los quevedos. Se pasa las noches despierto y duerme por el día, ya verás, también se oye desde tu habitación. Eso de las noches lo ha heredado también de Carl, dice Ernst. Bueno, ya lo has visto bastante, susurra Anna empujando a Ernst por la puerta. ¡Ven! No te ha hecho demasiada gracia y, en realidad, estoy un poco molesta, pero tomarás café de todas maneras. Henrik es el padre más bueno que se pueda desear. Si le dejara, hasta le cambiaría los pañales a su hijo. ¿Y por qué no puede cambiar los pañales si le parece divertido?, pregunta Ernst. No, hombre, no; no sería propio, lo sermonea Anna. Ven y siéntate aquí. Después de cenar encendemos el árbol de Navidad.

Al otro lado de las ventanas y de las claras cortinas se mece y se arquea la aurora boreal. Se oye el rumor de los rápidos como un lejano tono de órgano, el fuego retumba tras las portezuelas metálicas de las estufas de azulejos y el calor huele a Navidad y a leña de abedul.

ANNA: ... ¿Y qué tal está mamá?

ERNST: ... El mes pasado fui a verla. Mejor dicho, a mediados de diciembre. Estaba bien. Creo yo.

ANNA: ... ¿Se sentía sola?

ERNST: No entiendo lo que quieres decir con eso. Lisen estaba allí. Estaban ocupadísimas con todos los regalos de Navidad que había que mandar.

ANNA: O sea, ¿que iba a pasar la Navidad sola?

ERNST: Sola no. Con Lisen, claro.

ANNA (impaciente): Sí, claro. Lo que quiero decir es si nadie iba a ir a verla. Si no la habían invitado nuestros hermanos.

ERNST: No creo. En todo caso, no me dijo nada.

ANNA: ¿No se os podía haber ocurrido a ti y a María la idea de invitarla a pasar los días de Navidad con vosotros?

ERNST: Era imposible. Íbamos a pasar la Navidad en casa de los padres de María.

ANNA: No podíais...

ERNST: ¿Por qué no la invitaste tú?

ANNA: Ya sabes cómo es Henrik. No me atreví ni a proponérselo.

ERNST: ¿Es tan endiabladamente rencoroso?

ANNA: Le cuesta olvidar las humillaciones.

ERNST: La verdad es que en aquellos tiempos no fuimos muy amables.

ANNA: No lo fuimos, no.

ERNST: La rueda del tiempo restaña todas las heridas. (Le da unas palmaditas).

ANNA: Se enfadó porque no di a luz a nuestro hijo en casa, sino en el Hospital Clínico, en Upsala. En cuanto llegaba mamá, Henrik se iba. Y al revés. Además, no es que estuviera enfadado. Estaba furioso. Y se negó a ir a casa. No hacía más que reñir conmigo diciendo que había decepcionado a las mujeres de aquí, de la parroquia. La comadrona de Forsboda también se enfadó. Se me cortó la leche varios días. Así de mal lo pasé. Ahora ya está todo bien otra vez. Aunque a veces salen a la superficie muchas cosas viejas. Yo no entiendo cómo una persona tan buena como Henrik puede almacenar tanto odio dentro. Yo quiero ayudarlo, pero...

Anna calla y se pasa la mano por la cara, desde la frente hasta la barbilla y el cuello.

ERNST: Mamá me habló bien de Henrik. No mencionó nada de eso que me cuentas. Dijo que erais felices, que estabais bien, que estaba contenta de verte tan satisfecha.

ANNA: Ya. (Silencio). En octubre recibió una carta con una letra temblorosa casi ilegible. Era de su abuelo. (Silencio).

Su abuelo le pedía reconciliarse. (Silencio). El viejo estaba enfermo, gravemente enfermo. Quería que fuéramos Henrik y yo. (Silencio). Escribía que quería pedirle perdón a su nieto. (Silencio). Henrik me dio la carta. Le pregunté qué íbamos a hacer. Me contestó muy tranquilo que no veía ningún motivo para reconciliarse con ese hombre.

ERNST: ¿Y tú?

ANNA: ¿Yo? ¿Qué iba a hacer yo? Hay veces que no entiendo nada. Hay veces que se abre un abismo. Yo me aparto para no caer en él.

ERNST: ¿*Puede* uno apartarse?

ANNA: *Yo* me aparto. Y *callo*. Unas horas más tarde todo vuelve a la normalidad y Henrik es el hombre más tierno, más alegre, más bueno... Ya lo verás.

ERNST: ¡Anna!

ANNA: No, no. Que ya viene.

(Yo escribo lo que veo y oigo, a veces va muy rápido y olvido escuchar los tonos, que pueden ser mucho más importantes que las palabras. ¿Es posible que en la voz de Anna vibre una cuerda de auténtica y pura angustia reprimida? ¿Comprende Ernst su posible congoja? ¿Se ha ocupado Anna en sus pensamientos de las heridas de Henrik, heridas cuidadosamente escondidas, rara vez descubiertas, heridas del espíritu, inflamadas, no cicatrizadas? ¿O está demasiado atareada con el instante, con lo nuevo e inesperado? Anna puede ser despreocupadamente arrogante. Henrik es sensible, cariñoso y casi siempre está de buen humor. A lo largo del día, sin darse cuenta del curso de las cosas, cada uno se transforma en el concepto que tiene el otro de él.

Yo no podía saberlo, dice Anna disculpándose. ¿Cómo iba a comprenderlo yo?, pregunta Henrik asombrado. ¡No se puede *siempre*!, protesta Anna. Yo no sé por qué iba a tener mala conciencia, murmura Henrik).

Henrik entra en el vestíbulo a grandes pasos. ¿Está Ernst? ¿Ha llegado Ernst? Lleva una pelliza militar de piel, un gorro de punto en la cabeza y una bufanda también de punto en torno al cuello y la barbilla; los pantalones, metidos dentro de las botas forradas de piel; en la mano lleva un maletín de piel cuadrado con la sotana, prendas almidonadas y una cajita de madera con los sagrados requisitos de la comunión. El perro lapón, Jack, da vueltas alrededor de sus piernas.

Cuando aparece Ernst en la puerta del comedor, Jack se pone rígido de indignación y empieza a gruñir. ¡Cállate, Jack!, grita Anna, y lo agarra del collar. ¿No ves que es Ernst, perro tonto? ¡Es mi hermano, olemos igual, si te tomases la molestia de comprobarlo!

Mi querido Laban, te doy la más entrañable bienvenida, dice Henrik abrazando a su cuñado. Mi querido Luvern, déjame verte. ¡Hay que ver lo que has aumentado!, dice Ernst palmeando las mejillas de Henrik. Empiezas a parecer un corsario de verdad. ¿Qué se ha hecho del poeta elegiaco? El bosque sienta bien, dice Henrik quitándose los guantes, el gorro, la bufanda, la zamarra de piel y las botas.

Echa los brazos sobre Anna y a Ernst y dice de pronto: Así me siento feliz. Se emociona profundamente y deja caer los brazos, ordena a Jack que salude a Ernst y explica que Jack es su escudero. Tal y como están las cosas aquí, hace falta un defensor del calibre de Jack. Además, Jack tiene espíritu religioso, dice Anna. Cuando Henrik predica, Jack permanece en la puerta de la sacristía. Sabe lo que son los oficios y la comunión. ¡Pero tenemos que cenar enseguida! A las siete vienen las mujeres. ¿Qué mujeres?, pregunta Ernst. Es que los jueves tenemos círculo de costura y vienen chicas y señoras y mujeres de toda la parroquia. A veces somos cuarenta, tenemos que apretarnos. Henrik lee en voz alta y tomamos café y todas traen café y algo de comer. Ya lo verás, está bastante bien. Cuando llegamos, estaban cada una en su casa. Ahora ya hay casi una *comunicación* en marcha. ¡Ya verás!

Mi madre contaba bastantes cosas de su círculo de costura. En cuanto llegaron a la parroquia y se acomodaron en la casa, empezaron a salir y a saludar y a informarse. Anna dijo que todos los jueves a las siete de la tarde habría casa abierta en la casa rectoral. Una reunión de costura con lectura en voz alta y la oración de la tarde.

El recelo no dejaba lugar a dudas: ¡Ah! ¿Sí? ¡Vaya! ¡Oh! ¡Qué novedades! Los amigos de Pentecostés y los misioneros se pusieron abiertamente en contra: Esto es una tentación de Satanás. Los comunistas estaban perplejos: sus mujeres tomando café con la Iglesia, el dinero y el Ejército, impensable. Los parados movían la cabeza; ¿qué es esto? Que llevaran «café y bollos». Quién coño iba a poder hacerlo cuando nadie sabía qué iba a comer de un día para otro. De esta manera, la concurrencia fue bastante escasa al principio. Unas cuantas beatas de las fincas más grandes y tres mujeres mayores del barrio obrero, posiblemente en oposición a las ideas que se ventilaban en la cocina de sus casas. Poco a poco (pero muy despacio) se impuso la curiosidad. Además, y quizá no deba olvidarse, mi madre era enfermera y el médico estaba a doce kilómetros por malos caminos, y la comadrona siempre estaba fuera ejerciendo sus funciones. Mi madre tenía buena mano para las dolencias humanas, para los niños, los animales y las plantas. De acuerdo con el médico, administraba un pequeño surtido de instrumentos y de medicamentos inofensivos. Achaques los había en abundancia, y mi madre se sentía importante y activa. Mi padre iba consiguiendo, según el testimonio de mi madre, éxitos modestos, pero sólidos.

Todo empezó con un accidente en el taller de productos manufacturados. Una máquina le arrancó el brazo a un obrero, que murió desangrado antes de que llegaran el médico y la ambulancia. Como era uso y costumbre, el turno quería parar el trabajo e irse a casa, esa era la tradición cuando había accidentes mortales. La dirección se negó a ello aduciendo plazos de entrega y apremios de tiempo (había guerra y se fabricaba material importante). Súbitamente estalló la cólera. Las contradicciones seguían escociendo bajo la superficie a raíz de la humillación de 1909 y las querellas locales que hubo a continuación. Se apagaron los interruptores, pararon las máquinas, un crepúsculo acerado y gris se abatió sobre locales y gentes.

Cuando por fin bajó el director Nordenson de la oficina de la explotación, ya estaba el pastor allí, sentado en un banco con algunos de los más viejos. La gente estaba de pie o sentada y tumbada en el suelo, hacía calor a finales de agosto. Nordenson habló serena y cortésmente, una de sus rodillas temblaba ostensiblemente. Nadie contestó. Recurrió al pastor, que se mantuvo tan silencioso como los demás: ocaso, silencio, ambiente caldeado. Nordenson abandonó la acería y telefoneó al párroco, luego el párroco llamó al pastor a su presencia y le echó una reprimenda apoyándose en las enigmáticas palabras del Maestro acerca de que demos a Dios lo que es de Dios y al César lo que es del César.

El episodio se comentó en la explotación y entre los campesinos, tal vez magnificándolo. El pastor fue considerado como «uno de los nuestros». Además, tenía facilidad para conocer a la gente y buena memoria para las caras y los nombres, visitaba a los viejos y a los enfermos, hablaba con ellos de manera comprensible, a veces cantaba un salmo o cualquier otra cosa apropiada. Reformó sin decir nada la enseñanza previa a la confirmación y les comunicó a sus adeptos lo que se iba a preguntar y lo que se tenía que contestar en el examen de confirmación; suprimió el aprendizaje de memoria y se dedicó a hablar con sus catecúmenos de cosas que les interesaban a ellos y a él. Una vez al mes celebraba reuniones parroquiales, con frecuencia en la casa rectoral, porque la capilla era difícil de calentar. Encargó imágenes para proyectar y conferencias impresas a la editorial de las diaconisas. Fue a ver al director de la secta de los misioneros y le propuso colaboración. Fue un paso en falso. El párroco prohibió ese tipo de contactos y el pastor misionero declinó la proposición en términos ásperos.

Germinaba, sin duda, una tímida actividad espiritual en la parroquia, cosa que beneficiaba a la secta de los misioneros y a la de los amigos de Pentecostés, ya que la competencia se hizo mayor y la lucha por las almas más intensa. El pastor, una vez calmada la primera curiosidad, predicaba en una capilla bastante vacía, en la iglesia grande la desolación era aún más evidente. Despacio, muy, muy despacio, empezó a asistir la gente a los oficios solemnes y a la oración de la tarde.

Mamá y papá hacían, además, una espléndida pareja muy bien avenida que ocupaba el iluminado escenario de la casa rectoral con todas las puertas abiertas. Nadie dudaba de sus buenas intenciones.

El círculo de costura era, especialmente en invierno, un proceso laborioso, pero útil. Esta tarde a las siete se reúnen veintinueve mujeres en la casa rectoral. Van muy abrigadas y provistas de bolsas de labor y algo de casa (todas traen una cesta, en la cesta hay un termo con café, nata, azúcar, taza, cucharilla, plato de postre y pastas o dulces de variada calidad y cantidad). Mia, Mejan y algunos confirmandos de servicio se encargan de las cestas. La mesa del comedor se transforma enseguida en mesa de café, todo el café que han traído se echa en la gran cafetera de cobre de la casa (aunque como este es el segundo invierno de guerra, casi todo es achicoria). Se despojan, pues, de los abrigos, se acumulan los montones de ropa en las sillas del vestíbulo y en la escalera, se suenan con urbanidad, se atusan el pelo ante el espejo en medio de taciturnos murmullos. Anna y Henrik están en la puerta, saludando. Lámparas de queroseno, velas encendidas, lumbre en las estufas de azulejos, mesas de otras habitaciones, todas las sillas de la casa y las que han prestado los vecinos. Buenas tardes, buenas tardes, qué bien que la señora Palm (Gustavsson, Almers, Danielsson, Berger, Ahlqvist, Nykvist, Johansson, Grankvist, Andersson, Johansson, Johansson, Johansson, Tallrot, Gertrud, Karna, Alma, Ingrid, Tekla, Magna, Alva, señora Dreber, Gullheden, Ander, Märta, señora Flink, Werkelin,

Kronström) haya podido venir, querido venir, parece que vamos a ser bastantes a pesar del frío. Este es mi hermano, Ernst Åkerblom, acaba de llegar de Noruega, allí creo que hace más frío, todavía. Va a venir bien una taza de café ahora, mamá me dio cien gramos de café Java auténtico. Lo hemos echado en la cafetera. Mañana, si le viene bien, iré a casa de la señora Werkelin para reconocer a su suegra.

Anna nota que la señora Johansson tiene la mano izquierda detrás de la espalda, lleva dos dedos envueltos en vendas de camisas y cordones: Es que me hice una quemadura muy grande con el aro del fogón. Vamos a ver eso, tengo una pomada que me dio el médico, vamos a curarla en cuanto empiece la lectura, tengo tabletas para el dolor. Sí, duele como una condenada, murmura la señora Johansson avergonzada.

Se van acomodando entre cumplidos y ceremonias. Por fin llega a la mesa la gran cafetera de cobre. La intensidad de las conversaciones aumenta un poco, tintineo de cucharillas y loza. Esto es un preludio, con notas largas y movimiento controlado.

Henrik se sienta a la mesa de la ventana, comparte lámpara con la señorita Nykvist, la señora Flink y la obediente Alva, que es retrasada mental, pero muy hábil en toda clase de trabajos manuales. Abre el libro y pide silencio. Resume lo que ha pasado en los últimos capítulos. La elección del libro es original, por no decir atrevida: *Anna Karénina*, de Tolstói.

HENRIK (leyendo): «El mismo día en que llegaron, Vronski fue a ver a su hermano. En su casa se encontró también con su madre, que había venido de Moscú para hacer algunos encargos. Su madre y su cuñada lo recibieron como siempre. Le preguntaron qué viajes había hecho por el extranjero y hablaron de viejos amigos comunes, sin dejar escapar ni una palabra acerca de su relación con Anna. Su hermano, en cambio, que fue al día siguiente a buscar a Vronski, le preguntó por ella, y Alexéi dijo que él consideraba su relación con Anna como si fuera matrimonial, que esperaba conseguir un divorcio formal para poder casarse con ella después, pero que ya antes de que eso ocurriera la consideraba su esposa».

Durante la lectura Anna se ha retirado a la cocina con la señora Johansson, blanca de tez, metida en carnes, ojos azules, las mejillas, de ordinario tan rojas, pálidas por el dolor de la mano; los labios le tiemblan cuando Anna descubre la herida que ya está infectada. Además, ha perdido la piel entre el dedo corazón y anular. Hay que quitar las alianzas. Anna y la señora Johansson están solas en la cocina con Jack, que duerme en su manta debajo del fregadero. Voy a buscar a mi hermano y unos alicates bien afilados, dice Anna decidida. Esto no puede esperar a mañana, puede gangrenarse. A Ernst se le queda la nariz pálida, pero empuña los alicates y corta los anillos, que luego se abren y se separan. Anna extiende la pomada en la herida, le pone un gran vendaje y el brazo en cabestrillo. Ernst trae coñac y sirve en las copas. La señora Johansson inclina la cabeza gravemente, Anna y Ernst devuelven la inclinación y vacían los vasos de un trago, como para entrar en calor.

ANNA: Ahora tiene que mantener la mano izquierda inmóvil. ¿Cómo se las va a arreglar?

SEÑORA JOHANSSON: Tendré que arreglármelas.

ANNA: Yo llamaré al médico y le preguntaré si quiere ver la herida. No me atrevo a hacerme cargo yo sola.

SEÑORA JOHANSSON: Muchas gracias. Está bien.

ANNA: Tome unas tabletas contra el dolor esta noche para poder dormir. Pero procure aguantar el dolor durante el día.

SEÑORA JOHANSSON: Gracias. Claro que lo aguantaré.

ANNA: ¿Vamos a la lectura?

SEÑORA JOHANSSON: Habrá que ir, sí.

ANNA: ¿Qué pasa, señora Johansson?

SEÑORA JOHANSSON: No sé. No sé si merece la pena contarlo.

Anna se sienta. Ernst se ha retirado del círculo de luz sobre la mesa de la cocina, se sienta junto al fregadero, fuma un pitillo y empieza, con precaución, a romper el hielo con Jack, que se ha vuelto algo más asequible.

ANNA: Nos quedamos aquí un ratito.

SEÑORA JOHANSSON (después de un silencio): A lo mejor no es nada. Los hijos ya son mayores. La chica es maestra en Hudiksvall y el chico está enrolado en la Marina. Quiere hacerse oficial, así que estará bien. Johannes —mi marido— y yo llevamos solos dos años. Estamos bien. Johannes tiene ahora un trabajo más fácil desde que estuvo malo del pulmón, ahora trabaja en la oficina, está bien. (Silencio).

ANNA: Pero algo hay que no está tan bien.

SEÑORA JOHANSSON: No sé. No sé cómo decirlo.

ANNA: Si prefiere que mi hermano…

SEÑORA JOHANSSON: No, no, por Dios. Seguramente lo hago más complicado de lo que es. (Toma impulso). La cosa es que mi sobrina, que está casada en Valbo, tiene un hijo de siete años. Hace unos meses se marchó el padre de casa. No era un buen matrimonio. Cuando se ve desde fuera, nunca se puede saber quién tiene la culpa, así que yo no juzgo a ninguno. Johannes y yo pensamos, en todo caso, que el niño podría vivir en casa con nosotros; se llama Petrus. Es que la sobrina se fue a Gävle con los padres del marido. Ha encontrado trabajo en la cocina del hotel Stad, no está mal. El marido ha desaparecido sin dejar rastro, pero, por lo demás, está bastante bien. Y Petrus empezará la escuela aquí, en Forsboda, claro. Para el otoño, será.

ANNA: ¿Tiene siete años?

SEÑORA JOHANSSON: Va un poco atrasado, pero he hablado con la maestra y dice que no habrá problemas. Hay niños que son mayores cuando empiezan… (Silencio).

ANNA (inspiración): ¿Le *pasa* algo a Petrus?

SEÑORA JOHANSSON: No sé.

ANNA: ¿Tiene problemas? Está…

SEÑORA JOHANSSON: Por supuesto que no. Sabe leer y escribir y echar cuentas. Está más bien —¿cómo diría?— adelantado. Y se porta bien casi siempre, ayuda y obedece. Y debe de estar encariñado con Johannes y conmigo. Mi marido tiene un pequeño taller en la finca y le gusta… Cuando Johannes está libre, siempre están él y Petrus juntos en el taller.

ANNA: Pero hay algo que anda mal, de todas maneras.

SEÑORA JOHANSSON: La maestra es buena, pero se jubila el año que viene. Así que con ella no puedo hablar, traté de hacerlo, pero me perdí antes de empezar.

ANNA: ¿Está enfermo Petrus?

SEÑORA JOHANSSON: No, no. (Con vacilación, en voz baja). Está *atormentado*. Mi marido no se fija en eso, pero yo...

ANNA: ¿Atormentado?

SEÑORA JOHANSSON: Parece que tiene los ojos idos, no todo el tiempo, pero si uno se fija, por así decir. Echa a correr y corre, corre, hasta que...

ANNA: La señora Johansson puede traer a Petrus un día para que hablemos con él.

SEÑORA JOHANSSON (cabizbaja): Sí.

ANNA: Puede ser la edad.

SEÑORA JOHANSSON: Sí.

ANNA: O que piense que su madre...

SEÑORA JOHANSSON: A lo mejor.

ANNA: Venga usted con él cualquier día de la semana que viene. Tenemos la tómbola el sábado, así que ahora hay...

SEÑORA JOHANSSON: Claro, ahora hay mucho que...

ANNA: ¿Vamos con los demás?

SEÑORA JOHANSSON: No diga nada de esto.

ANNA: Tengo que decírselo a Henrik.

SEÑORA JOHANSSON: Sí, eso sí.

ANNA: Vamos. El pastor debe de estar pensando que no nos gusta su lectura.

Alrededor de una hora más tarde Henrik cierra el libro y se levanta. El fuego se ha apagado, las velas hechas en casa, que arden tan deprisa, van consumiéndose en sus palmatorias. Las lámparas de queroseno están amodorradas y humean un poco. Hace calor y se está bien, algunas se han quedado dormidas. Henrik junta las manos y da la bendición. Luego propone cantar el salmo de Jesper Svedberg titulado *Ahora ha pasado un día*, «lo sabemos, ¿no?». Anna se sienta al piano, Henrik y Ernst cantan primero y la asamblea los sigue con el sano convencimiento de que las calles de la celestial Jerusalén son de oro: «Ahora ha pasado un día y la noche se acerca, sí. El sol se ha alejado de nosotros. ¡No nos dejes, Jesucristo! Danos una fe firme. Y defiéndenos siempre. Para que vivamos sin peligro. Y durmamos en paz».

A las nueve y media la última invitada ha terminado de ponerse la ropa de abrigo y sale dando tumbos en la noche con su bolsa de labor y la cesta vacía. Mejan y Mia han recogido la mesa junto con Ernst y Henrik. Anna despierta a su hijo, que duerme apaciblemente, y le cambia los pañales. Cuando se sienta a darle de mamar en la butaca baja del dormitorio, el perro se tumba a sus pies y respira jadeante. El ámbito de su jurisdicción ha aumentado. Antes había que defender y prestar atención a dos dioses, ahora son tres, es difícil. Jack digiere sus celos entre bostezos y babas.

Cuando bajan Anna y Jack, después de terminar sus quehaceres, encuentran a Ernst y a Henrik sentados a la mesa del comedor. Están tomando leche con pan, galleta y queso. El gramófono que se han traído de casa de Anna está preparado, con la cuerda del manubrio dada. En el plato hay un disco con la última canción de moda. Toma, Anna, es un regalo para ti, un regalo de Navidad retrasado. ¿Qué es?, pregunta Anna con curiosidad. Es un *one-step* , dice Ernst insinuante, lo último de Nueva York, es lo más moderno que hay en música de baile. Es un *one-step*, se llama así, *one-step*. De la roja bocina del gramófono saltan las síncopas de Coal Milton. Se baila así, es divertido, dice Ernst bailando. Al cabo de unos minutos Anna trata de imitarlo. Él la atrae hacia sí y bailan el *one-step* juntos. Henrik y Jack los contemplan, notan la alegría de los hermanos, la intimidad, el entusiasmo, las risas. Otra vez, dice Anna dándole a la manivela. Ahora vamos tú y yo, y tira a Henrik del brazo con arrogancia. No, no, yo no, protesta Henrik retirándose. Ven, no seas tonto, si es de lo más divertido. No, no, yo prefiero veros bailar a vosotros. Vamos a bailar todos, grita Anna, que empieza a ponerse testaruda y tiene las mejillas rojas. ¡Vamos a bailar todos! Tú y yo y Ernst. ¡Y Jack! No, no, déjame Anna, me da vergüenza. Pero ¿vergüenza por qué?, se ríe Anna, que se ha quitado los zapatos, el moño se le ha deshecho con ayuda de Ernst, que le ha quitado algunas horquillas y dos peinetas. Eso es, grita levantando los brazos. ¡Eso es! Venga, Henrik, tú que bailabas tan bien, acuérdate del baile de primavera. Eran valses, protesta Henrik. Qué más da, pues bailamos vals aunque sea *one-step*, lo anima Anna abrazando a su marido. Es la sotana la que no te deja, ¡pues le quitamos la sotana al pastor! Empieza a desabrochar los botones de la sotana de la mitad hacia abajo. Ernst le da a la manivela para el próximo turno. Henrik rodea con los brazos a su esposa. Me estás asfixiando, grita ella con una pizca de rabia. Él la levanta y la deja caer, la empuja ligeramente en el pecho de modo que ella retrocede dos pasos y tropieza con una silla. Él mueve la cabeza y sale dando un portazo.

Ernst levanta el diafragma y sonríe turbado. No es Henrik el único al que no le gusta el *one-step*, dice Ernst un poco paralizado quitando el disco del plato y metiéndolo en una funda de papel verde. En el mismo instante se abre la puerta de golpe y ¡entra Henrik! Ya sé que soy un idiota, dice deprisa, disculpándose. Solo íbamos a jugar un poco, dice Anna con ternura. Soy un aguafiestas, contesta Henrik. No lo puedo evitar.

Vamos a encender una fogata y nos sentamos a hablar un rato los tres, dice Ernst desviando la conversación. Es que Jack y yo nos sentimos excluidos, dice Henrik en un atribulado intento de bromear. Jack y yo somos propensos a los celos, ¿verdad, Jack?

El fuego chisporrotea con renovado entusiasmo, las portezuelas de la estufa de azulejos están abiertas, la lámpara de queroseno alumbra débilmente la mesa redonda junto a la ventana. Se sientan los tres en el sofá. Ernst, Anna y Henrik. Ernst carga su pipa y la enciende despacio. Jack se ha quedado dormido a una distancia prudencial, de vez en cuando abre un ojo o levanta una oreja, hay que tener a los dioses y a sus falsos amigos bajo control.

He volado en avión, dice Ernst de repente. Nuestro departamento alquila un Farman Hydro del ejército noruego. Es una máquina con dos motores y dos alas, despega y aterriza en el agua. Vuela todos los días para hacer observaciones de los frentes climáticos y medir temperaturas y presiones. A veces volamos a tres mil metros de altura y entonces tenemos que ponernos las máscaras de oxígeno porque es difícil respirar. Un día subimos a cuatro mil metros, el cielo entonces se puso azul oscuro, casi negro. Ya no había colores y el ruido del motor se hacía cada vez más débil. ¿No te da miedo?, pregunta Anna. ¿Miedo? Al contrario. Es una sensación increíble de… No sé cómo explicarlo, una sensación de poder. No, no de poder. De perfección. Y me vuelvo loco de alegría. Me dan ganas de tirarme al mar desde el aire y volar yo mismo. Y pienso: así debió de sentirse el Creador el séptimo día, cuando vio que su obra estaba bastante bien.

Este puede ser el momento oportuno de contar cómo vino a quedarse en la casa rectoral el niño de siete años Petrus Farg. Fue a finales de enero y el frío se había transformado en un glacial deshielo gris con repentinos aguaceros o latigazos de nieve. Hacía un tiempo raro: una noche hubo tormenta y cayó un rayo en el transformador de la explotación.

Una mañana, cuando Anna bajó a desayunar a las siete y media (Henrik ya se había ido al pueblo a prestar servicio en el despacho parroquial, que abría a las ocho), se encontró a la señora Johansson sentada a la mesa con una taza de café y un bocadillo. En un taburete, junto a la leñera, Petrus Farg. Mejan entraba y salía de la despensa, tenía mucho que amasar y no parecía muy contenta de la visita. Mia estaba haciendo limpieza en algún sitio, se la oía cantar, solía hacerlo cuando estaba de mal humor. La señora Johansson se puso de pie inmediatamente y saludó con una media reverencia. Todavía llevaba la mano vendada. Petrus se levantó y, ante una orden, hizo una inclinación de cabeza. Anna, que había olvidado su promesa, se quedó un poco confundida y se expresó en tono lacónico, por lo que la señora Johansson se disculpó al instante por su intromisión. Anna tomó su gran taza de té y un bocadillo e invitó a los huéspedes a que la siguieran al comedor.

Petrus Farg está en el extremo de la mesa con las manos a la espalda, delgado y larguirucho, con labios gruesos y grandes ojos inexpresivos, la frente alta, la nariz recta y prominente, el pelo al cero, las orejas grandes y rojas. Va bien abrigado con un jersey grueso de mangas demasiado largas, pantalones cortos azul oscuro con una gran pieza en la culera y medias de punto negras, altas, bien hechas. Las botas están en el vestíbulo. Está acatarrado y habla por la nariz, de uno de los orificios le caen mocos que chupa discretamente cuando hace falta.

La señora Johansson sigue disculpándose: no ha anunciado su visita, ha venido demasiado temprano. Anna toma su té y murmura cortésmente que nada tiene importancia, que se lo había prometido, que era estupendo que la señora Johansson se hubiera decidido por fin, que cómo está la mano ahora. Bueno, pues la mano está mejor, ya podía mover los dedos y el médico estaba satisfecho de lo que había hecho la señora Bergman.

Anna deja la taza de té y llama a Petrus. Él se vuelve rápido hacia ella y se acerca, pero mantiene las manos a la espalda. La mira sin miedo y sin vergüenza, pero, al mismo tiempo, casi ciegamente, es como si, en realidad, fuera ciego. ¿Me dejas ver tu mano?, dice Anna. Él la extiende y la pone en la de Anna, es una mano larga, dedos largos, venas marcadas, piel áspera, seca, y uñas mordidas, la uña del dedo corazón está roída en carne viva. La señora Johansson mueve la cabeza: Es terrible la manera que tiene de comerse las uñas. Se las unto con mostaza, le riño y le prometo recompensas, pero no sirve para nada. Anna no contesta, vuelve la mano del muchacho: la palma está atravesada por trazos débilmente rojizos y rayas, es una mano vieja.

ANNA: Así que este otoño vas a empezar a ir a la escuela.

PETRUS: Sí.

ANNA: Y eso ¿qué te parece?

PETRUS: No sé. No he estado allí antes.

ANNA: Pero ya sabes leer y escribir.

PETRUS: Y contar. Sé la tabla de multiplicar.

ANNA: ¿Quién te ha enseñado?

PETRUS: He aprendido solo.

ANNA: ¿Sin ayuda de nadie?

PETRUS: De nadie.

ANNA: ¿Y el tío Johannes?

PETRUS: Cuando estamos en el taller juntos, el tío Johannes suele preguntarme y yo contesto.

ANNA: ¿Tienes amigos?

PETRUS (no contesta).

ANNA: Quiero decir que si tienes algunos chicos con los que jugar.

PETRUS: No.

ANNA: Así que estás solo.

PETRUS (no contesta).

ANNA: A lo mejor te gusta estar solo.

PETRUS: Será eso.

ANNA: Y ¿qué lees?

PETRUS (no contesta).

ANNA: ¿Tienes libros?

SEÑORA JOHANSSON: Tenemos algunas revistas viejas de la Navidad y a veces mi marido compra el periódico *Gefle Dagblad*. Así que lo que más lee es la enciclopedia, aunque solo tenemos un tomo: de la J a la K. Es un ejemplar de muestra que Johannes compró por setenta y cinco céntimos.

ANNA: Yo creo que tengo algunos libros que le podrían gustar a Petrus. Espera a ver.

Anna va hacia la librería pintada de blanco, con las puertas de cristal, mira un poco en el estante de abajo y saca un grueso libro encuadernado en tela con adornos y letras doradas en el lomo y en las tapas: *Cuentos escandinavos*, «redactado y editado para niños». Hay ilustraciones en casi todas las páginas, algunas en color. Anna pone el libro en la mesa, delante de Petrus. Aquí tienes, dice. Te lo lees y, cuando lo hayas terminado, tengo otros libros que son, por lo menos, tan buenos como este. ¡Tómalo, Petrus! Pero vamos a forrarlo, como se hace con los libros de la escuela, para que no se manche.

SEÑORA JOHANSSON: Ya puedes dar las gracias como es debido.
PETRUS: Gracias.

Unos kilómetros al sur de la casa rectoral, junto a la desembocadura del arroyo Gräsbäcken en el riachuelo de Gävle (que no es ningún riachuelo, sino un río), está la serrería. Pertenece a la explotación y en ella trabajan veintidós hombres que viven con sus familias en una hilera de viviendas destartaladas encima del canal de flotamiento de maderas. La madera cortada se lleva a la instalación portuaria de la explotación en un ferrocarril de vía estrecha. Alrededor de los edificios de la serrería, que tienen los tejados agrietados y se apoyan unos en otros, se levantan pilas de olorosa madera. El embalse que hay más arriba de la serrería es profundo;

a través de las cerradas trampas se cuelan finos chorros de agua tanto en verano como en invierno.

Un día, a mediados de febrero, ocurre lo siguiente: el capataz informa lacónicamente de que Arvid Fredin ha sido despedido fulminantemente e informado de que tiene que desalojar su vivienda en el plazo de una semana. En un principio no se oyen protestas ni comentarios. El trabajo se desarrolla como de costumbre en el interior de la serrería, junto a las pilas de tablas y en los vagones de carga. A las once, hora del almuerzo, empiezan algunos de la sección de clasificación a hablar del despido, que se considera ilegal. Cierto que Arvid Fredin es un bocazas, como lo es que bebe sin tino, pero es un buen trabajador al que nunca ha habido que reprocharle que faltara al trabajo o se presentara en él borracho.

Arvid está en el patio con los brazos caídos y excepcionalmente silencioso. Su semblante expresa asombro y acaso desconsuelo. La esposa abre la ventana cada poco y le dice que haga lo que tiene que hacer, que baje a la oficina y hable con la dirección, que se queje a Nordenson. ¡No hay derecho a verse en semejante situación!

Durante la pausa del almuerzo y camino del turno de la tarde, muchos se quedan con Fredin: Te han despedido por lo que dijiste en la reunión del lunes, dice Måns Lagergren, que es uno de los más viejos y está a punto de entrar en la política socialdemócrata. Te advertí que no te fueras de la lengua. Yo no dije nada que no dijeran otros, protesta Arvid. No, eso no, pero leíste una cosa que habías escrito. Una especie de *manifiesto* o no sé cómo coño llamarlo, contesta Måns encendiendo su áspera pipa.

Unos diez hombres más se han reunido en el cenagoso patio. Quieren darnos un escarmiento, dice Anders Ek echando a andar hacia la serrería. Venga, joder, vamos, que si no, habrá más jaleo. Nadie se mueve, nadie se va.

Henrik está visitando a un enfermo en la fila de casas del sur. Uno de los catecúmenos ha agarrado una gripe que hace estragos y no acaba de ponerse bien, tiene tos y sofocos. Probablemente no es gripe, sino otra cosa peor. Henrik acaba de ponerse de acuerdo con la madre en que hay que hablar con el médico y promete llamarlo por teléfono esa misma tarde.

Henrik mira por la ventana y ve el corro de gente. ¿Qué es lo que pasa?, le pregunta a la señora Karna. No sé, dice molesta. Ahora siempre hay disgustos. Me parece que han echado a Arvid. Arvid Fredin; yo no digo nada. Es un verdadero agitador, borracho y camorrista. Dice que tenemos que apuntarnos al comunismo mundial y fusilar a Nordenson o colgarlo del campanario. No sé, es mejor no saber. La semana pasada estuvo aquí dando voces con Larsson para que firmase no sé qué. Tuvimos que pedir ayuda al vecino para llevarlo a casa. Así que yo no tengo nada en contra de que se marche.

Henrik se despide y sale al patio. El capataz acaba de subir la cuesta, pero se queda a distancia. Adopta una actitud conciliadora. Vamos ya, amigos. Se hace tarde, no vayamos a tener más disgustos, bastantes hemos tenido ya. Todos se quedan quietos, algunos para su propia sorpresa. Espérate diez minutos que vamos enseguida, dice uno. Bueno, pues abajo os espero, no quiero oír vuestras sandeces. Si bajas, dile a los otros que vengan.

El capataz no contesta, se da media vuelta y se va. Si quisiera, podría llamar a la oficina, hay una especie de teléfono local, pero no lo hace. No se trata de Arvid Fredin, dice Johannes Johansson. Es más una cuestión de principios. Tenemos que decir que no estamos de acuerdo… Sí, ¿en qué?, dice alguien. ¿No estamos de acuerdo en que Arvid sea despedido aunque beba y hable mierda? Murmullos de desaprobación. Quieren darnos un escarmiento, dice Anders Ek con obstinación y voz ronca. Dan un escarmiento y echan a Arvid Fredin porque sabe escribir y expresarse. Porque es peligroso, por eso le dan la patada. No porque beba y sea un animal.

Lo dice con amabilidad. Todos se ríen, incluso Arvid estira los labios. De todas maneras, no podemos dejar pasar lo de Arvid Fredin, dice Måns Lagergren en tono decidido. Tenemos que expresarnos con toda claridad, pero sin faltar. No hay motivo para empezar a dar voces y a insultar. De eso ya hemos tenido bastante. Los agitadores de Gävle no nos ayudaron en nada. Al contrario.

Todos escuchan a Lagergren y están de acuerdo con él. La verdad es que Arvid Fredin no le cae bien a nadie, claro que es buen trabajador, pero dice muchos disparates y lee párrafos de libros que nadie conoce.

Durante un rato no se dice nada. Deberían ir al turno de la tarde, hace mucho que empezó. El capataz es un buen tipo, todos lo conocen, es de por allí. No echa broncas por gusto, pero si no empiezan a trabajar lo ponen en un brete. A pesar de ello, ahí se quedan, desganados e irresolutos. Podríamos reunimos y hablar con calma de todo esto, dice Johannes. La cuestión tiene muchos aspectos y no resolvemos el problema quedándonos aquí mirando. Murmullos de aprobación. Entonces, hay que pensar dónde nos reunimos, continúa Johannes. Debemos llamar también a los otros que trabajan en la explotación, no solo nosotros. Si usamos alguno de los locales de la explotación, nos echan y habrá líos por eso también. Fuera no se puede estar con este tiempo de los cojones, y en el granero de Robert hace más frío que fuera.

Podemos reunirnos en la capilla, dice Henrik irreflexivamente. En la capilla hace calor, por lo menos el domingo después de la misa solemne. Las estufas están encendidas toda la mañana. En la capilla caben ciento cincuenta personas, debe de bastar. Henrik mira interrogante a su alrededor. Rostros cerrados, desconfiados, asombrados. ¿Reunimos en la capilla?, dice Johannes. ¿Qué piensa usted que va a decir el párroco de eso? Tengo derecho a organizar reuniones y encuentros, de hecho es una de mis prerrogativas. Ah, bueno, dice Lagergren con un poco de sorpresa en el tono. ¿Aceptamos el ofrecimiento del pastor? Claro que lo aceptamos, siempre que el pastor no se eche atrás. Yo no me echo atrás, responde Henrik con toda la serenidad de la que es capaz. ¿El domingo a las dos, entonces?, propone alguien. Está bien, contesta Henrik. ¿Va a estar usted? Claro. Yo tengo la llave.

Esa misma noche, Anna y Henrik se despiertan a causa de una tormenta que pasa por Forsboda. Es como un cañoneo incesante sobre el lago Storsjön, las colinas y las montañas. Las ráfagas de granizo descargan en oleadas contra el tejado. Nunca he visto un tiempo tan raro, murmura Anna.

Enciende una vela y va a buscar a Dag, que duerme como un bendito a pesar del estruendo. Yacen así los tres en la cama de Henrik. Tormenta en febrero, es como el Juicio Final, dice Henrik.

Poco a poco va amainando el estruendo, solo hay relámpagos y el manso susurro de la lluvia. ¿Qué es eso que se oye ahí abajo, en el porche?, pregunta Anna de repente y completamente despierta. No es nada, figuraciones tuyas. Que sí, que se oye algo, alguien está llamando al cristal de la puerta. Pero ¿quién va a ser? ¿Un fantasma? Calla, ¿no oyes? Sí, tienes razón, hay alguien en el porche.

Anna enciende una lámpara de queroseno, se ponen las batas y las zapatillas, la escalera cruje. Ahora se oyen los golpes con toda claridad, pero ligeros e irregulares. Henrik abre la puerta, que está cerrada con llave. Anna alumbra con la lámpara: acurrucada en la escalera hay una oscura figura que se perfila débilmente a la incierta luz de la nieve del patio. Es Petrus, con un abrigo de señora demasiado largo, una gorra de visera grande y botas. Está inmóvil, con los brazos caídos, la visera le oculta la vista, tiene la boca entreabierta. Anna estira la mano, lo arrastra al vestíbulo y le quita la gorra. La mirada azul es inexpresiva, la cara, pálida, los labios tiemblan. ¿Tienes frío?, dice Anna. Petrus asiente con la cabeza. ¿Qué haces aquí?, pregunta Henrik. Nuevos movimientos de cabeza. Ven que te caliente un poco de leche, propone Anna. Quítate el abrigo y las botas. Obediente y cabizbajo, el niño la sigue.

A la mañana siguiente mandan a Mia con el recado a casa de la familia Johansson, que acaba de despertarse y de descubrir la desaparición. Hay una reunión temprana en la cocina de la casa rectoral. Johannes y su esposa están de pie, en mitad de la cocina, disculpándose. Cuando uno de ellos se para a respirar, empieza el otro. Mia está sentada a la mesa desayunando. Mejan está ocupada en el fogón. Henrik les pide en vano a los huéspedes que tomen una taza de café o, por lo menos, que se sienten. Anna ha ido al cuarto de los huéspedes a despertar a Petrus, lo que no hacía falta. Ya está despierto, se ha sentado en la cabecera de la cama envuelto en una manta roja; por arriba de la manta se ve una cara sin sangre con un par de ojos acuosos, desmesuradamente abiertos. En medio de la mirada hay un remolino ciego, los labios resecos están apretados. Anna toma una silla y se sienta con prudencia frente al extraño huésped. Ven, dice con dulzura. Tus padres han venido a buscarte.

PETRUS (tras un silencio): No son mis padres.
ANNA: Ellos están en el lugar de tus padres.
PETRUS: No quiero.
ANNA: Pero son buenos, Petrus.
PETRUS: Sí.
ANNA: No puede ser mejor para ti.
PETRUS: No.
ANNA: ¿Vienes, pues?
PETRUS: Sí.
ANNA: Nadie está enfadado contigo, ¿sabes?
PETRUS: ¿Por qué se iba a enfadar nadie?
ANNA: No, claro. En eso tienes razón.
PETRUS: Pero es que no quiero.
ANNA: Eso no lo puedes decidir tú, Petrus.
PETRUS: No.

El niño se levanta dócilmente; Anna le deja que conserve la manta. Obediente y triste va trotando tras ella por el vestíbulo y el comedor hasta llegar a la cocina. Al ver a los padres adoptivos y a los otros que están en la cocina, se para y se envuelve más en la manta. Anna está detrás de él tratando de empujarlo hacia delante, sin el menor resultado; está firmemente clavado en el suelo.

La señora Johansson, que acaba de decir algo con modestia y abatimiento, se interrumpe. Ven, Petrus, ordena el padre adoptivo dando un paso hacia el muchacho. Él se vuelve inmediatamente hacia Anna y se abraza con fuerza a su cuerpo, apretando la cara contra su vientre; ella se queda de pie, sin saber qué hacer, acariciándole la nuca desmañadamente. Johannes trata de soltarlo con cuidado, pero él se resiste, el padre hace más fuerza y Anna cae hacia delante soldada al muchacho. Johannes lo sujeta entonces por los brazos, lo agarra por la cintura y lo levanta. Sin decir una palabra y con exasperado ímpetu, el niño intenta liberarse. Se revuelve, se retuerce, patalea y araña. Trata de morder a su padre adoptivo en las manos.

Suéltelo, dice Henrik. Suéltelo, así no puede ser. Johannes suelta al chico, que se aferra inmediatamente a Anna. La señora Johansson está como paralizada, con la mano en la boca. Johannes respira pesadamente, tiene la cara enrojecida y lágrimas en los ojos. No lo entiendo, dice únicamente. No lo entiendo. Somos tan amigos, Petrus y yo. ¿O no lo somos? Pero el niño no contesta, no se mueve, se aprieta contra el cuerpo de Anna. Ella tiene las manos en torno a su cabeza. Mia se ha quedado pasmada y el desayuno se le enfría. Meja se olvida de quitar la ceniza del hornillo.

Es mejor que Petrus se quede aquí unos días, dice Henrik finalmente. Hay que darle tiempo para que se serene y reflexione. Sí, puede quedarse unos días, dice Anna. Los padres adoptivos se miran perplejos, humillados tal vez, en todo caso muy avergonzados. Aceptan la propuesta del cura sin agradecimiento.

La parroquia consiste en cuatro concejos en torno a la iglesia, de proporciones desmesuradas, construida a principios del siglo XVIII. La oficina parroquial está desde hace muchos años en el ala izquierda de la residencia del párroco. La oficina propiamente dicha es una habitación alargada, desnuda, con tres mesas puestas en fila junto a la pared de las ventanas. Allí trabajan el vicario, el pastor adjunto (que es Henrik) y el sochantre, que es el que está más cerca de la puerta de entrada. Junto a la otra pared larga hay un sofá grande, de madera, con tapizado de cuero gastado, dos sillas y una mesa de roble. En la mesa hay una garrafa de agua y revistas religiosas. En la pared hace esfuerzos una estufa de hierro, pero el viento frío que se cuela por las viejas ventanas es mucho, así que los tres señores tienen permiso para estar con abrigo y bufanda, babuchas y botas de fieltro. A un lado del sofá hay una puerta que da al despacho privado del párroco y un corto pasillo que desemboca en el archivo y en una pequeña biblioteca. Los suelos, muy gastados, son de corcho; en la pared, encima del sofá, hay un cuadro enmarcado en negro que representa al Buen Pastor con cordero y león. Huele a humedad, a moho y a pesadas prendas de abrigo.

La oficina se abre todos los días de labor de ocho a diez de la mañana. En ella se tratan cuestiones prácticas: bautizos, entierros, bodas, registros, traslados, etcétera. El cuidado de las almas se reduce a mediar con regularidad entre esposos en litigio. Eso lo hace el párroco en su despacho. Otras «conversaciones privadas» se desarrollan en el archivo, en el que se han colocado dos tambaleantes sillas de madera.

Esta es una mañana a principios de marzo de 1915. Una lluvia helada estría las sucias ventanas. La luz es huidiza y reacia.

El sochantre, que da también algunas clases en la escuela, corrige cuadernos de ejercicios. Henrik está ocupado escribiendo un certificado de mudanza; dos personas jóvenes se han puesto delante de su mesa, la mujer con un embarazo muy adelantado. El vicario planifica un entierro. La viuda, su hermana y su cuñado están enfrascados en una conversación en voz baja, alguien ha acercado una silla para la enlutada esposa, que llora y murmura vagamente. El párroco Gransjö tiene la puerta de su despacho entreabierta. Habla en voz alta por teléfono, la blanca barba se agita, las gafas brillan.

La puerta del zaguán se abre con violencia y entra el señor Nordenson. Lleva una zamarra de piel con cinturón, los pantalones embutidos en unas botas gruesas, se ha despojado del gorro de astracán, el escaso pelo gris está revuelto. La cabeza adelantada, la nariz roja por el viento y por el catarro. Las rápidas miradas negras encuentran inmediatamente a la persona que busca. A través de la habitación dice en tono perentorio que quiere hablar con el pastor Bergman, inmediatamente. Henrik contesta que tal vez el señor Nordenson quiera tener la amabilidad de sentarse y esperar unos minutos, y yo termino enseguida el asunto que estoy a punto de terminar. Nordenson hace un gesto de impaciencia y tira los guantes en la mesa de las publicaciones religiosas; se queda primero de pie como si sopesase el irse de allí en un arrebato de ira, luego suspira y se sienta en el chirriante sofá. Saca las gafas y estudia durante unos segundos el último número de una revista, pero no tarda en dejarla y enciende un cigarrillo. Lo siento, dice el sochantre, pero no se permite fumar en la oficina parroquial. En este momento sí se permite, dice Nordenson, y entreabre los labios en una risa burlona que no le llega a los ojos. El sochantre no se atreve a ir más lejos. Señala con mansedumbre un cartel impreso que hay en la puerta y vuelve a sus cuadernos.

El párroco ha terminado su conversación telefónica y se da cuenta, por la fuerza de la costumbre, de que algo pasa en su oficina. Sale, ve a Nordenson, que se levanta, y lo saluda con un cordial apretón de manos: No es a ti a quien vengo a ver, amigo mío, quiero hablar con tu adjunto, dice Nordenson señalando con un largo dedo. Pues cuando quieras, contesta cortésmente el párroco. No, aparenta estar ocupado, responde Nordenson. Ven aquí, Bergman, de eso puede ocuparse el sochantre. Haz el favor de venir.

Henrik alza la vista de su escrito y se levanta, contra su voluntad, pero obedientemente. El ingeniero quiere hablar contigo, podéis sentaros en mi despacho, yo ahora voy a almorzar. El párroco consulta su reloj: Son más de las diez. ¡Pasad, pasad! Aquí no os molestará nadie.

Nordenson se sienta en la silla de las visitas y enciende otro cigarrillo. Henrik acerca una pesada silla de alto respaldo, no se sienta en la del escritorio. La ventana está provista de cristales de colores. Un reloj de pared hace tictac.

NORDENSON: He vivido toda la vida aquí arriba, al pie del lago Storsjön, pero nunca he visto un mes de febrero con un tiempo como este. Es como si el demonio anduviera suelto.

HENRIK: La gente dice que la gripe depende del tiempo, yo no sé qué pensar.

NORDENSON: No es por el tiempo. Es por la guerra, pastor. Hay millones de cadáveres pudriendose. Las infecciones las arrastra el viento. Pero acabará pronto. Los americanos se buscan un motivo y todo se acaba. Se lo digo yo.

HENRIK: ¿Un año, dos años, cinco años?

NORDENSON: Bastante pronto. Hace unas semanas estuve en Colonia. Parece otra ciudad. Empieza a escasear la comida. Hay tumultos en las calles. Nadie cree en la victoria. Aunque, por ahora, todo va bien.

HENRIK: ¿Bien?

NORDENSON: Para *nosotros*, me refiero. Mientras dure la guerra, nos ganamos la vida. Cuando se acabe la guerra, se acaban las ganancias.

HENRIK: ¿Es seguro eso?

NORDENSON: No parece usted muy enterado.

HENRIK: No, no mucho.

NORDENSON: Ya me lo parecía. (Silencio).

HENRIK: Usted, señor Nordenson, quería hablar conmigo.

NORDENSON: Fue más bien un impulso. Pasaba por la oficina parroquial y se me ocurrió entrar a charlar un rato con el joven Bergman. ¿Cómo van las niñas?

HENRIK: Bien. Gracias.

NORDENSON: He oído que ha suspendido usted el aprendizaje de memoria en la preparación para la confirmación.

HENRIK: Más o menos.

NORDENSON: ¿Puede usted hacer esas cosas?

HENRIK: No hay reglas detalladas sobre cómo llevar a cabo la enseñanza. Se dice únicamente que «el confirmando debe prepararse adecuadamente para hacer su primera comunión».

NORDENSON: Ah. Y ahora está usted preparando a mis hijas. ¿Sabe usted, acaso, que eso ocurre en contra de mi voluntad expresa? No, no, coño. ¡No me interprete mal! No hubo ningún disgusto por eso. Susanna, Helena y su madre decidieron lo que les pareció. Yo solo me limité a indicar que estoy en contra de esa asquerosa histeria con la sangre de Cristo. Pero mi pequeña Susanna se empeñó y, entonces, mi obediente Helena no iba a ser menos; luego las niñas convencieron a su madre, que es un poco, cómo diría yo, un poco exaltada, y eso fue todo. ¿Qué puede hacer un viejo y rudo pagano cuando es asediado por tres mujeres jóvenes? ¡Nada de nada, pastor!

HENRIK: Susanna y Helena hacen grandes progresos.

NORDENSON: ¿Cómo coño pueden hacerse progresos si no se estudia la lección? Yo eso no lo entiendo.

HENRIK: Algunos de los catecúmenos descubren cosas de las que luego pueden servirse en la vida diaria. Hablamos, también.

NORDENSON: ¿Hablan?

HENRIK: De cómo se vive. De lo que se hace y no se hace. De la conciencia. De la muerte y de la vida espiritual…

NORDENSON: … ¿De la vida espiritual?

HENRIK: … La vida que no tiene que ver con la vida del cuerpo.

NORDENSON: Pero ¿eso existe?

HENRIK: Sí, eso existe.

NORDENSON: Mi esposa ha empezado a rezar la oración de la tarde con sus hijas. ¿Es eso un ejemplo de lo que usted llama «la vida espiritual»?

HENRIK: Yo creo que sí.

NORDENSON: Cuando se acuestan las niñas, mi esposa va con ellas, cierra la puerta y caen de rodillas y rezan una oración de la tarde que usted les ha enseñado a rezar.

HENRIK: No son mis palabras las que dicen. Son de san Agustín.

NORDENSON: Me da igual de quién sean. Lo único que no me da igual es que yo quedo fuera.

HENRIK: Podría usted tomar parte en la oración.

NORDENSON: ¡Pues sí que estaría bien, joder! ¡Nordenson de rodillas con las mujeres de su familia!

HENRIK: Se puede decir así: «Yo no creo mucho en esto, pero quiero estar con vosotras. Quiero hacer lo que hacéis vosotras porque os amo».

NORDENSON: Le aseguro, pastor, que las señoras iban a sentirse muy importunadas en su devoción.

HENRIK: Siempre se puede probar.

NORDENSON: No, no se puede.

HENRIK: Bueno, en ese caso…

NORDENSON: … ¿en ese caso no hay esperanza?

HENRIK: Creo que Susanna y Helena entienden el problema. Igual que su madre.

NORDENSON: Igual que su madre. Usted ha hablado de mí con mi esposa.

HENRIK: Su esposa vino a verme a la casa rectoral y me pidió que tuviéramos una conversación a solas.

NORDENSON: ¿Eh?... ¿Fue Elin a verle a usted? ¿No podía contentarse con el párroco, la vieja cabra que vive más cerca? ¿Eh?

HENRIK: Quien busca director espiritual tiene todo el derecho a elegir a la persona que quiera y no está atado en absoluto a consideraciones geográficas.

NORDENSON: ¿Tampoco está atada a tener consideración con los suyos?

HENRIK: Ahora no entiendo muy bien lo que usted...

NORDENSON: Olvídelo. Así que hablaron de mí. Y ¿puedo preguntar de qué trató la conversación?

HENRIK: Usted puede preguntar lo que quiera, pero yo no puedo contestarle. Los sacerdotes y los médicos están sujetos, como es sabido, a eso que se llama «secreto profesional».

NORDENSON: Perdone, pastor, había olvidado lo del «secreto profesional». (Se echa a reír). Es cómico.

HENRIK: ¿Qué es lo que le parece cómico?

NORDENSON: Yo también podría decir alguna cosa que otra. Pero me parece indigno. No pienso dedicarme a denigrar a mi esposa.

HENRIK: No creo faltar a mi deber diciendo que la señora Nordenson habló de su esposo con la mayor ternura.

NORDENSON: Ella habló con *usted* de *mí* con «la mayor ternura». Vaya. Con ternura. Hay que joderse.

HENRIK: Lamento haber mencionado esa conversación.

NORDENSON: No, por favor. No se preocupe. Se fue de la lengua. Es humano.

HENRIK: Espero que la señora Nordenson no tenga que pagarlo…

NORDENSON (sonríe): ¿Qué? Estese completamente tranquilo, pastor. De todas las complicaciones que mi esposa y yo hemos vivido a través de los años, esta es una de las más pequeñas.

HENRIK: Pues eso me tranquiliza.

NORDENSON: Entonces, usted sabe nuestro secreto.

HENRIK: Yo no sé nada de secretos.

NORDENSON: Pero claro que sabe que mi esposa me ha dejado. Dos veces, para ser exactos.

HENRIK: No, señor, no lo sabía.

NORDENSON: Ah. (Pausa). ¿Qué tal resultó la reunión del domingo?

HENRIK: Me figuro que usted habrá mandado a sus propios informadores. En todo caso, vi por lo menos a uno de los oficinistas de la explotación.

NORDENSON: Fue magnífico por su parte el ofrecerles un techo a los obreros de la serrería.

HENRIK: No tuvo nada de magnífico, simplemente era lógico.

NORDENSON: ¿Ha dicho algo el párroco?

HENRIK: Sí, sí, ya lo creo.

NORDENSON: Me gustaría saberlo.

HENRIK: Fue muy categórico. Dijo que si vuelvo a prestar el local de la iglesia para celebrar reuniones socialistas o revolucionarias, tendría que denunciarme al cabildo. Dijo también que no pensaba permitir que la casa de Dios se convirtiera en un refugio de anarquistas y asesinos.

NORDENSON (divertido): Vaya, vaya. Así que eso dijo la vieja cabra.

HENRIK: Desgraciadamente la reunión resultó inútil. Arvid Fredin fue despedido, de todas maneras.

NORDENSON: Sí lo fue, sí.

HENRIK: Yo debía haber hablado, pero no lo hice.

NORDENSON: Tal vez sea más prudente cerrar el pico. A veces.

HENRIK: A la hora de la verdad, soy bastante cobarde.

NORDENSON: No se lamente, pastor. La próxima vez estará en las barricadas.

HENRIK: Yo nunca estaré en ninguna barricada.

NORDENSON: ¿No habrá sido que su joven esposa desaprobó su precipitada decisión de prestar la capilla?

HENRIK: Así es, más o menos.

NORDENSON (divertido): ¡Hay que ver! ¡Hay que ver!

HENRIK: ¿Qué hay que ver?

NORDENSON: Eso me lo callo. ¿No podría usted pensar en una especie de colaboración?

HENRIK: ¿Colaboración con quién?

NORDENSON: Conmigo. La próxima vez que haya jaleo, se sube usted a la tribuna, o a un cajón o a una máquina y les habla a «las masas».

HENRIK: ¿Y qué les diría?

NORDENSON: Usted podría decir, por ejemplo, que ahora se trata, en primer lugar, de no intentar matarse unos a otros.

HENRIK: La gente de aquí, de la explotación, es maltratada y humillada. ¿Debería yo aconsejarles que se dejen maltratar y humillar?

NORDENSON: La cuestión no es tan sencilla.

HENRIK: Ah, ¿no? ¿Cómo es, entonces?

NORDENSON: Me parece que no vamos a continuar esta conversación.

HENRIK: Yo tengo tiempo.

NORDENSON: No ha sido muy fructífera.

HENRIK: Yo, sobre todo, he tenido miedo.

NORDENSON: ¿Miedo?

HENRIK: Algunas personas me dan miedo.

NORDENSON: Usted me tiene antipatía.

HENRIK: Sobre todo, miedo.

NORDENSON: ¿No se le ha pasado por la imaginación que yo también podría tener tanto miedo como usted? ¿Aunque de otra manera?

HENRIK: No.

NORDENSON: A lo mejor aprende.

El ingeniero Nordenson se levanta y le estrecha la mano sin decir palabra. Henrik lo acompaña hasta la puerta y se la abre. El aguanieve cae pesadamente por la cuesta. El camino está gris y helado. Henrik se queda mirando la negra figura que se aleja hacia la verja. Comprende de súbito que acaba de estar con una persona que piensa matarlo.

IV

Limpieza general de primavera en la casa rectoral: desmontar contravidrieras, sacudir alfombras, ventilar roperos, fregar suelos, desempolvar libros, limpiar lámparas de queroseno, poner cortinas de verano. Sol y vientos suaves, sombras azules bajo los árboles, los abedules a punto de florecer. Los rápidos retumban y la corriente de agua va crecida por debajo de la cuesta. Nubes blancas vuelan apresuradas. Jack, tumbado al sol junto a la escalera, guarda y vigila. El cochecito donde duerme Dag está cerca. Anna, con un gran delantal y el pelo en desorden, sacude cojines del sofá, Mia y Mejan sacuden mantas, nubes de polvo. La vecina y su hija friegan suelos y escaleras. El pastor se ha puesto a salvo.

El párroco hace su entrada en medio del bien organizado ajetreo de Anna. Trae un ramo de flores de primavera y se disculpa repetidas veces, pero tiene un recado importante, un recado que concierne también a Anna, quiere hablar inmediatamente con Henrik y con Anna, no será muy largo; no, no es nada desagradable, más bien al contrario. No, el coche puede esperar en la verja, el párroco se lo ha pedido prestado a Nordenson. Anna dice que Henrik debe de estar en el río pescando. Ordena a Petrus que vaya a decirle que venga enseguida. Luego le dice al párroco que pase, lo invita a subir al piso de arriba, le ofrece café, pero el párroco lo rechaza, se quita el gran delantal de rayas azules y se sienta.

GRANSJÖ: El chico Farg sigue viviendo con ustedes, ¿no les resulta una carga?

ANNA: No sé qué decir. No quiere volver a casa y se encuentra bien aquí. Es buen chico, obediente y atento. Le gusta jugar con Dag y tiene paciencia.

GRANSJÖ: Ningún problema de esa clase que…

ANNA: A veces se queda ausente, con la mirada perdida, y no oye lo que se le dice. Pero no es frecuente. Ahora, en el verano, se instalará en una alcoba encima del almacén. Allí está a gusto.

GRANSJÖ: Pero el problema tendrá que resolverse alguna vez, ¿no?

ANNA: Sí, ya, pero no se sabe cómo.

GRANSJÖ: Tiene usted aspecto de estar bien.

ANNA: Sí, gracias.

GRANSJÖ: ¿Y está a gusto?

ANNA: ¿Por qué no iba a estar a gusto? Tenemos todo lo que podemos desear. ¡Y al fin llega el verano!

GRANSJÖ: Después de un invierno inusualmente espantoso.

ANNA: Olvidémoslo. (Se ríe).

GRANSJÖ: … Lo olvidamos. (Sonríe).

ANNA: Ya oigo a Henrik.

Va hacia la puerta y grita: Estamos aquí arriba, en tu despacho. Pero quítate las botas, está todo recién fregado. ¿De dónde has sacado esa chaqueta vieja? Yo pensaba que la tenía bien escondida. Henrik va vestido con una gastada chaqueta larga, pantalones con bolsas y calcetines altos, se ha puesto moreno. El párroco y su adjunto se saludan cordialmente, pero guardando las formas. Se sientan.

HENRIK: ¿No le has preguntado al párroco si quiere tomar algo?

GRANSJÖ: No, no, gracias, no quiero tomar nada. Ya los estoy molestando bastante.

HENRIK: ¿Y a qué se debe este honor?

GRANSJÖ: He recibido una carta.

Abre su gastada cartera negra y busca entre los papeles, saca un sobre con el membrete de la parroquia de Storkyrkan, la catedral de Estocolmo.

GRANSJÖ: Así pues, he recibido una carta. (Meticuloso y un poco regocijado). Una carta escrita por mi excelente amigo el pastor primarius Anders Alopéus, de la parroquia de Storkyrkan de Estocolmo. El pastor primarius es, asimismo, primer predicador de la parroquia de palacio. Es en esta su segunda condición en la que mi viejo amigo y compañero de profesión me ha escrito.

El párroco hace una pausa efectista contemplando a Henrik y a Anna a través de los gruesos cristales de las gafas.

HENRIK: ¿Y bien?

GRANSJÖ: Consideré el contenido de la carta de tal importancia que debía ser transmitido inmediatamente y sin dilaciones innecesarias. (Levanta la carta).

HENRIK: Parece impresionante.

GRANSJÖ: Así es, pastor. Es posible que sea absolutamente impresionante.

ANNA: ¿Y tiene que ver con nosotros?

GRANSJÖ: Permítanme que me dedique a leer en voz alta. (Se ajusta las gafas). Bueno, aquí, al principio, hay una serie de asuntos privados; es, por así decir, más personal. ¡Aquí! Aquí podemos empezar. Escuchen bien: «Como seguramente sabes, hermano, la clínica Sophia fue una creación de la reina Sophia. Tenía un vivo interés por la asistencia sanitaria sueca y quiso abrir un hospital modélico, al más alto nivel europeo. La reina consiguió crear, con una importante contribución de sus propios medios, una institución que hoy es famosa y conocida por sus valiosas aportaciones en el arte de la ciencia médica. La reina fue presidenta del Consejo de Dirección hasta su muerte, y su majestad la reina Viktoria pasó a ocupar su puesto». Bueno, etcétera. ¡A lo importante, pues! «Su majestad, de acuerdo con el Consejo de Dirección, ha decidido crear ahora un puesto fijo de capellán a media jornada. Su misión será ocuparse de la formación espiritual de las jóvenes alumnas. Se ha acordado con el párroco Källander, de la iglesia de Hedvig Eleonora, que el puesto previsto para el hospital se complete con un puesto adecuado en la citada parroquia, de manera que el aspecto material equivalga a las condiciones y circunstancias de un vicario. Además, el Consejo de Dirección tiene la intención de construir una vivienda para el capellán en el terreno de la clínica, debidamente equipada con aparatos modernos». Eso es. Sí. Ahora viene el quid de la cuestión, si me permiten. (Pausa). «Su majestad la reina, que reside en el extranjero para cuidar su precaria salud, visitó hace unas semanas la patria por importantes cuestiones de familia, en las que el abajo firmante, en su insignificancia, participó. Su majestad habló, durante un encuentro, de la clínica Sophia, cuyos problemas están siempre en el corazón de su majestad. Su majestad estaba especialmente preocupada por el cargo de sacerdote previsto y subrayó lo importante que sería encontrar a la persona adecuada. Nuestro arzobispo, que estaba presente en esa ocasión, exclamó de inmediato: "¡Creo que tengo a nuestro hombre!". Al preguntarle más detalles, el arzobispo mencionó a un joven sacerdote llamado Henrik Bergman».

El párroco Gransjö ya ha asumido su papel de lector dramático y hace una pausa teatral triunfante, repite el nombre con estudiado asombro y asiente con la cabeza: Sí, de verdad, aquí pone Henrik Bergman, y tiene que ser la misma persona que está sentada aquí, frente a mí, con el sol en la cara. Anna ha agarrado el brazo de Henrik, su alegría es más evidente que la de él.

HENRIK: Caray.

GRANSJÖ: En resumidas cuentas, el arzobispo se acordó de que Henrik Bergman estaba de pastor adjunto en la parroquia de Forsboda. El pastor primarius se acordó de que era viejo amigo y compañero de estudios del párroco y escribió inmediatamente esta carta. Debo advertir, tal vez, que más adelante, en este escrito de ocho páginas, el pastor primarius señala que, si yo considero a Henrik Bergman inadecuado para una misión tan extremadamente honrosa, debo dar esta carta por no escrita. A continuación de lo cual, implora la paz de Dios sobre mí y sobre mi casa.

HENRIK: Caray.

ANNA: No es verdad, no puede ser.

GRANSJÖ: Sí que lo es, mi joven Anna. Una vez recibido, leído y digerido este escrito, me tomé la libertad de hacer a mi costa una cara y azarosa llamada telefónica a mi amigo el pastor primarius. No solo me confirmó lo que había escrito, sino que me contó, por añadidura, que el arzobispo se había encontrado con Henrik Bergman una madrugada, hace muchos años, en el jardín de la residencia del párroco de Mittsunda. Habían mantenido una conversación que le había impresionado. Además, el arzobispo había oído predicar al joven Bergman y había quedado sumamente convencido.

HENRIK: Yo no sé qué decir.

GRANSJÖ: No tienes que decir nada. Debes reflexionar y discutir con Anna.

HENRIK: ¿Cuándo tenemos que dar la contestación?

GRANSJÖ: Lo más pronto posible. Si la respuesta es positiva, su majestad desea verlos antes de su acostumbrada estancia anual en Borgholm. En otras palabras, que habrá que ponerse bien elegante e ir a Estocolmo a tomar el té en palacio sin demasiada tardanza. La administración de palacio se encarga de pagar los billetes y la estancia. (Señala la carta). Lo pone aquí en la postdata. (Lee). Se subraya de manera especial que su majestad desea conocer al pastor y a su joven esposa —sí, hay que ver, ha escrito atravesado y no lo había visto—, joven esposa Anna, de soltera Åkerblom, que se educó en la Escuela de Enfermeras de la clínica Sophia y obtuvo excelentes notas en la primavera de 1909. Aquí lo pone, eso no lo había visto.

ANNA: Pero si me puse enferma…

GRANSJÖ: Aquí no dice nada de enfermedad. Solo pone «con excelentes notas». Bueno, pues esto era todo, es decir, bastante, y ahora voy a dejar a mis jóvenes amigos con más alegría que desconcierto, espero. Quiero ser, al mismo tiempo, el primero en darles la enhorabuena, aunque en lo que a mí respecta no esté de enhorabuena, puesto que pierdo a un joven colega al que le he tomado cariño, y a su joven esposa, a la que igualmente le he tomado cariño y que hace hermosas contribuciones en el trabajo de la parroquia.

El párroco Gransjö extiende su vetusta mano y palmea a Anna en la mejilla. Luego hace lo mismo con Henrik, solo que más fuerte.

HENRIK: No estará prohibido decir que no.
GRANSJÖ: No está prohibido, pero es prácticamente imposible. Una oferta de semejante dignidad no se da con frecuencia y es de una importancia decisiva.
HENRIK: Sí. Decisiva sí lo es.
GRANSJÖ: Bueno, yo me marcho ya.
ANNA: Le agradecemos mucho la visita. (Hace una reverencia).
GRANSJÖ: Adiós, Anna. Saludos a su hijo.
HENRIK: Adiós, párroco.
GRANSJÖ: Adiós, Henrik Bergman. Y que Dios os acompañe a la hora de tomar la importante decisión que hay que tomar.

En el jardín hay algunos árboles frutales en flor. En un banco pintado de blanco, pero algo desconchado, están Anna y Henrik. Dag dormita tendido en una manta. Petrus está tumbado boca abajo con las manos en las orejas, leyendo un libro. Jack, el perro, se ha situado estratégicamente para poder vigilar a sus protegidos sin muchas molestias. Es un sábado por la tarde (el día decisivo) y la campana de la capilla da el toque de ánimas. A los pies de la pradera en pendiente fluye el río silencioso y cabrilleante de sol. El estruendo de los rápidos se oye lejano. Aromas suaves, viento suave, la aplicación de los insectos. Henrik fuma en pipa, Anna teje una chaqueta para su hijo. El silencio es apacible, pero saturado de preguntas no pronunciadas y de respuestas no respondidas.

HENRIK (se ríe bajito).

ANNA: ¿De qué te ríes?

HENRIK: Estoy pensando en mi bisabuelo, que era un gran predicador y considerado casi como un santo. Cuando tenía que tomar una decisión importante, abría la Biblia y siempre le parecía que encontraba la respuesta justa.

ANNA: ¿Y eso es lo que acabas de hacer tú ahora?

HENRIK: En broma. (Hojea una Biblia de bolsillo).

ANNA: ¿Y…?

HENRIK: Escucha. Se abrió en el Apocalipsis de san Juan, capítulo tercero, y dice: «Sé vigilante y consolida lo restante de tu grey, que está para morir. Porque yo no hallo tus obras cabales en presencia de mi Dios. Ten, pues, en la memoria lo que has recibido y aprendido, y obsérvalo y arrepiéntete».

ANNA: Bah, ¡seguro que has hecho trampa!

HENRIK: Te lo prometo.

ANNA: ¿Y cuál es el mensaje?
HENRIK: Yo solo puedo interpretarlo de una manera.
ANNA: ¿Que debemos quedarnos en Forsboda?
HENRIK: No cabe la menor duda.

Sosiego. Una abeja zumba, la campana de las ánimas enmudece, un zorzal recién llegado ensaya algunos trinos. Henrik cierra el libro y enciende la pipa, que se le ha apagado. Anna estira su labor de punto y la contempla minuciosamente.

ANNA: No preguntas lo que yo quiero.
HENRIK: No pregunto porque lo sé.
ANNA: ¿Tan seguro estás?
HENRIK: Completamente seguro.

Quietud de nuevo. Anna deja su labor y mira hacia el sol entre las pestañas y la rama florecida que se balancea sobre su cabeza. Henrik se inclina hacia delante y llama a Jack. El perro se instala junto a las rodillas de su amo, que le rasca por debajo del collar.

ANNA: En esta ocasión, mis deseos tienen una importancia secundaria. Debes hacer lo que te dicte tu conciencia.
HENRIK: ¿Estás segura?
ANNA: Sí, estoy segura, Henrik.
HENRIK: ¿No te arrepentirás?
ANNA: Claro que me arrepentiré, una y mil veces, pero ya será demasiado tarde. No tienes que…
HENRIK (interrumpe): … Ahora mismo esto es el paraíso. Dentro de unos meses estaremos a treinta bajo cero, todo

intransitable y negro como el carbón casi todo el día, narices rojas y tos atronadora.

ANNA: ... Y la iglesia vacía, y líos abajo, en la explotación, y Nordenson dando la lata con la anarquía y el odio. Y hielo en el agua y en la jarra.

HENRIK: ... Y nos olvidamos de que nos tenemos el uno al otro.

ANNA: ... No, eso no lo olvidamos nunca.

Anna toma la mano de Henrik entre las suyas. Él deja la pipa, que en todo caso se había apagado, y cierra los ojos con fuerza.

ANNA: Pero tienes que reconocer que habría sido divertido tomar el té en palacio con su majestad la reina.

HENRIK: Ante todo, habría sido un papirotazo en la nariz a las de Trädgårdsgatan.

ANNA: Y también habría sido divertido decir de repente que «esta noche me parece que vamos a ir al Teatro Dramático a ver a Anders de Wahl»...

HENRIK: ... O a un concierto, a escuchar unas sinfonías de Beethoven...

ANNA: ... O comprar una blusa de seda en Leja...

HENRIK: ... Sí... Así podemos fantasear.

ANNA: ... ¡Fantasías peligrosas, Henrik! (Sonríe).

HENRIK: ... ¿Peligrosas? ¿Por qué? (Sonríe).

ANNA: No, naturalmente que no. Ya nos hemos decidido, o mejor dicho, ese libro ha decidido.

HENRIK (suavemente): ¿Lo dices, quizá, con un poco de ironía?

ANNA: ¿Yo? De ninguna manera. Estoy tan seria como una heroína de Selma Lagerlöf. La decisión está tomada. Y es la decisión de los dos.

Petrus ha dejado de leer y está escuchando. Se agacha junto al banco y vuelve su pálida cara, singularmente ciega, hacia Anna.

PETRUS: ¿Van a ir de viaje?
ANNA: No, al contrario, Petrus.
PETRUS: Me pareció que decían que iban a ir de viaje.
ANNA: En ese caso, no has oído bien. Acabamos de decidir que nos quedamos.
PETRUS: Entonces, ¿no se van?
ANNA: No digas tonterías, Petrus. Claro que nos quedamos.

La envejecida cara de siete años de Petrus expresa desconfianza y tristeza. Me pareció que sonaba como que pensaban irse, dice en voz casi inaudible volviendo, aparentemente, a su libro. Se le llenan las narices de lágrimas y ganguea lo más silenciosamente que puede.

HENRIK: ¡A propósito! ¿Recibiste carta de tu madre?
ANNA: Sí, se me olvidó decírtelo; escribió para preguntar si íbamos a ir a la casa de veraneo durante tus vacaciones. Ernst y María van a ir a Lofoten con unos amigos. Oscar y Gustav piensan alquilar una casa en el archipiélago. Así que solo seríamos Carl y nosotros.
HENRIK: ¿Qué te parece?
ANNA: ¿Qué te parece a ti? Mamá va a estar bastante sola.

HENRIK: Yo creía que le gustaba estar sola.
ANNA: Bueno. Está bien.
HENRIK: ¿Qué es lo que está bien?
ANNA: La respuesta no puede ser más clara.
HENRIK: Estamos mejor aquí. (Pausa).
ANNA: ¿Una semana, solo?
HENRIK: ¿Es indispensable?
ANNA: No, no. Mamá no cree que queramos ir. Lo pregunta sobre todo por rutina.
HENRIK: ¿No íbamos a tener otro hijo, por cierto?
ANNA: Sí, claro que sí.
HENRIK: Ya no pareces tan interesada. ¡Pues fue idea tuya!
ANNA (se ríe): Ha habido tantas cosas en las que pensar... Mi pobre cabecita está llena de confusión.
HENRIK: ¿Entramos? Empieza a refrescar.

Anna levanta a su hijo, que se despierta lloriqueando. Henrik recoge el resto de los accesorios, chupete, sonajero, manta, pipa y Biblia, llama a Jack y se encamina hacia la casa rectoral. A medio camino, se vuelve.

HENRIK: Vamos, Petrus.
PETRUS: Voy a acabar de leer esto.
HENRIK: Está empezando a hacer fresco.
PETRUS: Yo no tengo frío.
HENRIK: No olvides el libro.
PETRUS: No.
HENRIK: Vente y jugamos una partida de ajedrez.
PETRUS: Voy a acabar de leer.
HENRIK: Como quieras.

Anna ha subido las escaleras del porche, se para y sonríe a Henrik: Petrus la mira fijamente. La puerta del porche se cierra. Petrus rueda hasta quedar de espaldas y estira las manos hacia arriba, separando los dedos.

Un caluroso día de verano, a mediados de junio de 1917, Anna y Henrik Bergman aguardan en el Salón Verde del apartamento privado de la reina. Está situado en el ala izquierda del palacio con vista a las aguas, canales y puentes de Strömmen, al Museo Nacional y a la isla de Skeppsholmen. El pastor primarius Anders Alopéus, un gallardo sacerdote de cara colorada y poderoso volumen, está también presente. De pie junto a una de las grandes ventanas, hablan en voz baja de la impresionante vista: Pero hay corriente, dice Alopéus. Hay corriente y se nota, me parece que hasta las cortinas se mueven, claro que el viento sopla en esta dirección, menos mal que no estamos en invierno.

Al fondo, dos sirvientes, de librea y guante blanco, preparan el té. Se mueven sin hacer ruido y se comunican entre sí con gestos comedidos.

La habitación es de buenas proporciones, casi cuadrada. Está decorada y amueblada al gusto de 1880, elegante, aunque demasiado recargado: grandes y mullidos sofás tapizados de telas brillantes, empapelado de seda pintada a mano, abundantes estucados en el techo y en los dinteles de las altas puertas, espejos dorados colocados unos frente a otros contemplándose mutuamente y haciendo el espacio infinito. Grandes arañas de cristal, lámparas de pie artísticamente drapeadas, alfombras que amortiguan los pasos sobre el resonante parqué del suelo. Cuadros oscuros en marcos ornados, palmeras y pálidas esculturas, frágiles mesas llenas de objetos decorativos, un piano de cola cubierto con un mantón oriental y atiborrado de fotografías de personas más o menos principescas.

Anna va vestida con un traje de chaqueta nuevo, azul gris, y sombrero con el ala hacia arriba y una pequeña pluma blanca. Los dos señores visten sotana, los zapatos de Henrik están demasiado nuevos, demasiado brillantes y demasiado apretados. Horrorizado, clava los ojos en Anna y la toma de la mano: Me están haciendo ruido las tripas todo el tiempo, esto va a ser una catástrofe. No deberías haber comido aquella sopa de carne tan fuerte, susurra Anna. Intenta respirar hondo. Henrik respira hondo, tiene la cara cenicienta. No debí nunca haber aceptado esto, no debí…

Se abre una puerta y aparece el chambelán Segerswärd. Lleva uniforme y una sonrisa radiante que deja al descubierto una hilera de dientes de singular blancura. Huele a pomada buena y a afabilidad condescendiente. Su pequeña mano es pálida y blanda: Así que esta es la querida señora, bienvenida; y el pastor Berglund, bienvenido. El señor predicador y yo ya nos hemos visto hoy, estamos en la misma comisión de beneficencia. Quiero solo indicar rápidamente algunos detalles: a su majestad se le da el tratamiento de «su majestad», si es que fuera necesario, quiero decir. Lo mejor es evitar hablarle directamente. Es su majestad quien hace preguntas y dirige la conversación, no es correcto hacer digresiones propias. Debo añadir que su majestad no se encuentra muy bien y está muy fatigada. Yo propuse con toda modestia que se aplazase la reunión para otro día más idóneo, pero su majestad tiene un alto sentido del deber y un profundo interés por todo lo que se refiere a la clínica Sophia. Por eso su majestad rechazó mi propuesta. Pero la reunión va a ser muy breve. Las cuestiones de tipo práctico deben discutirse con nuestro amigo el pastor primarius, que está al tanto de todo. ¿Alguna pregunta? Ninguna. su majestad entrará por aquella puerta. Propongo, es la costumbre, que los invitados se sitúen aquí. Su majestad, desde luego, saludará primero al señor predicador, después a la querida señora, y entonces hay que hacer una reverencia lo más profunda y bonita posible. Finalmente, su majestad saludará al pastor Berglund.

ALOPÉUS: Bergman, Henrik Bergman.
CHAMBELÁN: ¿Es que realmente he dicho…? ¡No es posible! ¡Debe de estar equivocado en mi lista! Ruego me disculpen, estoy verdaderamente desolado, querido pastor Bergman. ¡Disculpe a este anciano!

Una sonrisa deslumbrante, ojos grises desorbitados, la floja mano rechoncha roza el brazo de Henrik. El reloj que está en el friso de mármol de la chimenea da tres sonoras campanadas. La puerta se abre y la reina Viktoria hace su entrada en nuestra narración. Es una mujer alta, delgada y de hombros anchos, el espeso pelo canoso lo lleva recogido en un artístico moño en la coronilla. La cara es pálida, con una expresión de sufrimiento en torno a los ojos azul oscuro. Sus finos labios están apretados en un gesto de contención y hastío. Lleva un traje de seda, drapeado, de color gris perla, con el cuello y la pechera de encaje. Las únicas joyas son un hilo de perlas en la garganta, unos pequeños pendientes de brillantes y un solitario entre las alianzas. Entra en compañía de una dama de honor, que cierra silenciosamente la puerta. La condesa Bielke es pequeña, regordeta, con el pelo blanco y las mejillas sonrosadas, los ojos le brillan de sincera alegría infantil. Lleva una falda larga verde oscuro y una blusa de *shantung* con un camafeo en el cuello. En el brazo, un fino chal de cachemir.

La reina avanza despacio y un poco insegura hacia los visitantes. Le tiende la mano a Anna con una sonrisa repentina y resplandeciente. Anna hace una elegante reverencia (ha ensayado). A continuación la reina saluda a Henrik y, finalmente, al predicador de palacio.

Dice con ligero acento extranjero que se alegra de que hayan podido conocerse, que han sido muy amables de hacer el largo camino. Por qué no nos sentamos, espero que les apetezca tomar una taza de té, la verdad es que todavía tenemos té auténtico. Aunque yo tomo de buena gana té de manzana y de manzanilla.

Los criados de librea sirven mientras la reina pregunta cómo ha sido el viaje, por su hijo Dag (está bien preparada) y si piensan ir una noche al teatro, ella ha estado hace unos días viendo una representación de *El viejo drama humano*. Fue una experiencia emocionante, como un servicio religioso, no pudimos ni aplaudir.

La expresión de dolor deja paso a una suave gentileza, sus pálidas mejillas se colorean un poco, habla en voz baja, difícil de entender alguna vez, pero dulce. Al hablar, mira fijamente a Anna y a Henrik, su cara es franca y vulnerable.

LA REINA: Y ahora tenemos muchas esperanzas.

HENRIK: Mi esposa y yo estamos todavía un poco asustados. Todo ha ido demasiado rápido. Tampoco sabemos qué es lo que se exige de nosotros. Quiero decir, lo que *realmente* se exige. Lo único que sabemos es que estamos dispuestos a hacer todo lo que podamos.

LA REINA: En la última reunión del Consejo de Dirección nuestro arquitecto hizo una exposición de las ampliaciones que se van a hacer los próximos años. El profesor Forsell regentará el departamento de rayos X más moderno del mundo, y nuestro capellán y su familia tendrán su propia vivienda. ¿Dónde está el sobre, condesa? Ah, sí, aquí está. Vean ustedes, este es el proyecto de la casa. Va a estar en una pequeña colina. Por fuera, un frondoso bosque, el bosque de Lill-Jan. Será como vivir en pleno campo, aunque esté en el centro de la ciudad. Ideal para los niños.

ANNA: Yo sé exactamente dónde es. Justo enfrente de Solhemmet, la residencia de las enfermeras jubiladas.

LA REINA: Sí, la señora Bergman conoce el lugar. Como que ha estudiado a unos centenares de metros de su futuro hogar. En el piso bajo, tres habitaciones grandes y una cocina bien equipada. En el de arriba, cuatro habitaciones. El cuarto de los niños se piensa poner en el rincón. Le da el sol todo el día. Y, por supuesto, todas las comodidades. Dentro de unos años estará terminado. Mientras tanto, la parroquia de Hedvig Eleonora se encargará de proporcionarles vivienda.

ANNA: Es abrumador.

LA REINA: ¡Me doy cuenta de que les va a ser difícil dejar su Forsboda!

HENRIK: Sí, va a ser difícil.

ANNA: Al principio sentimos preocupación y dudas. Nos parecía que tratábamos de huir de lo que era nuestra misión…

HENRIK: … nuestra misión en la vida.

ANNA: Quizá yo no estaba tan asustada como Henrik.

HENRIK: A mí me parecía que abandonaba a gente que vivía en la miseria…

LA REINA: En una clínica la miseria puede ser igual, pastor Bergman.

HENRIK: Sí. Lo sé. (Sonríe, asiente con la cabeza). Lo sé.

LA REINA: Dígame una cosa, pastor. ¿Cree usted que nuestros sufrimientos nos los envía Dios?

El chambelán Segerswärd se chupa cautelosamente la dentadura postiza; la pregunta de su majestad le parece obscena, su cara se despoja de toda expresión. A la dulce condesa Bielke se le llenan los ojos de lágrimas, pero es que es muy emotiva. El pastor primarius se echa hacia atrás con todo el peso de su corpachón contra el frágil respaldo de la butaca, dirige a su joven colega una mirada dándole ánimo, con una sonrisa profesional y adecuada a la pregunta. Anna se da cuenta inmediatamente de que la atormentada mujer ha hecho una pregunta que se sale de lo convencional.

HENRIK: Yo solo puedo decir lo que yo creo.

LA REINA: Es por eso por lo que le he preguntado.

HENRIK: Pues no, yo no creo que el sufrimiento nos lo mande Dios. Yo creo que Dios ve su creación con tristeza y horror. No, el sufrimiento no procede de Dios.

LA REINA: ¿Pero no sirve el sufrimiento para purificarnos?

HENRIK: Yo no he visto nunca que el sufrimiento ayude a nada. Sí he visto casos, en cambio, en los que el sufrimiento destruye y deforma.

LA REINA (a su dama de honor): ¿Quiere hacer el favor, condesa, de darme el chal?

La condesa Bielke se levanta al momento y envuelve los hombros de la reina con el fino chal. Se queda durante unos instantes con los ojos cerrados y la mano derecha en el pecho.

LA REINA (mirando a HENRIK): Si es como usted dice, ¿cómo sería posible dar consuelo a nadie?

HENRIK: El consuelo es siempre momentáneo.

LA REINA: ¿Momentáneo?

HENRIK: ... Sí. La única posibilidad es convencer a la persona, a quien busca consuelo, de hacer las paces consigo misma. Convencerla de que se perdone a sí misma.

LA REINA: ¿No debemos pedirle perdón a Dios?

HENRIK: Es lo mismo. Si te perdonas a ti mismo, te ha perdonado Dios.

LA REINA: ¿Está tan cerca Dios?

HENRIK: Dios y el hombre son inseparables, están unidos. ¡Es de una crueldad espantosa separar a Dios de los hombres! Dios como autoridad, como instancia de castigo, como celoso guardián de la justicia, está en contradicción con todo lo que Cristo nos enseñó. ¡Y él sí que sabía!

La reina ha vuelto a cerrar los ojos, está ligeramente recostada, sus labios están entreabiertos. Estoy terriblemente cansada hoy, tendrán que disculparme, amigos míos. Se levanta con esfuerzo y algo de inestabilidad, la dama de honor le sirve, discretamente, de apoyo. Le agradezco su franqueza, dice con una débil sonrisa.

Luego se vuelve hacia Anna: Haga que el pastor venga a su nueva casa rectoral. Me parece que van a tener un amplio campo de trabajo los dos.

Hace un gesto con la cabeza al pastor primarius y al chambelán. Los dos sirvientes se acercan, retiran la butaca y abren la puerta. Tengo que pedirles que me disculpen, cecea el barón Segerswärd extendiendo su mano rechoncha y fofa, ya no tiene ánimos ni para sonreír con su flamante prótesis. ¿Quiere Jansson tener la amabilidad de ayudar a los invitados?

Se va, serpenteando, por los espejos. La partida es rápida y muda. Los visitantes recogen sus prendas de abrigo y el señor Jansson los lleva hasta la galería izquierda. Sucede deprisa y sin comentarios. Breve inclinación y la puerta se cierra. El pastor primarius sale al patio de Borggården y mira al sol con los ojos entrecerrados. Sopla un viento fuerte y cálido.

PRIMARIUS: Bien, bien, van a ser las cinco y yo tengo algo que hacer, espero que los jóvenes se las arreglen sin este viejo. Adiós, señora Bergman; adiós, pastor Bergman, lo felicito por su extraordinaria, aunque muy heterodoxa, muestra de prédica. No cabe duda de que le causó impresión a la distinguida dama. Estos son aires nuevos, sí señor, aires nuevos, muy duro y refrescante: «Dios se aflige por su creación». ¿Por qué no? Los tiempos cambian, las interpretaciones personales y atrevidas se han puesto de moda.

Pienso que si en mi juventud… (Se echa a reír). Bueno, voy a dejar este parloteo. ¡Felicidades y enhorabuena! Si el pastor quiere discutir los detalles prácticos, puede hacerlo con el párroco Källander, que está al corriente de todo.

Estrecha manos, da un sombrerazo y vuela a lo suyo sobre el desierto y soleado patio. Henrik se queda mirando unos segundos al prelado, que parece alejarse rodando, y echa a andar hacia la cuesta de palacio, anda deprisa y se mueve con brusquedad, su respiración es agitada. Anna se enfada y le dice que ande más despacio, que apenas puede seguirlo.

ANNA: ¿Qué te pasa? Pero ¿qué te pasa? ¿Por qué te has enfadado? Si todo salió muy bien. No le hagas ningún caso al primarius ese, menudo fósil está hecho, se moría de envidia, se notaba de lejos. No corras. ¡Que no puedo seguirte!

HENRIK: ¡No! ¡No!

ANNA: ¿No, qué? ¿Qué quiere decir no?

HENRIK: ¡Es que no y que no y que no! Yo no me vengo a Estocolmo, yo no acepto el puesto en la clínica Sophia, yo no pienso predicar para predicadores de palacio, ni para chambelanes, ni para reinas. Yo me quedaré en Forsboda. He sido un idiota. Un idiota al cuadrado. Un completo idiota. Ahora lo veo claro. ¡Gracias al primarius ese, gracias a la Distinguida Dama! ¿Viene el sufrimiento de Dios? ¡La finura de la finura y el colmo de la tontería! ¿Me oíste divagar, halagado, hipócrita y engreído? Tengo que ir al hotel a lavarme los dientes. Pero ¿qué me habrá pasado? Yo estoy loco. ¡Ciego y corrompido, Anna! Ciego y corrompido por esa pobre señora y sus nasales lindezas. No, no. Se han terminado las majaderías de Bergman. Ahora nos vamos a casa, a Forsboda, y nos dedicamos a nuestra tierra pedregosa y a nuestros semejantes, a nuestros pobres y amargados y malhumorados semejantes. Yo digo que no y que no. Que no. No.

ANNA (fuera de sí): ¡Que te *pares* te digo!

Le tira del brazo, lo agarra del brazo, lo obliga a pararse. Está frente a él, junto al obelisco de la cuesta de palacio, pequeña y furiosa y jadeante.

ANNA: ¡Si pudieras oírte a ti mismo! Pero puedes alegrarte, naturalmente, de librarte de la experiencia. ¡Yo y yo y *yo*! ¡Yo digo que no! ¿Qué estúpida manera de hablar es esa? Hablando claro, ¡no son más que *estupideces*! Se trata, en realidad, de *dos*, pero quizá se te ha olvidado, ahí en lo más profundo de tu interior, donde tienes tus visiones de altos vuelos. Yo me llamo Anna y soy tu esposa. *Yo soy una de nosotros*. Y tengo derecho a decir lo que me parece. Y lo que me parece es que te comportas como una *prima donna* histérica. ¿Qué forma de jorobar es esa? ¿Qué decisiones son las que tú tomas? ¿Cómo te atreves a decidir sobre cosas que tienen una importancia vital en la vida, ¡vital, Henrik!, sin consultar conmigo? Soy tu esposa y tengo todo el derecho a decir lo que me parece. Y ahora estoy llorando, pero si piensas que lloro porque estoy triste, te equivocas, como de costumbre. Me corren las lágrimas porque me duele que me *pisotees*. ¡Pisoteas a tu amiga más fiel y lloro porque estoy furiosa! Estoy hecha una furia y rabiosa y sería capaz de darte un bofetón aquí mismo, delante de la catedral de Storkyrkan, maldito… camello.

HENRIK: Pero no grites, que te está oyendo la gente, estás loca. ¿Por qué no hablamos tranquilamente? (Se echa a reír). Estás realmente preciosa cuando te enfadas.

ANNA: ¡Deja de una vez esos necios aires de superioridad! ¡Deja ya de reírte estúpidamente! Como digas una palabra más, te dejo aquí mismo y me voy a casa y no vuelvo a dirigirte la palabra aunque vayas a Upsala a cuatro patas.

HENRIK (con repentina bondad): Anna, perdóname.

ANNA (más propicia): Ahora te has asustado, ¿eh?

HENRIK: Caray, hay que ver cómo te has enfadado.

ANNA: Es que yo tengo un genio de todos los diablos, para que lo sepas. Y de ahora en adelante —si es que hay algo en adelante— me voy a enfadar muchas veces más.

HENRIK: Quiero hacerte una proposición, con toda humildad.

ANNA: Así que tienes una proposición.

HENRIK: Compramos un cucurucho de helado de frambuesa cada uno y tomamos el transbordador ahí abajo y nos vamos al parque de Djurgården.

ANNA: ¿Quieres decir que vamos a hablar?

HENRIK: Anna, querida de mi alma. Esto es tan importante para ti y tan importante para mí y estamos tan unidos… Tenemos que encontrar una solución como sea.

ANNA: Un helado puede tener, desde luego, un efecto tranquilizador y refrescante.

El transbordador de Djurgården echa humo de manera exagerada, retumba débilmente y trepida un poco, la superficie del agua está brillante y grasienta, el sol se refleja en el flujo de las olas. Anna y Henrik tienen un banco para ellos solos delante de todo, en la proa, un templado viento les azota la cara. Anna se ha quitado el sombrero y lo ha puesto a su lado, en el banco. Toman un helado de cucurucho.

ANNA: Quítate el sombrero.
HENRIK (se quita el sombrero).
ANNA: ¿Me dejas probar tu helado?
HENRIK: Cambiemos. (Cambian de cucurucho).
ANNA: Tú empiezas.
HENRIK: No tengo nada que decir.
ANNA: Pues hace diez minutos decías montones de cosas.
HENRIK: Puedo repetir lo que dije.
ANNA: Pero en otro tono.
HENRIK: En otro tono.
ANNA: Te escucho.
HENRIK: Como de costumbre en mí, es una cuestión de *sentimiento*. En esta ocasión vi unas letras enormes, gigantescas, NO, no. Nada más. Y, además, estaba enfadado y descontento conmigo mismo y con el gordinflón del primarius. (Se calla).
ANNA: … ¿Y luego?
HENRIK: No sé. Nada.
ANNA (en voz baja): ¿Qué hacemos?
HENRIK: ¿Qué quieres *tú*?
ANNA: Ahora yo no sé. Es una responsabilidad muy grande. ¿Por qué no se puede tomar la vida con un poco de frivolidad?
HENRIK: Nosotros no somos así.
ANNA: *Tú* no eres así.

HENRIK: Yo no puedo obligarte a vivir en Forsboda toda la vida. Si tú sacrificases todas tus aspiraciones a tener una vida satisfactoria, ¿no te sentirías triste e irritada? ¿Y ansiosa de venganza?

ANNA: Lo mismo te digo, Henrik.

HENRIK: Sí. Claro. Seguro que es así.

ANNA: Sí.

HENRIK: No puedes imaginarte lo que me atormenta esta conversación.

ANNA: Alguien tiene que ceder. ¡Uf!, seré yo la que ceda, ya lo sé. No sé siquiera para qué discuto. Tú sigues tu vocación y tu vocación es vivir y morir en tierras salvajes entre paganos y caníbales. Es tu vocación y tienes que seguirla… y yo te sigo a ti. Esa es, tal vez, *mi* vocación. Pero yo no estoy tan segura como tú. Yo creía que la vida podía ser espléndida y brillante. *Grandes* sacrificios y *grandes* emociones. No enterrarse en vida. ¿Te acuerdas de nuestras fantasías acerca del sacerdote y la enfermera y la humanidad sufriente?

HENRIK: Pues el sueño se hizo realidad.

ANNA: No, Henrik. *Nosotros no soñábamos con Forsboda.*

HENRIK: ¿Tan terrible te parece?

ANNA: Hace unas semanas, no. Entonces no había otra alternativa. (Suspira). ¡Ay, Henrik! Me pareció que podía ser tan maravilloso… (Vuelve a suspirar). Pero era un poco pueril. (Sonríe).

HENRIK: Pobre Anna. Tu pobre cura no era un príncipe azul encantador. Debías haber escogido a Torsten Bohlin.

ANNA: ¿Verdad que es raro? Yo no quería a Torsten Bohlin de ninguna de las maneras, yo solo te quería a ti.

HENRIK: Tú no querías a Torsten Bohlin porque tu familia estaba loca con Torsten Bohlin.
ANNA: ¿Tú crees? Es posible.
HENRIK: Y me elegiste a mí porque tu madre me aborrecía.
ANNA (sonríe): *Es posible.*

Ya no hay más que decir de esta escena.

A continuación, un extracto de una carta del pastor primarius Anders Alopéus a su querido compañero de profesión Samuel Gransjö, párroco de Forsboda: Cuando recibí tu apreciada carta del 13 de este mes y leí atentamente su mensaje, me apresuré a pedir audiencia a su majestad la reina. Tengo que confesar que su majestad manifestó una *profunda decepción* por la tan asombrosa como insensata *negativa* del joven Bergman. En esos momentos de dolorosa perplejidad, osé, sin embargo, proponer un cierto *aplazamiento* de nuestros planes. Sugerí, humildemente, que acaso se había procedido con demasiada brusquedad, y que *posiblemente* se podría dar a nuestro joven amigo y a su bella esposa un tiempo para pensarlo de, digamos, *un año*. Su majestad se dignó tomar mi idea en consideración y, por lo tanto, propongo que mi muy distinguido hermano vuelva, en el *momento oportuno*, sobre el favorable ofrecimiento de su majestad. Estoy convencido de que mi estimado hermano sabrá encauzar, con toda la prudencia posible, los pensamientos de nuestro joven amigo en la *dirección deseada*, sin olvidar por ello la influencia, seguramente *decisiva*, de la encantadora señora Bergman en los sentimientos y las ideas del esposo. Es, ciertamente, posible que me equivoque, pero la joven esposa me pareció bastante *entusiasmada* con la posibilidad de un brillante y honroso ascenso. Su majestad la reina me pidió de un modo *especial* que le dijera a mi estimado hermano que deja con toda confianza esta delicada misión en las *experimentadas manos de* mi apreciado hermano. Finalmente invoco para ti, amado hermano en Jesucristo, y para tu casa, la paz y la bendición del Señor. *Tuus Anders Alopéus.*

El párroco leyó la carta dos veces, se fue a descansar a su diván, reflexionó en su corazón sobre el escrito y decidió aguardar el momento adecuado. Seguidamente, se quedó dormido como un bendito hasta la hora de cenar, cuando la señorita Säll lo despertó con unos suaves golpecitos en la puerta para comer patatas nuevas y salmón cocido. Eran tiempos de guerra, ciertamente, pero en el patatal y en el río no se divisaba la más mínima crisis.

El sábado antes del día de San Juan, el pastor reúne a sus catecúmenos para adornar la capilla con flores y ramos de abedules recién abiertos. Anna y Henrik han salido de casa a primera hora de la tarde, acompañados de Mia y Mejan, Petrus, Dag y Jack. Todos, excepto Jack, llevan grandes brazadas de lilas blancas y moradas, han saqueado el cenador que desborda de aromas y colores. El señor de la casa y toda su familia van camino de la capilla. De pronto, Anna toma a su marido por la cintura con la mano izquierda, aprieta la frente contra su hombro y dice que está contenta: Estoy contenta, Henrik, ahora siento que vuelvo a estar contenta de verdad. Fuiste tú, sin duda, el que acertaste aquella vez, yo estaba tan ciega por el relumbrón, ¿sabes?. Ahora siento que ya he superado todo eso, todas esas niñerías. Tú fuiste el que actuó con sensatez, lo que no quiere decir que siempre lo hagas, pero en aquella ocasión, el sensato fuiste tú y la tonta fui yo.

Todo esto lo dice Anna en voz muy baja, tomando a su marido por la cintura y acomodando sus pasos a los de él para andar los dos a ritmo rápido y regular. Ella lleva un traje de verano blanco de talle alto y falda de vuelo; se ha desatado las botas y se ha quitado las medias, va descalza y sin sombrero, con el espeso pelo castaño colgando en una trenza a la espalda. Henrik dice impulsivamente que se ha preguntado con frecuencia cómo sería el paraíso: Probablemente el paraíso no existe pero, *si es verdad* que el paraíso existe, entonces es absolutamente seguro que existe aquí, en la tierra, en el mes de junio, un sábado por la tarde en Valbo Socken. Aquí estoy yo, Henrik Bergman, en el jardín del Edén, en la Dicha absoluta. Nunca lo creí. Nunca creí que pudiera pasarme a mí. Nunca en la vida. ¡Ángeles! ¡Y un perro del paraíso! ¡No es posible, es inconcebible!

Los catecúmenos son quince, siete chicos y ocho chicas, algunos son de las viviendas que rodean la serrería; otros, de los talleres; el hijo pequeño del médico y las dos hijas del señor Nordenson, Susanna y Helena. Son las mayores del grupo: Susanna tiene diecisiete años y Helena, dieciséis. Todos están ocupados adornando y limpiando bajo la supervisión de la señorita Säll (delantal azul oscuro sobre el claro vestido veraniego y una pamela de paja).

Llegan el pastor y todos los de su casa, ahora son veintiuna personas en la pequeña capilla, además de un niño y un perro. Se interrumpe el trabajo, se saluda, se charla. Anna se sienta al armonio, Petrus le da a los pedales y todos cantan el salmo del verano de Von Düben: «En este dulce tiempo de verano, ve, alma mía, y alégrate de los dones del Dios Todopoderoso. ¡Contempla las galas de la tierra! Mira cómo se colma de riquezas para nosotros».

Nadie advierte que Nordenson ha entrado en la capilla y se ha quedado junto a la puerta. Lleva un elegante gabán de verano, terno claro y corbata con el nudo bien hecho. Tiene el sombrero en la mano izquierda. Su cara está pálida, ha adelgazado, la comisura derecha se mueve convulsivamente, tiene la mirada nublada, el ralo pelo gris bien peinado, aplastado con pomada.

Henrik es el primero que descubre al visitante, pero da la bendición después de cantar. Luego avanza unos pasos en dirección a Nordenson. Todos lo ven, lo miran, el espacio de la iglesia se queda parado y en silencio.

HENRIK: Bienvenido. ¿Quiere sentarse, señor Nordenson? ¿O prefiere quizás echar una mano? Queda aún mucho por hacer.

NORDENSON: Siento molestar, pero vengo a buscar a mis hijas.

HENRIK: Muy atento, señor Nordenson, pero Susanna y Helena van a estar ocupadas durante una hora más. Hemos pensado dar un repaso a las preguntas y respuestas para el examen de mañana.

NORDENSON: Ya comprendo que es una complicación, pero me temo que mis hijas tienen que renunciar a eso.

HENRIK: La señorita Säll estará seguramente dispuesta a llevar a las niñas en cuanto terminemos. No necesita usted esperar, señor Nordenson.

NORDENSON: Vengo a recoger a mis hijas. Mis hijas. Susanna y Helena.

HENRIK: Ya sé que ha venido usted con la intención de recoger a sus hijas. Es una lástima que eso no pueda suceder hasta dentro de una hora. Las niñas están ocupadas con otras cosas.

NORDENSON: ¡Vaya! Están ocupadas. Con otras cosas. Helena y Susanna están ocupadas.

HENRIK: Así que no puede usted recogerlas hasta dentro de una hora.

NORDENSON: Susanna, ven aquí.

SUSANNA (inmóvil).

NORDENSON: ¡Helena, ven aquí!

HELENA (inmóvil).

NORDENSON (con serenidad): Venid aquí, hijas mías. No puedo esperar mucho.

HENRIK: Le propongo que salgamos usted y yo al camposanto y solucionemos este problema. Debe de haber un malentendido.

NORDENSON: En eso puedo tranquilizarlo, pastor. Aquí no hay el más mínimo malentendido. Independientemente de la hora y del lugar, Helena y Susanna tienen la inapelable obligación de obedecer a su padre.

HENRIK: Tiene que haber una solución.

NORDENSON (con serenidad): Desde luego, pastor Bergman. La solución es que mis hijas se vengan conmigo. *¡Ahora mismo!*

HENRIK: ¿Y si no obedecen?

NORDENSON: Yo sé que obedecen.

HENRIK: ¿Qué ocurre si le ruego que abandone la iglesia?

NORDENSON (tranquilamente): Entonces emplearé la fuerza.

HENRIK: ¿Fuerza contra quién?

NORDENSON: Contra quien sea.

HENRIK: No es posible.

NORDENSON (conciliador): No siga forzando más esta situación, pastor Bergman. Le pido con toda cortesía que le diga a mis hijas que vengan con su padre.

HENRIK: Está usted borracho.

NORDENSON: Usted también está borracho, pastor Bergman. Pero de una manera más peligrosa. Usted está borracho del poder que tiene sobre mis hijas. Me humilla usted a conciencia delante de mis hijas. De esta manera aniquila usted la posibilidad de que Susanna y Helena tomen parte en la confirmación y en la comunión.

HENRIK (pausa breve): Susanna y Helena, id con vuestro padre.

Las niñas dejan lo que tienen entre manos. Sin mirar a su alrededor se acercan a su padre y se quedan delante de él con la cara huraña y los brazos caídos.

NORDENSON: Esa orden, pastor Bergman, ha llegado con medio minuto de retraso exactamente. Hace quince segundos que decidí impedir la participación de mis hijas en sus sangrientos rituales. Ya me lo agradecerán algún día.

HENRIK: Usted no puede hacer eso.

NORDENSON: ¿Qué es lo que no puedo hacer? ¿Impedir que mis hijas sufran una violación sentimental, un remedo de drama repugnante, una hedionda orgía de lágrimas y sangre? ¿Qué es lo que no puedo hacer, pastor Bergman?

Henrik rompe la pauta coreográfica y da los pasos que le separan de Nordenson. Está muy pálido, le han salido ojeras azules bajo los ojos, la boca le tiembla perceptiblemente.

HENRIK: Usted es una mala persona. Vengativo, celoso y execrable.
NORDENSON (inmóvil): Es interesante oír a un cura ultrajar a un padre delante de sus hijas y en presencia de testigos. Es casi emocionante oír a un hombre del espíritu usar tales palabras en la propia casa de Dios. Dios es amor y el amor es Dios, ¿no es así, pastor? La casa de Dios y del amor. Una casa del amor, por decirlo así.
HENRIK: Lo mataría. (Sin voz).
NORDENSON: ¿Cómo dice? Ha bajado usted mucho la voz, pastor. Me pareció distinguir la palabra «matar». ¿Es posible? Tíreme al suelo a golpes. No es difícil. No pienso defenderme. ¡Usted es joven y fuerte! Pégueme. Yo soy viejo, estoy cansado y, como ha dicho usted... borracho.
ANNA: Henrik, ¡basta!

La voz llega de muy lejos, apenas se oye. La inmovilidad se esfuma vencida por el odio. Nordenson se da la vuelta y se va. Sus hijas lo acompañan.

El invierno llegó pronto. Ya a principios de octubre pasó la primera tormenta de nieve sobre Forsboda cortando la electricidad, el teléfono y las comunicaciones por carretera y ferrocarril. Después de la tormenta, el frío ártico. Se registraron treinta grados bajo cero en la serrería y en los bosques que rodeaban la explotación. El lago Storsjön y el río se helaron. Solo los rápidos y el torrente que pasaba por debajo de la casa rectoral se resistieron a dejarse atrapar, el cauce fluía negro entre los bordes de hielo y el salto de agua retumbaba a lo lejos.

Al insólito y notable frío se sumaron las tribulaciones de la crisis, quizá no tan acusadas en el campo como en las ciudades. El pan y el café se racionaron (ya se estaba tomando café de diente de león desde hacía un año). El carburo desapareció y había escasez de velas, el queroseno se convirtió en un producto raro. Pero en el bosque había leña y se podían calentar los fogones y las estufas. Forsboda se las iba arreglando, todavía se podía comer hasta hartarse, mantener el calor en las casas y barracas y dejar de lado las cartillas de racionamiento. Pero la noche ártica era oscura y callada.

La madre de Henrik viene, por fin, de visita. Parece contenta y bastante bien de salud. El riguroso frío le sienta mal a su asma, pero la estufa de azulejos de la habitación de huéspedes está encendida día y noche. A doña Alma le gusta estar sentada en la mecedora con un libro o con una labor y Dag juega tranquilo en la manta extendida o se coloca junto a las rodillas de su abuela paterna para oír un cuento. A doña Alma le gusta contar cuentos.

Una soleada tarde, cuando ya falta poco para irse, Alma siente un fuerte dolor en el costado, se toma unas pastillas, pero no le hacen efecto. Se levanta de la mecedora para pedir ayuda, pero se cae al suelo. Para no asustar al niño, se ríe un poco y dice que esta abuela gorda es de lo más torpe que hay y que es mejor que Dag vaya a buscar a mamá o a papá.

Dag, sin embargo, se queda quieto contemplando a la abuela caída con ojos serios: ¿Te vas a morir ahora? Después se sienta en el suelo, muy cerquita, y pone su mano en la frente de la enferma. Ella cierra los ojos y piensa, probablemente, que puede estar bien que ocurra así. Pero el dolor en el lado izquierdo arrecia de nuevo y le cuesta respirar. Abre los ojos y dice con severidad que ahora Dag *tiene* que ir a buscar a papá o a mamá o a otra persona mayor que pueda ayudar a la abuela a acostarse.

Dag se levanta de mala gana y va a buscar a su madre a la cocina. Anna ha metido a Jack en la cuba de la colada y lo está lavando con jabón. Mejan está haciendo una sopa de repollo, Petrus está sentado a la mesa de la cocina con un libro de indios y Mia ha ido a Correos con el trineo de patín.

Levantan a Alma del suelo, tiene los labios azulados y los dolores van en aumento, se propagan hacia el costado y vuelve a respirar con dificultad. Aunando esfuerzos, consiguen desnudar y meter en la cama a la pesada mujer. Petrus y Dag contemplan a distancia el singular espectáculo, con seriedad, pero no especialmente espantados. Jack se ha escapado de la cuba y se ha sacudido el agua del pelo; la cocina queda bastante mojada. Luego se esconde debajo de la cama de Mejan, en el cuarto del servicio.

Henrik trata de telefonear al médico, pero la central de teléfonos informa que la línea de Valbo se ha derrumbado a causa del peso de la nieve que hay en los hilos, pero que la avería estará arreglada a finales de la semana próxima. Como Henrik es un buen esquiador, se decide que salga inmediatamente. Él calcula estar de regreso con el médico en menos de dos horas. Mejan se ocupa de los niños (y de Jack, al que hay que enjuagar y secar). En el fondo de un bote queda un poco de cacao. Mejan hace chocolate con leche y corta dos grandes trozos de pan con manteca. Vuelve la calma a la casa rectoral. La quietud del aire sobre la blancura es total y el sol se posa sobre la cenefa del bosque. Todavía hay luz en la habitación de huéspedes (que es, en realidad, el cuarto de Dag. Durante la estancia de la abuela, el niño duerme en la habitación de sus padres, cosa que le gusta mucho).

Anna está sentada al borde de la cama, sostiene la mano de la anciana. Cuando remite el dolor se adormece unos minutos. El silencio es total en el cielo y en la tierra. El sol brilla. El reloj del comedor da las dos. Mejan y los chicos se ríen. Jack ladra. Y silencio otra vez.

ALMA: Anna.
ANNA: Sí.

Anna se inclina hacia delante, muy cerca, mira la blanda mano atravesada por finas líneas y rayas, los párpados están cerrados, pero tiemblan débilmente, apenas se oye la respiración, el pulso es lento, se hace más lento aún, un poco de saliva en la comisura, el escaso cabello en un bucle gris sobre la frente ancha y baja. La mano.

ALMA: ¿Crees que se habrá asustado el niño?
ANNA: No creo.

ALMA: Me refiero a cuando me caí.

ANNA: Está en la cocina tomando chocolate con Petrus y Mejan. Y Jack.

ALMA: Soy muy torpe. Es que perdí pie. Fue un estrépito tremendo.

ANNA: La pena es que nadie oyera nada.

ALMA: ¿Le dará tiempo de volver a Henrik?

ANNA: No está muy lejos. Y el médico tiene caballo y trineo y han quitado la nieve.

ALMA: ¿Vas a dejar a Henrik?

ANNA: No.

ALMA: Tengo una sensación rara.

ANNA: Hemos tenido dificultades. Pero ahora no.

ALMA: No sé por qué me preocupo.

ANNA: Estamos bien, abuela.

ALMA: Henrik está… No.

ANNA: ¿Solo?

ALMA: Encerrado… No. No sé. Yo no sé.

ANNA: No lo dejaré nunca. Lo prometo.

ALMA: Mira, fue así: cuando Henrik era muy pequeño y su padre había muerto y yo no tenía la menor idea de cómo íbamos a poder vivir… (Se calla).

ANNA: Sí.

ALMA: Hice una locura terrible.

ANNA: No hay necesidad de…

ALMA: Sí, sí. Es tan terrible. Un año entero vivimos en casa del abuelo de Henrik, en la finca. El abuelo de Henrik y su hermano vivían allá arriba, ya sabes. Hindrich era párroco y el otro, el alto, era diputado. No entonces, salió diputado más tarde. No teníamos dónde meternos, así que nos dejaron vivir allí. Yo estaba en la puerta viendo cómo Hindrich azotaba a mi niño, debía de ser como Dag ahora, unos tres años. Eso era una especie de educación. Hindrich decía que era por el bien del niño. El abuelo de Henrik miraba pero no decía nada. Yo estaba como perdida. Allí quieta.

Alma habla con serenidad y lucidez, sin señales de emoción, es como si el recuerdo de los castigos se hubiera vaciado de todos los sentimientos, una extraña imagen que, por alguna oscura razón, es importante revelar.

ANNA: ¿Ocurría con frecuencia?

ALMA: Hindrich estaba obsesionado con eso de «la educación», como él decía. Es que tenía hijos ya mayores, una hija, la hija de la casa, que, en realidad, no decía nada. Solo decía: Puedes estar convencida de que papá lo hace con buena intención, no pasa nada, también a nosotros nos pegaron, y no nos ha ido mal. Es que tú eres muy impresionable, decía. El chico se ha hecho igual de impresionable que tú. Tiene que endurecerse un poco. Eso es lo que decía. La abuela de Henrik era buena, pero tenía miedo, nunca se atrevió… Sí, alguna vez.

ANNA: Pero usted no se quedó allí.

ALMA: No. Un día agarré al chico y me fui a Elfvik, ya sabes, a casa de las tías, entonces no estaba aquello tan magnífico como ahora, pero era bonito de verdad. Blenda, la lista, me prestó dinero. Aunque no quiso que me quedara a vivir allí, porque yo no le caía bien. Pero me prestó algo de dinero. Y entonces nos trasladamos a Söderhamn.

ANNA: Eso fue valiente.
ALMA: ¿Valiente?
ANNA: ¿Quiere beber alguna cosa? ¿Un poco de té?
ALMA: Sí, gracias, esas pastillas me dejan la boca muy seca.

Anna deja la mano de Alma sobre el edredón, está completamente quieta. El sol sigue brillando, pero lo hace por detrás de los árboles, y las sombras de la habitación se acentúan. El frío se acumula sobre las largas nubes inmóviles.

En la cocina reinan la calma y el bienestar. Petrus le está leyendo un cuento a Dag, están sentados muy juntos a la mesa de la cocina. Mejan se ha sentado a hacer labor. La sopa de repollo despide vaho y aroma, Jack está en el suelo, recién bañado, agotado. El día se apaga.

MEJAN: ¿Cómo está la señora?
ANNA: Me parece que está dormida.
MEJAN: ¿Tuvo muchos dolores?
ANNA: Seguro que sí. Vamos a hacerle un poco de té.
MEJAN: Enseguida.
ANNA: Dag tiene que dormir la siesta ahora. Voy arriba a acostarlo. Henrik y el doctor deben de estar a punto de llegar.

Cotidianidad recuperada, reencontrada. Voces tranquilas, gestos habituales, quehaceres. Anna llama a su hijo, que se separa contrariado de Petrus y de la lectura. Jack mueve la cola para demostrar que sí que está despierto, pero muy cansado. Mejan prepara una infusión de tila que vierte en una gran taza de desayuno con flores pintadas y pone unos bizcochos en un plato. Anna toma a Dag en brazos y lo sube por la escalera: Quiero subir solo, dice con pena, pero no se molesta en hacer fuerza; en la cama, lo ayuda a quitarse el pantalón y el jersey: ¿Quieres hacer pis? No, ya lo he hecho. Tienes un agujero en el calcetín. ¡Hay que cambiar los calcetines! No, no, que los calcetines nuevos pican. Así, en la cama, dale un beso a mamá, así. ¿Dónde quiere Dag que lo bese? Vaya, en la nariz. Pues ahí tienes.

Anna cierra el biombo verde en torno a la cama de Dag. ¿Se va a morir la abuela?, dice el niño en voz baja. No, el doctor llegará de un momento a otro. Si viene la muerte a buscar a la abuela y la carga en un carro, a lo mejor se lleva a otro de paso, dice Dag. Pero qué cosas dices, dice Anna, de pie junto a la mampara. Anochece con rapidez en la blanca habitación, la luz sin sombras de la nieve entra por las ventanas. A lo mejor se equivoca y me lleva a mí. O a mamá. La muerte no viene con ningún carro, dice Anna. ¿De dónde has sacado esas cosas? ¡Pues papá se lo leyó en un libro a las señoras! Ah, y tú lo oíste. Pero es un cuento, ¿sabes? La muerte no viene con carro y la muerte no se equivoca. Si la abuela se muere es porque está muy cansada y tiene muchos dolores. Dag escucha atentamente la explicación de su madre. Y luego dice: ¿Los niños también se mueren? Anna se queda callada, pensando, oye a Henrik llegar a casa, quitarse los esquís y sacudirse la nieve de las botas contra las escaleras.

Ya está papá de vuelta, dice Anna. Duerme, hijo mío, ya hablaremos de todo eso un día que tengamos tiempo. Le acaricia fugazmente la frente y las mejillas, él cierra los ojos obedientemente.

HENRIK: El médico no estaba en casa, pero Blenda, la enfermera, prometió que se lo diría en cuanto regresara. Hubo un accidente en la herrería.

MEJAN: La señora duerme. Le llevé la bandeja del té y dijo que tenía sueño y que quería dormir, pero tomó un poco de té. Yo la ayudé.

Henrik está en el vestíbulo desatándose las botas, tiene la cara roja de frío, ha arrastrado nieve adentro, la pelliza y la gorra de piel están en la leñera. Moquea un poco.

ANNA: Pasé con ella un buen rato y estaba completamente lúcida. Puede ser que se le pase el ataque por esta vez.

HENRIK: Voy a verla.

ANNA: ¡Mejor voy yo! Tú estás sudando, te he puesto ropa seca delante de la estufa del despacho.

HENRIK: ¿Podríamos cenar hoy un poco antes? Tengo una reunión a las seis con el responsable y los otros en la capilla.

MEJAN: La cena estará dentro de diez minutos.

ANNA: Yo pensaba ir también. Se trata de la tómbola de Navidad. Tendrás que decir que me han surgido impedimentos.

Henrik sube sin hacer ruido la escalera para cambiarse y Anna abre despacio la puerta de la habitación donde duerme doña Alma. Enseguida se da cuenta de que la anciana ha muerto, pero, para mayor seguridad, se acerca a la cama y efectúa un rápido reconocimiento profesional. Cierra los ojos entreabiertos de la muerta, le coloca las manos sobre el pecho y le retira el pelo de la frente, que todavía está caliente y un poco húmeda. Luego enciende una vela que está a medio consumir en la mesilla de noche y otra que está sobre la alta cómoda verde. Después se acerca a la cama y contempla a la mujer muerta. Trata de saber qué es lo que siente. Sí, solemnidad. Compasión. La majestad de la muerte. «De tu seno nació Henrik».

Oye los pasos de Henrik en la escalera y va a su encuentro cerrando la puerta tras de sí. Él se da cuenta inmediatamente de lo que ha pasado, se queda un instante parado en el último escalón, agarra luego la mano derecha de Anna y empieza a llorar; es un llanto extraño y ruidoso, pero sin lágrimas. Un llanto singular y penetrante. Anna se siente perpleja al principio, luego lo lleva junto a la muerta. Él se queda en la puerta, su llanto cesa abruptamente, es como si estuviera prohibido y hubiera que dominarse lo más pronto posible.

ANNA: Se quedó dormida. Se nota.
HENRIK: Sí, pero sola. Sola. Siempre estuvo sola.

A principios de noviembre, la región del lago Storsjön se ve afectada por una tormenta de nieve que, con breves interrupciones, dura más de una semana. El frío se abate como una llama de soplete sobre las personas y sus viviendas, se incrusta y corroe la médula, treinta grados bajo cero y tormenta de nieve, es un infierno, es como el fin del mundo.

Una mañana, al amanecer, Anna vomita en el cubo; lo atribuye primero al arenque aquel, estaba grasiento y poco apetitoso. Vomita una vez más y empieza a sudar de espanto. No es el arenque. Henrik le sostiene la frente, está en calzoncillos largos y camiseta, acaba de empezar a afeitarse, tiene espuma en la cara. Entonces sería el embutido de anoche, a mí me pareció que olía a moho. Yo no comí embutido, dice Anna mirando el espejo, indecisa. No comí embutido. Entonces, no sé, tal vez te has enfriado en el vientre fuera, en el retrete. No, no lo creo, murmura Anna bajándose la camisa y destapando su pecho izquierdo. ¿Ves?, dice. ¿Qué? ¿Qué es lo que tengo que ver?

ANNA: Pero, ¿no ves que el pecho se ha puesto más…?
HENRIK: ¿Bonito?
ANNA: Tonto. ¿No ves que está diferente?
HENRIK: ¿En una noche?
ANNA: ¡Mira que si estoy embarazada…!
HENRIK: No. Hemos tenido mucho…
ANNA: … cuidado. Aunque yo no sé en realidad a qué le llamas tú cuidado.
HENRIK: … Tú dijiste que *querías* tener hijos.
ANNA: … Eso son cosas que se dicen.
HENRIK: … Cuando mamá…
ANNA: … ¡Bah!
HENRIK: Ahí te han salido unas venas.
ANNA: … Se ha puesto enorme en una noche. Y ahora tengo que vomitar otra vez.
HENRIK: Ponte de rodillas. Yo te sostengo la frente.
ANNA: No sale nada.
HENRIK (se sienta en el suelo): Ven que te abrace.
ANNA: Tengo frío. ¿Por qué hace tanto frío siempre?
HENRIK (le echa una manta): Ahora sentirás calor.
ANNA: Me estás manchando con la espuma de afeitar.
HENRIK: Corazón mío. Quéjate y laméntate.

ANNA: Soy tan desgraciada, Henrik.
HENRIK: ¿Tan desgraciada eres?
ANNA: ¿Por qué tiene que hacer un frío tan horrible y una oscuridad tan espantosa? ¿Me lo puedes decir?
HENRIK: Esta es la vida que hemos elegido.
ANNA: Y tanto silencio. Y tanta soledad. ¿No podríamos *irnos* a algún sitio? Unas semanas nada más. Una semana nada más.
HENRIK: ¿Cómo podríamos permitirnos semejante lujo?
ANNA: *Yo* puedo. Y yo invito.
HENRIK: No puedo marcharme estando el párroco con gripe. Tú lo sabes.
ANNA: Maldita sea, qué mareada estoy.
HENRIK: ¿Quieres meterte en la cama?
ANNA: No, estoy mejor aquí contigo. (Abrazo).
HENRIK: ¡Quéjate más!
ANNA: ¡Echo de menos a mamá! Es un disparate, pero echo de menos a mamá.
HENRIK: Entonces escribo una carta muy educada y le digo a tu madre que venga a vernos: Sería para nosotros una alegría entrañable que tía Karin quisiera al fin tomarse la molestia de visitarnos aquí, en este erial.
ANNA: Sería horroroso.
HENRIK: Pues entonces, no sé.
ANNA: Echo de menos Trädgårdsgatan. Echo de menos a mamá, a Lisen y la casa. ¡Y a Ernst! (Lloriquea). ¡Echo de menos a mi hermano!
HENRIK: Pobre amada mía.
ANNA: ¿*Quieres* otro hijo? Contesta con sinceridad. ¿Quieres otro hijo?

HENRIK: Quiero diez. Ya lo sabes.
ANNA: ¿Preferiblemente niñas?
HENRIK: Ya que lo preguntas, me gustaría tener una niña esta vez. A ti también te apetece más una niña.
ANNA: A mí no me apetece en absoluto estar embarazada.
HENRIK: Voy a portarme muy, muy bien.
ANNA: Tú eres como eres.
HENRIK: ¿Con qué tono lo dices?
ANNA: Es que eres tan infantil, Henrik. Yo quiero tener por fin un marido adulto y maduro.
HENRIK: Para poder ser tú la pequeña y la infantil.
ANNA (con bondad): Eso es una necedad y una vulgaridad.
HENRIK: Si quieres ir a pasar unas semanas con tu madre…
ANNA: ¿Proporcionarle ese triunfo? ¡Nunca!
HENRIK: Bueno, pues entonces, no sé.

Están sentados en el suelo, abrazados, envueltos en la gran manta de la cama. Amanece, la nieve cae a bocanadas con furia, silenciosamente, pero sin piedad.

Jueves por la tarde a comienzos de diciembre. Círculo de costura en la casa rectoral. Todo es como siempre, pero hay menos concurrencia que de costumbre, solo cinco, cosa que no se puede atribuir únicamente al frío, al estado de las carreteras o a la escasez de queroseno, velas, café y otros artículos.

Hay razones para presentar a la concurrencia: Gertrud Tallrot tiene setenta años y está viuda desde hace mucho tiempo, su marido trabajaba en la herrería. En la actualidad, echa una mano en la oficina de Correos cuando necesitan ayuda. Es alta, flaca y cargada de espaldas, sus ojos son claros detrás de los anteojos, barbilla grande con algo de barba, buen humor y voz grave. Chaqueta grande y botas. Se rasca la oreja con la aguja de hacer calceta, lo que parece arriesgado.

Alva Nykvist anda por la cincuentena y trabaja desde hace muchos años en la oficina de la explotación. Es regordeta, pálidamente madura y muy sociable, tiene los ojos negros y llenos de curiosidad. Cuenta con gusto catástrofes locales y rumores interesantes. Está soltera y se ocupa sin ternura de un primo inválido. Ha leído bastante, es piadosa y hace viajes al extranjero. Pertenece, por decirlo así, a la clase alta del poblado de la explotación, puesto que vive de la herencia de su padre, que era un próspero mayorista de Gävle.

La señora Magna Flink se ha hecho amiga de la familia Bergman al correr de los años. Su marido pasa la mayor parte del año viajando, es representante de máquinas herramientas con sede en Enköping. Magna es una espléndida belleza morena, decidida y muy consciente de su importancia. Ella es la que organiza el Cuerpo Auxiliar Femenino del municipio. Los hijos ya son mayores y estudian en Upsala. Si hubiera que decir algo desfavorable del carácter de Magna Flink, sería que es celosa y posesiva, cosa que oculta con cierta habilidad.

Märta Werkelin tiene treinta años y es la nueva maestra de la escuela primaria. Fehacientemente buena, callada, tiene los ojos azules, un poco saltones. Parece estar siempre asombrada, su pelo es espeso, rubio ceniza, y es femenina sin saberlo. Como hace poco que ha llegado a la localidad, no está muy informada de las cosas.

Tekla Kronström está casada con un obrero de la serrería. Es madre de cinco hijos. Penetrantes ojos grises, frente amplia, pómulos altos, boca grande (conserva todos los dientes), pechos grandes y trasero voluminoso. Tiene la nariz respingona, el pelo corto y es de baja estatura. Las cinco mujeres participan en el círculo de costura de esta tarde, toman café de diente de león y escuchan la lectura del pastor.

HENRIK (lee en voz alta): «Lejos de reducir el valor de Luden, la ira ante esta derrota de su ambición le hizo cobrar nuevos ánimos. Como todas las personas que, por instinto, acceden a una esfera más alta y llegan antes de poder arreglárselas allí, Lucien tomó la resolución de sacrificarlo todo para quedarse en la alta sociedad. Durante su caminata fue sacándose uno a uno todos los dardos envenenados que había recibido. Hablaba en voz alta consigo mismo, echaba reprimendas a los tontos con los que se había encontrado, daba con ingeniosas respuestas a las estúpidas preguntas que se le habían hecho, enojándose por que la inspiración le llegara así, *post festum*…».

Henrik calla, vuelve la página: otro capítulo; cierra el libro con un golpecito y lo deja en la mesa redonda junto a la lámpara de queroseno. Anna se levanta y le sirve café. Todos parecen engolfados en lo que hacen sus manos. Henrik moja los labios en la amarga bebida y posa la taza.

HENRIK: Creo que, a diferencia del héroe de Balzac, voy a ir directamente al grano.

Ninguna de las invitadas parece reaccionar. Anna sirve más café. El perro Jack bosteza.

HENRIK: Me pregunto por qué somos tan pocos últimamente.

Silencio.

HENRIK: A comienzos del otoño éramos entre veintiuno y treinta y cinco. Ahora somos (cuenta) cinco. Más Anna y yo… y Jack, claro está.

Silencio.

HENRIK: Digamos que es por el frío y por el estado de las carreteras, pero yo no creo que eso lo explique todo.

Silencio.

HENRIK: Me gustaría saber si hay otra explicación. Si alguna de ustedes puede dar con otra explicación.

Silencio. Todas están concentradas en su labor.

HENRIK: Entonces voy a preguntar directamente. ¿Qué piensa usted, señora Tallrot? (Pausa). Porque usted trabaja a veces en Correos y ve a muchísima gente.

La aludida, Gertrud Tallrot, se rasca su gran barbilla y mira con los ojos entrecerrados por encima de los anteojos.

GERTRUD: No sé qué decir. (Pausa). Yo, por mi parte, creo que la gente tiene un poco de miedo o algo así. No sé, pero es lo que creo.

HENRIK (sorprendido): ¿Miedo?

TEKLA: Yo no soy de esas que van mucho a la iglesia, porque yo eso no lo hago. Pero una no puede dejar de notar ciertas cosas.

HENRIK: Es verdad, la gente no acude tanto.

TEKLA: Aunque lo uno no tiene necesariamente que ver con lo otro.

MAGNA: Yo tampoco lo creo.

Algunas de las otras mujeres están de acuerdo: no, las razones son, seguramente, diferentes. Silencio.

HENRIK: No.

MÄRTA: Puede que sea por el predicador ese de los amigos de Pentecostés.

HENRIK: Podríamos dejar la iglesia a un lado y hablar de nuestros jueves por la tarde. La señora Tallrot dice que la gente tiene miedo. ¿Por qué causa habría de tener miedo la gente?

ALVA (vivamente): Todo el mundo lo sabe.

HENRIK: Yo no.

ALVA: Abajo, en la oficina, dicen que hay una *lista* de todas las que están en el círculo de costura.

HENRIK: ¿De verdad?

ALVA: Yo no he visto esa lista, es cierto, pero Torstensson, el de la oficina, dijo que había una lista y que estaba guardada en la caja fuerte del ingeniero.

HENRIK: ¿Y para qué quiere Nordenson esa lista?

TEKLA: No es muy difícil de imaginar. Si es que es verdad.

ALVA: ¿Por qué no iba a ser verdad?

TEKLA (irritada): Porque ese Torstensson es un mierda que anda inventándose cosas para asustar a la gente. Igual que su amo y señor.

HENRIK: De todas maneras, no lo comprendo. Iba Nordenson a…

ALVA: También yo he oído hablar de una lista. Pero ¿hay *alguien* que haya sufrido molestias o mal trato?

GERTRUD: Sí hay, sí. A Johansson y Bergkvist y Frydén los despidieron sin explicaciones, y a Granström lo han trasladado a un puesto peor. Y peor pagado.

TEKLA: El capataz, Santesson, quiero decir, vino a preguntarle a mi Adolf si yo seguía asistiendo a los jueves del pastor. ¿Sigue yendo tu comadre a las reuniones de comadres de los jueves de ese pastor de comadres? Adolf se puso furioso y le dijo a Santesson que la verdadera comadre era él y que dejara de… bueno… que a él le importaba un huevo lo que hacía su Tekla los jueves.

HENRIK (pálido): ¡Pero esto no es posible!

MÄRTA: Todos se acuerdan de cuando Nordenson fue a la capilla por San Juan.

GERTRUD: Sí, es natural. Hay que comprenderlo.

MÄRTA: Yo trato un poco a Susanna, la hija mayor. Susanna me ha dicho varias veces que su padre no puede perdonar una cosa así, la humillación aquella delante de los confirmandos no puede perdonarla Nordenson jamás.

HENRIK (asustado): Pero ¿por qué nadie ha…?

TEKLA: ¿Por qué nadie ha dicho nada? ¿Eso no es pedir demasiado, pastor?

ALVA: Decir, se han dicho muchas cosas, pero no al pastor. Ni a la señora tampoco.

ANNA: Magna, ¿estabas al tanto de esto? Y no nos has dicho nada. Eso es...

MAGNA: He oído bastantes chismorreos, pero la verdad es que no me he preocupado, porque creo que...

ANNA: Pero es que tú misma has visto que nuestros jueves...

MAGNA: Sí, claro que lo he visto. Pero yo creo que hay una explicación mejor.

ANNA: ¿Una explicación mejor? ¿Qué quieres decir?

MAGNA: Ya hablaremos de eso otro día.

ANNA: ¿Por qué no ahora?

MAGNA: Porque, entonces, tanto la señora Kronström como la señora Tallrot se van a molestar, y no quiero que se molesten.

HENRIK: Quiero... Exijo (sulfurado), te *exijo* que digas lo que sepas. O crees saber.

TEKLA: Por mí que no se corte. Más enfadada de lo que estoy, ya no puedo estar.

GERTRUD: Si se trata de eso que *todas* sabemos, mejor será preguntarle al pastor directamente.

ALVA (de repente): Aunque yo pienso que hay una tercera explicación.

HENRIK (asustado de veras): Magna, tú dices que eres amiga nuestra. Te lo ruego. Dinos lo que sabes.

MAGNA: El párroco le dijo a su ama de llaves, la señorita Säll, que Henrik y Anna habían ido a visitar a la reina Viktoria a palacio en junio, a primeros de junio debió de ser. La señorita Säll se fue de la lengua con algunas del Cuerpo Auxiliar Femenino, supongo que estarían todas alabando a Henrik, y entonces debió de decir que no lo vamos a tener aquí mucho tiempo porque le han ofrecido ser *predicador de la Corte*. Luego llegó el verano y después el otoño y todos hablaban de eso y muchos se enfadaron, supongo. Muchos pensaron seguramente que Henrik era falso al no decir nada de que iba a dejar su trabajo aquí, entre nosotros.

ANNA: ¿Por qué no has dicho nada tú misma?

MAGNA (molesta): Si vosotros dos pensáis iros sin decir nada, no seré yo la que corra detrás para enterarme de los motivos.

ANNA: ¡Pero, Magna!

MAGNA: Puede ser que una hubiera agradecido una palabra que otra. No hay que darle tantas vueltas.

ANNA: ¡Pero, Magna! *¡Si dijimos que no!* A Henrik se lo propusieron la primavera pasada. No se trataba para nada de ser predicador de la Corte. Se trataba de un puesto de capellán en un gran hospital en el que la reina es presidenta del Consejo de Dirección. Estuvimos tentados de aceptar, no es para extrañarse. Pero Henrik *dijo que no*. Yo tenía más dudas. ¡Pero Henrik *dijo que no*!

MAGNA: Vaya. (Todavía molesta).

ANNA: Ahora ya lo sabes todo. No era nada para contar.

MAGNA: Sobre eso, se pueden tener opiniones diferentes.

ANNA: Nada ha cambiado. Nos quedaremos aquí. Lo hemos decidido.

MAGNA: ¿Como una especie de sacrificio?

ANNA: *Nosotros queremos* estar aquí.

MAGNA: Muy amables.

HENRIK: No entiendo por qué estás tan enfadada.

MAGNA: No estoy enfadada. Estoy dolida.

HENRIK: Pues no entiendo por qué estás dolida.

MAGIA: No, desde luego.

TEKLA: Cuando ustedes dos llegaron a Forsboda, todos nos alegramos, o no sé cómo llamarlo. Quiero decir, que no solo la gente que va con frecuencia a la iglesia, sino que la mayoría estaba contenta.

Se abre la puerta y entra Mia con un cesto de leña. Sopla las brasas de la estufa de azulejos y echa la leña, el fuego llamea.

GERTRUD: De repente una se figura que hay como una confianza.

MÄRTA: El pastor venia a veces a la escuela y rezaba la oración de la mañana o daba la lección de historia de la Biblia. Eso nos gustaba mucho. A los niños y a mí. Estábamos deseando que volviera. Nos decíamos unos a otros: ya hace tiempo que no viene el pastor, no tardará en venir.

HENRIK: ¿Por qué nadie dijo nada?

MÄRTA (confundida): ¿Qué íbamos a decir?

HENRIK: Podían haber dicho: Vuelva pronto.

MÄRTA: ¿Debíamos haber dicho eso?

HENRIK: Por ejemplo.

MÄRTA: Perdone, pastor, pero eso no hubiera sido de buen tono. Eso hubiera sido un atrevimiento.

HENRIK: Nosotros creíamos que pertenecíamos al grupo.

Silencio. Gertrud Tallrot estira su calceta contra la mesa, mueve la cabeza. Alva Nykvist hace un dobladillo, su aguja se mueve apresuradamente. Corta el hilo con pequeños dientes blancos, su mirada es vivaz y curiosa. Magna Flink está sin hacer nada, con sus grandes manos en el regazo, el bastidor de bordar está junto a ella en la mesa. Está dolida, tiene las mejillas rojas y traga saliva. Märta Werkelin se ha estirado para alcanzar el libro de lectura y está hojeándolo sin ver. Suspira con precaución. Tekla Kronström vuelve su pesado cuerpo para mirar a Anna, que está detrás de ella con la cafetera. Henrik tiene las manos apoyadas en los brazos de la butaca, ilustración involuntaria de un sentimiento: Qué está pasando ahora mismo, aquí en este comedor nuestro que tan bien conocemos, a la luz de nuestra modesta lámpara que, por cierto, humea un poco, el queroseno es muy malo. Tengo que acercarme a la mesa y arreglar la mecha para que la llama no ensucie el techo. Henrik se levanta con circunspección, se acerca a la mesa, levanta los brazos y baja la roja llama humeante.

HENRIK: Echa humo.

GERTRUD: Es el queroseno, que es muy malo.

ALVA: En Gävle no se encuentra queroseno. Lo oí abajo, en la oficina.

TEKLA: No tardaremos en quedarnos a oscuras como salvajes prehistóricos. Y royendo huesos viejos.

MÄRTA: Mi padre me decía en una carta que es seguro que vamos a entrar en guerra. Para ayudar a Finlandia. Y entonces vendrán los rusos con su flota y atacarán Söderhamn y Gävle y Luleå, quemando y devastando todo como la otra vez.

ANNA: La guerra tiene que terminar pronto.

TEKLA: No terminará hasta que no se imponga la gente y mate a los generales.

Vuelve a hacerse el silencio. Henrik se sienta en una silla ante la mesa del comedor, se pasa las manos por la cara, la sensación de vértigo no lo abandona.

HENRIK: ¿Así que todo han sido nada más que figuraciones de Anna y mías?

TEKLA: ¿A qué se refiere usted, pastor?

HENRIK: Creíamos que nosotros... (Se calla).

GERTRUD: Nadie les reprocha a ustedes nada. Se hace lo que se puede. Buena voluntad hay de sobra. De todas maneras, al final, se enreda la madeja.

TEKLA: Si yo hubiera estado en su lugar, habría aceptado la propuesta y me habría marchado de aquí cuanto antes. Aquí, en Forsboda, no hay nada que hacer.

ANNA: Nosotros creíamos que podíamos ser útiles.

TEKLA: Perdón, ¿útiles en qué?

ANNA: Ser útiles. (Perpleja).

TEKLA: Es conmovedor. De verdad.

GERTRUD: Tekla, no sea mala.

TEKLA: ¿Qué puede hacer un hermoso pastorcito con su hermosa esposa, aquí, en esta miseria?

GERTRUD: Tekla habla como una bolchevique.

TEKLA: Bah, bobadas. Tú, Gertrud, no tienes que ponerte a defender a nadie. Al pastor, sobre todo, no tienes ninguna necesidad de defenderlo. No le falta de nada. Tiene sus ingresos del Estado asegurados.

ALVA: Yo he oído otra explicación.

TEKLA: Nadie tiene el menor interés por tus explicaciones. Y ahora me voy a casa antes de ponerme a hablar demasiado.

Tekla Kronström suspira y empieza a recoger laboriosamente sus pertenencias. Finalmente se quita los lentes y los coloca en una vieja funda. Le echa una larga mirada a Anna.

ANNA: ¿Puedo hacerle una pregunta, señora Kronström?
TEKLA: Desde luego.
ANNA: ¿Por qué ha venido usted todos los jueves? Quiero decir, que si…
TEKLA: No hay ninguna relación entre lo nuestro y lo de ustedes. Ustedes no entienden cómo pensamos y no nos comprenden. Así es en todos los aspectos.
ANNA: No ha contestado a mi pregunta.
TEKLA: Ah, ¿no? La contestación es sencilla. Me gustaban el pastor y su esposa. Me gustaba oírle leer esas novelas. Quería pasar aquí unas horas con las otras mujeres. Me parecía agradable.

Da la mano sin decir nada más y se despide de las otras mujeres con una inclinación de cabeza. Se marcha, entre laconismo y bochorno; las palabras están suspendidas en la habitación como trapos mojados. Alva Nykvist quiere ser útil, recoge la mesa, quita las migas con un pequeño cepillo de plata y ayuda a doblar el mantel. De pronto dice: No, pero me parece que las otras ya se han ido, solo quedo yo. Anna y Henrik están indecisos, evitan mirarse.

ALVA: Aquí se ha hablado de unas cosas y de otras. Y de esa *lista*, claro. Pero yo creo que hay otra razón. Otra peor. Que no será más que una mentira, claro, como todo lo demás.

Anna, Henrik y Alva Nykvist están de pie. Henrik trata de encender su pipa, Anna ha empuñado el atizador para revolver las brasas de la estufa. Alva tiene los brazos cruzados y la cabeza un poco echada hacia atrás. Mira con los ojos entrecerrados. Ni Anna ni Henrik le han dicho que se quede ni que hable.

ALVA: Si yo no supiera que lo que voy a decir ahora es una vergüenza, sí, una vergonzosa calumnia, no diría ni una palabra, eso seguro. Ustedes tienen que comprenderlo.

Espera una reacción que no se da. Carraspea y baja la cabeza. Se mira la punta del zapato, que asoma por debajo del dobladillo de la saya.

ALVA: La cosa es que lo más *venenoso* no lo quiere mencionar nadie. Me dan ustedes mucha lástima. Especialmente me da lástima la señora Bergman, claro.

Espera unos segundos, pero nadie dice nada. Jack se levanta y se pone al lado de las rodillas de Anna.

ALVA: La cosa es que muchos piensan que ese trato secreto con Nordenson es lo peor. Más bien quiere decirse la relación con la señora Nordenson. O, más exactamente aún, la relación del *pastor* con la señora Nordenson. Muchos están indignados. Y muchos dicen que comprenden por qué Nordenson siente tanto aborrecimiento por el pastor. Me refiero a toda aquella historia con las hijas. Al parecer, no se trataba de las hijas. Muchos dicen que les da lástima

Nordenson. Que es una pena y una vergüenza. No es que yo ande chismorreando, pero todo el mundo sabe que la señora Nordenson, que Elin, es un poco ligera de cascos. Es tan guapa y tan llana, la señora Nordenson. Y tiene una sonrisa tan amable, pero hay un hedor, sí, un hedor de libertinaje a su alrededor. Así que esa lista, si es que hay una lista, no es la verdadera razón de que la gente no acuda a la iglesia y a los jueves.

Todo esto se dice en un tono cortés, objetivo. La señora Alva Nykvist no se excita, tampoco se apresura. Deja que su oscura mirada vaya de Anna a Henrik y de Henrik a Anna, sonríe fugazmente, como disculpándose, en algún momento. Cuando al fin termina su información, hace un gesto de desamparo con la mano: Ahora ya lo he dicho todo. Fue doloroso, pero necesario, perdónenme, nosotros no creemos toda esta terrible…

Henrik corrobora con la cabeza y le da la mano.

HENRIK: Le agradezco la información. Ha sido muy valiosa. Anna y yo se lo agradecemos mucho. ¡Qué *noche*, señora Nykvist! Estoy impresionado. *Los dos* estamos impresionados. Y agradecidos. (Sonríe).

Alva Nykvist se marcha por fin. La puerta del vestíbulo se cierra. Henrik echa la llave y se vuelve hacia Anna. Tiene la cara pálida, pero se ríe.

HENRIK: ¡Ahora sí, Anna! Ahora lo sé seguro. Sé lo importante que es que no defraudemos a estas gentes. ¡Anna!

La abraza, conmovido, y por eso no puede verle la cara. De pronto alguien rasca el cristal de la puerta del vestíbulo y a continuación llama suavemente. Anna se suelta del abrazo y abre.

En la escalera está Märta Werkelin. Está emocionada y tiene lágrimas en los ojos: Perdonen que moleste, perdonen, pero tengo que decir algo importante. Anna la hace pasar. Se queda junto a la puerta bajo la alta lámpara de queroseno, busca apoyo en la pared y llora con vehemencia mientras se quita los gruesos guantes y el gran gorro de piel, el pelo rubio ceniza le cae suelto sobre los hombros. Anna y Henrik se quedan de pie sin saber qué hacer y reacios: ¿Por qué no pasamos a sentarnos?, dice Anna débilmente.

Märta Werkelin sacude con energía la cabeza y se suena: No, no, que me voy enseguida, es solo que tengo que decir una cosa primero. Se quedan todos de pie. Märta apoyada contra la pared, Henrik con la mano en el pasamanos de la escalera, Anna en la puerta del comedor. Märta estira su largo chal.

MÄRTA: Es tan terrible y lo siento tanto. ¿Por qué tiene que pasar lo de esta tarde? Es... grotesco. Es... enfermizo. Y yo sentí vergüenza. Vergüenza de no atreverme a decir lo que estaba pensando todo el tiempo. Pensaba que lo que está pasando ahora es *exactamente* como la historia de mi blusa.

Vuelve a sonarse, está sorprendentemente hermosa en su excitación, con lágrimas en los ojos ligeramente saltones, los labios abultados por el llanto y el brillante cabello cayendo por la espalda.

MÄRTA: Es como con mi blusa. Un día me puse una blusa bonita. Fue esta primavera, hacía buen tiempo. Quería que los niños vieran que la señorita podía ir bien vestida. Quería que vieran algo bonito. La blusa es de encaje auténtico, con cuello alto y botonadura rusa, si es que ustedes saben, y luego se ensancha sobre las mangas y con los puños de otro material. El encaje es calado y está forrado de seda roja, y luego me puse un broche de oro que he heredado. Me lo puse en el cuello y me hice una trenza con el pelo, que dejé colgando en la espalda. Y bajé con los niños y nos fuimos a la ladera que está a la bajada de la escuela y allí nos sentamos y tuvimos las lecciones y no pasó nada de particular. Luego empezaron las murmuraciones. Sobre la blusa. Nunca directamente. Y me dio tanta vergüenza... Era casi como si hubiera hecho algo indecente. Pero nunca vino nadie a decirme nada a la cara. (Pausa). Y esta noche era *exactamente* como con la blusa. No sé cómo explicar lo que quiero decir, pero es la misma cosa. ¿Qué odio es este, qué aversión es esta? Como si no fuera bastante estar tan lejos, en esta oscuridad. Y ahora el pastor se irá, yo lo comprendo. Ustedes no tienen por qué soportar todo este asco y esta oscuridad. Yo tengo que quedarme. A mí no me ofrece nadie que me vaya de maestra a palacio. (Se ríe). Parece envidia, pero no tengo envidia, ¡perdónenme! Les deseo de todo corazón que se vayan de aquí. Y ahora me voy, pobres de ustedes, que tienen que estar hartos de todas las porquerías de esta noche y encima vengo yo llorando a mares. Buenas noches y perdonen. No, no digan nada, les agradezco mucho que me hayan escuchado con tanta paciencia. Buenas noches.

Märta Werkelin extiende una mano frágil y da las buenas noches otra vez. Luego desaparece en la noche ártica, va medio corriendo por la cuesta hacia la verja. Y se aleja.

Anna apaga la luz del comedor y cierra las portezuelas de la estufa de azulejos. Una cólera pesada y muda le corroe la boca del estómago. Henrik apaga la luz del vestíbulo. La lamparilla de noche arde con una llama parpadeante en el vestíbulo de arriba, fuera de los dormitorios y del despacho. El claro de luna entra por la ventana que está a la derecha de la escalera. Esparcidos por la alfombra, juguetes y cubos de construcciones. Petrus y Dag han utilizado el vestíbulo para sus juegos, lo que, en realidad, está prohibido desde que Dag se cayó por la abrupta escalera. Henrik entra en el dormitorio y enciende la luz de las camas, se desnuda rápidamente, se lava en la palangana y se lava los dientes. La estufa está todavía caliente, las cortinas cuidadosamente corridas.

Anna recoge juguetes y cubos de construcciones. Anda de un lado para otro por la alfombra del vestíbulo. No es sistemática ni se da prisa. Tira algo en el gran cajón de madera, hace ruido. Luego lo deja todo y abre la puerta de la habitación donde duermen Dag y Petrus. (Es, en realidad, la habitación de Anna, que se convirtió en cuarto de los niños durante la estancia de Alma. Después de su muerte no se han decidido todavía a hacer el traslado). Los niños duermen profunda y tranquilamente. Dag está en la cama de Petrus. Anna levanta a su hijo y lo mete en su cama, posa la mano sobre su frente, sobre su pelo, sobre sus mejillas. La ira que no tiene palabras. Petrus respira silenciosamente, su cara está lisa, la boca entreabierta, se le mueven los párpados, un pulso late en la tensa garganta. ¿Es posible que esté despierto? No, seguro que duerme.

La cólera contra Henrik, sin palabras y ciega. Anda a tientas y a tropezones. El hijo se mueve en su vientre, inquieto, sin blandura.

Cierra la puerta y reanuda la tarea de recoger y limpiar el vestíbulo. Locomotoras de madera, piñas y una hoja de papel, cubos de construcciones, un gran soldado de plomo, un oso de peluche sin una oreja. Henrik se está lavando los dientes y escupe en la palangana, está escupiendo en la palangana, le ha pedido veinte veces que escupa en el cubo. Anna mide los pasos, apenas amortiguados por la alfombra de trapo. Henrik termina de lavarse los dientes, tira el agua al cubo. Silencio, porque Anna se ha parado con una muñeca de trapo en las manos. Claro de luna.

HENRIK (invisible): ¿Vienes?
ANNA: Enseguida.
HENRIK (invisible): ¿Pasa algo?
ANNA: No, qué iba a pasar.

Anna da unos pasos, se para indecisa, vuelve, vuelve a pararse, tira la muñeca de trapo en el cajón.

HENRIK (invisible): Es tremendo lo que estás taconeando ahí fuera.
ANNA: Te parece a ti, ya.
HENRIK: Pero los zapatos son bonitos. (Se asoma). De tacón.
ANNA: ¿Un poco impropios, tal vez?
HENRIK: ¿Qué quieres decir?

ANNA: Pensando en la reunión de esta tarde.
HENRIK: No, ¿por qué? (Pausa breve). ¿Vienes ya?
ANNA: Enseguida.
HENRIK (perplejo): Yo me acuesto mientras.
ANNA: Voy enseguida.
HENRIK: Bien. (Desaparea de la puerta). Bueno, pues… (Pausa).
ANNA: Henrik.
HENRIK: Sí. (Está ahuecando las almohadas de la cama).
ANNA: Hay que decirle a Petrus que se vaya. Cuanto antes.
HENRIK: Por favor, Anna. Dejemos eso para mañana, ¿quieres?
ANNA: No, *¡ahora!*

Está en la puerta del dormitorio empezando a quitarse las horquillas, tiene la cara medio vuelta, la voz un poco alterada, tiene que respirar.

HENRIK: No sé el porqué de esas prisas con Petrus, el pobre. No creo que moleste a nadie.
ANNA: Yo nunca he prometido que vaya a vivir aquí para siempre. Yo no he prometido jamás que vaya a ser su madre suplente. Tienes que hablar con la señora Johansson.
HENRIK: Bueno. (Dócil). Hablaré con la señora Johansson.
ANNA (estremecimiento interior): Bastante difícil es ya. No puedo asumir la responsabilidad de otro chico, deberías darte cuenta.
HENRIK: No estés tan enfadada, Anna.
ANNA: No estoy enfadada. ¿Por qué iba a estarlo?
HENRIK (se sienta en la cama): Ven y siéntate aquí.
ANNA: No, estoy bien de pie.

HENRIK: Hablaré con la señora Johansson.

ANNA: Cuanto antes. Mañana mismo.

HENRIK: En cuanto pueda.

ANNA: He intentado querer a ese pobre chico pero no puedo. Es como un *perro*.

HENRIK: Pues los perros te gustan.

ANNA (sonríe un poco): Idiota.

HENRIK: Verdaderamente es un chico raro.

ANNA: Es de una especie rara. Es mejor que resolvamos este asunto lo más pronto posible.

HENRIK: Va a ser una calamidad. Pobre chaval.

ANNA: Es que nosotros vamos a tener un hijo propio.

HENRIK (resignado): Claro.

ANNA: El crío no hace más que dar patadas y moverse todo el tiempo.

HENRIK: La cría. Es una niña.

ANNA: Petrus es… Me mira con esos ojos de perro y yo me enfado y luego me enfado conmigo misma porque no debo sentir aversión hacia un niño.

HENRIK (cansado): Han sido muchas cosas esta tarde y yo tengo que levantarme a las seis, ¿nos echamos a dormir?

ANNA: ¿Entiendes lo que quiero decir?

HENRIK (agotado): Claro que entiendo.

ANNA (se acuesta): Pues a dormir. Buenas noches.

HENRIK (la besa): Buenas noches, mal genio.

ANNA (le besa): Buenas noches, pastor.

Sopla las velas de la cama. Claro de luna. Petrus Farg está completamente inmóvil en el vestíbulo. Lleva una larga camisa de dormir con ribetes rojos y patucos.

La mañana es gélida, sin viento y brumosa. Nieva un poco. En la casa rectoral, la infatigable Mejan ha caído enferma y está en la cama, tiene mucha fiebre y una tos muy fuerte, lleva una media enrollada en la garganta, su cara está roja y los ojos le brillan. Mia, que comparte la cama con Mejan, está también resfriada, pero prepara la comida en la mesa de la cocina. (En la casa rectoral se desayuna a las siete y media: gachas, huevos y pan con manteca. A la una se sirve algo caliente para beber, pan con manteca, fiambres y un plato caliente; se llama, con toda propiedad, comida del mediodía. La cena es a las cinco y consiste en dos platos cocinados. Antes de ir a la cama se toma té o leche con galletas, manteca y queso). Mia está, pues, preparando la comida junto a la mesa de la cocina, unta el pan con manteca y pone encima los fiambres, prepara la mesa y ordena. El mozo de la finca ha traído leña y la está apilando en la leñera. Anna y Petrus, con un cesto de astillas cada uno, las distribuyen por las insaciables estufas de azulejos. Dag ya está sentado en su silla mordisqueando un bizcocho a la par que se queja y moquea.

ANNA (entra): … A partir de hoy dejaremos de encender en el salón, en el comedor y en el cuarto de los niños. Tenemos que conformarnos con mantener calientes la cocina, el cuarto de servicio y las habitaciones de arriba. No sé si Dag no tendrá fiebre.

MIA: Mocoso está, desde luego.

ANNA: Y Mia, ¿cómo anda?

MIA: Peor está Mejan. Tose tanto que baila la cama. No se puede dormir mucho.

ANNA: Tendrás que dormir con Petrus y Dag. Pondremos el catre.
MIA: Con tal de que Mejan se ponga buena.
ANNA: Tiene que tomar cosas calientes y abrigarse.

Anna echa sales de Ems y agua caliente en una taza y se la lleva a Mejan, que parpadea con los ojos enrojecidos; tiene los labios resecos y una tos estruendosa.

MEJAN: Me siento mejor, así que me parece que me voy a levantar para la comida.
ANNA: Tómate esto y quédate en cama.
MEJAN: Pero es que tengo que ir al retrete.
ANNA: Tendrás que usar el cubo, no hay otro remedio.
MEJAN: Es una calamidad.
ANNA: Peor podíamos estar. Tenemos calefacción, comida y aún nos queda queroseno. Vamos a ver cuánta fiebre tienes. Treinta y nueve justos, eso quiere decir que has bajado unas décimas. Ya verás cómo dentro de unos días estás bien.
MEJAN (tose): Debo de estar tísica.
ANNA: No estás tísica, Mejan. Eso te lo puedo asegurar.
MEJAN: La señora ha sido enfermera. Así que la señora sabrá.
ANNA: Así es. Acuéstate, voy a traerte el jarabe.

Anna sale a la cocina y cierra la puerta del cuarto de servicio. Mejan tose. Mia se ha puesto las ropas de abrigo y botas.

ANNA: ¿Adonde vas?
MIA: A Correos. El pastor espera el periódico.
ANNA: Pero ¿vas a salir con este frío estando acatarrada?

MIA: Iré en el trineo, han quitado la nieve.

ANNA: Voy a hacer las camas. Comeremos dentro de una hora, ¿estarás de vuelta?

MIA: Seguro.

Mia sale y se aleja en dirección a la verja impulsando el trineo con los pies. Anna saca un libro de cuentos con ilustraciones y se lo da a Petrus: Siéntate aquí a leerle un cuento a Dag mientras voy arriba a hacer las camas. Tú y Jack cuidad de Dag y de vosotros mismos. Jack, que se ha adormecido al calor del fogón, se levanta inmediatamente y toma nota de su responsabilidad.

Anna se arrebuja en la gran chaqueta de lana y se apresura a cruzar el cuarto de estar y el comedor, que están helados. Sube corriendo las escaleras hasta el vestíbulo de arriba, donde el cajón de los juguetes sigue sobre la alfombra. Lo levanta y lo mete en el cuarto de los niños. Empieza a hacer las camas enseguida con movimientos rápidos y furiosos. Henrik aparece en la puerta.

ANNA: Entra y cierra la puerta, que no salga el calor.

HENRIK (obedece): He estado pensando en nuestra conversación.

ANNA: ¿Qué conversación?

HENRIK: ¿Qué conversación? Hablamos de Petrus.

ANNA: Ah, Petrus. No corre tanta prisa.

HENRIK: Anoche había que sacarlo de aquí cuanto antes.

ANNA: Ah, ¿sí?

HENRIK: No puedo estar ahí dentro escribiendo el sermón del domingo sabiendo que tengo que echar a Petrus. No puedo.

ANNA (amable): Haz lo que quieras.
HENRIK: Debemos decidirlo juntos.
ANNA: Sí, claro. Pues ahora decidimos juntos que hagas lo que quieras. Tu sermón es, verdaderamente, importante. (Sin ironía). Tenemos que pensar en eso.
HENRIK: Petrus es un semejante.
ANNA (deja de hacer las camas, se queda mirándolo).
HENRIK: ¿Qué pasa?
ANNA: Nada.
HENRIK (la sujeta): Anna, no seas tan adusta.
ANNA: Yo también soy un semejante, aunque dé la casualidad de que soy tu esposa.
HENRIK: ¿No podemos ayudarnos el uno al otro?
ANNA: ¿Ayudarnos el uno al otro?
HENRIK: ¡Anna!
ANNA (con amabilidad): ¡Pues claro, amigo mío! Nos ayudaremos el uno al otro. Anda, vete a tu despacho y escribe tu sermón, dejaremos el asunto pendiente hasta más adelante. ¿Te parece bien así?

Henrik sigue allí, chupando su pipa apagada, que cruje débilmente. Lleva una amplia chaqueta y un chal sobre los hombros, pantalones arrugados con bolsas en las rodillas, zapatillas, calcetines de invierno y las perneras del pantalón metidas en los calcetines. Probablemente quiere añadir algo, pero Anna sigue haciendo las camas y se ha vuelto de espaldas. Por eso se retira cabizbajo a su sermón y al texto evangélico que le pagan por interpretar desde el púlpito. «Y se verán fenómenos prodigiosos en el sol, la luna y las estrellas, y en la tierra estarán consternadas y atónitas las gentes por el estruendo del mar y de las olas; secándose los hombres de temor y sobresalto por las cosas que han de sobrevenir a todo el universo».

Tengo que estar frente a un puñado de personas, mirarlas a la cara y decirles Lo Inconcebible. Henrik se muerde una uña rota: ha vuelto a morderse las uñas como en la infancia. ¡Y encima Anna, que está tan hosca y embarazada!

Anna vuelve al cuarto de los niños para seguir limpiando; la actividad le hace bien: Pobre Henrik, qué mala soy, me porto como una verdadera bruja. Se ríe para sí misma y endereza la espalda, mira por la ventana.

Al principio no comprende, luego comprende y grita, como en un sueño: ve a Petrus corriendo en calcetines, con la cabeza al aire y sin abrigo. En los brazos lleva a Dag que se agarra todo lo que puede a su cuello con los brazos. Jack corre detrás en movimientos circulares. Petrus va resbalando y corriendo y descolgándose, cuesta abajo por el sendero, hacia el lavadero. Petrus corre con Dag en brazos. Hacia el río.

Anna se precipita escaleras abajo y trata de atajar a Petrus cruzando la pendiente. Enseguida se hunde en la nieve hasta las rodillas. Ve que Petrus se aleja cada vez más, el último trozo del camino termina bastante abruptamente sobre el agua. Camina pesadamente en la nieve, se cae, es como un sueño, apenas avanza. Le grita a Petrus que se detenga, él vuelve la cabeza, pero sigue corriendo. Ahora se descuelga por la cuesta en la resbaladiza pendiente. Anna ve a Henrik que llega corriendo, toma la franja del camino que no tiene nieve, se cae de bruces, se levanta, resbala y vuelve a caerse. Petrus ha desaparecido cuesta abajo, lleva a Dag delante con mucho cuidado y Dag grita. Jack salta en círculos, no acaba de entender lo que está pasando.

Anna logra al fin desprenderse de la nieve, corre dando traspiés entre los montones de nieve y se desliza por la resbaladiza pendiente. A la orilla del río está Henrik con su hijo en brazos. Petrus está sentado en el suelo. Sangra por la nariz y tiene el labio partido. La sangre cae en la nieve, está sentado con la cabeza baja, inclinado hacia delante, sin quejarse, apoyando las palmas de las manos en la nieve. Anna llega hasta Dag, que sigue llorando, trata de calmarlo, corren las lágrimas y los mocos, tiene nieve en el pelo. Por fuera del lavadero, la corriente no deja que el agua se hiele, brama amenazadora y negra contra la blanca orilla de hielo. Henrik levanta a Petrus por el cuello, se quedan de pie, jadeantes. Anna va camino de la casa seguida de Jack. Vuelve la cabeza y mira. Henrik le está pegando al niño en la cara, pega fuerte, Petrus se cae. Él le levanta y vuelve a pegarle, el niño cae de lado y se queda en el suelo.

Henrik lo agarra del cuello para que se ponga de pie y lo lleva a rastras por el camino. Lo mata, piensa Anna con indiferencia. Petrus no llora, tiene la cara hinchada y ensangrentada, las manos están ensangrentadas.

A la mañana siguiente está la señora Johansson sentada a la mesa de la cocina de la casa rectoral. Henrik está en la puerta de la cocina, se ha puesto las botas y la zamarra de piel, el gorro de punto lo tiene en la mano. En el patio aguardan un caballo y un trineo. Anna entra en la cocina empujando a Petrus delante de sí, se paran en mitad del piso. Jack se mueve y mueve la cola intranquilo.

ANNA: Buenos días, señora Johansson.
SEÑORA JOHANSSON: Buenos días, señora Bergman.
ANNA: Disculpe este desorden. Las dos chicas están enfermas.
SEÑORA JOHANSSON: Por todas partes es igual. En la serrería hay solo la mitad de la gente y en la escuela la maestra está enferma, así que la maestra vieja la sustituye.
ANNA: Creo que Petrus tiene todas sus cosas. Le he puesto también algunos libros. A Petrus le gusta leer.

Petrus está en mitad de la cocina sin mirar a nadie. Su mirada es ciega, está vacía de expresión. Tiene una hinchazón junto a un ojo y un labio rajado.

SEÑORA JOHANSSON: El pastor me lo ha contado todo. No hay mucho que añadir.
ANNA: Espero que comprenda que, en las actuales circunstancias, no nos atrevemos a...
SEÑORA JOHANSSON: No, no. Claro que no. No hay nada que discutir sobre eso.
ANNA: Adiós, pues, Petrus.

Anna le da unas palmadas en la mejilla, él hurta la cabeza.

SEÑORA JOHANSSON: Lo mejor es que nos vayamos ya.

Se incorpora pesadamente y le estrecha la mano a Anna: Tengo que dar las gracias por toda la paciencia y las atenciones.

Anna mira hacia otro lado: Es una lástima que terminara así. La señora Johansson está avergonzada: Ustedes no podían encargarse del chico para siempre.

Permanecen de pie. Finalmente la señora Johansson agarra a Petrus por la nuca y lo empuja hacia la puerta. Henrik agarra la maleta y salen en silencio. Jack los acompaña, le gusta ir en trineo. Henrik ayuda a la señora Johansson y a Petrus, los tapa con las pieles y se sienta en el banco del cochero, arrea al caballo, los cascabeles repican. El trineo desaparece cuesta arriba, hacia la verja.

Anna se queda mirándolos. Hay una gran oscuridad. Poco a poco se obliga a salir de su inmovilidad y llama a la puerta del cuarto de servicio. Está muy apretujado. El catre de Mia bloquea la entrada. Está acostada, encogida, con la frente sudorosa. Mejan está sentada en el sofá cama haciendo punto, tose sordamente. La estufa crepita, las portezuelas castañetean, parece una sauna y huele a sudor y a ventosidades.

Mañana me levanto, dice Mejan decidida. Solo si no tienes fiebre, contesta Anna. ¿Cómo está Mia? Me parece que delira. Habla tan raro que me hace reír, dice Mejan. Deberías ventilar un poco, dice Anna. Está muy cargado el ambiente. No, que no quiero que se vaya el calorcito, dice Mejan tosiendo. ¿Tomas tu agua de Ems? Sí, sí. ¿Y Petrus? ¿Se ha ido? Sí, ya se ha ido Petrus. A mí ese chico nunca me gustó, dice Mejan concluyente haciendo sonar las agujas de tejer. ¿Seguro que no quiere que friegue? ¡Tú te quedas en la cama!, dice Anna, y sale a la cocina cerrando la puerta.

Junto al fogón hay una cisterna de cobre con agua caliente. Anna abre el grifo, el agua caliente echa humo al caer en la tina de fregar. Echa agua fría y un poco de jabón blando (artículo escaso). Levanta la tina y la pone en el fregadero, se le resiente la espalda, pero está muy adentro en sus tinieblas y las lágrimas se le caen. Empieza a fregar los platos de la cena de anoche. De pronto se para, se seca las manos y se sienta a la mesa. Se oyen ruidos y chasquidos en el fogón, pero el resto es silencio. Un silencio gigantesco que se abate sobre los hombros de Anna y se levanta como una columna contra el espacio helado.

Ha permanecido sentada bastante rato, tal vez se ha dormido unos minutos. Oye los cascabeles junto a la verja, el vecino que les ha prestado el trineo se acerca a zancadas. Henrik saluda, se baja, le entrega las riendas. Los dos hombres hablan durante unos instantes, Henrik se sacude la nieve en la escalera. Anna se levanta, se dobla hacia atrás, a veces le duele la espalda o puede ser que esté enferma, no sería muy extraño. La puerta se abre y se cierra. Anna friega. Henrik está en la puerta quitándose la zamarra. Anna friega, Henrik se sienta en una silla y se quita las botas. Anna friega. Hace ruido: vasos, platos, tenedores, cucharas, cuchillos. Henrik se sienta junto a la ventana, tiene la zamarra en las rodillas, las botas a su lado, el gorro y los guantes encima de la mesa. Mira de hito en hito a Anna, que está fregando. Jack se mete debajo de la mesa.

HENRIK: Fue mejor así.
ANNA (friega).
HENRIK: No había ninguna posibilidad de que se quedara.
ANNA (friega).
HENRIK: Yo creo que lo comprendió.

ANNA (hace ruido).
HENRIK: Ni siquiera lloró.
ANNA (pone los platos en la tina).
HENRIK: ¿Por qué no contestas?
ANNA (no contesta).
HENRIK: Anna, ¡así no podemos seguir!
ANNA (friega).
HENRIK: No tienes ningún motivo para portarte así.
ANNA (deja de fregar, se queda de pie).
HENRIK: Es como si todo fuera culpa mía.
ANNA (mueve la cabeza, friega).
HENRIK: ¡Deja de fregar y date la vuelta!
ANNA (no deja de fregar y no se da la vuelta).
HENRIK (calla).
ANNA (calla).

Henrik se levanta de repente, cruza la cocina, se acerca a Anna, le quita el plato de la mano y lo estrella contra el fregadero de manera que saltan los añicos. Luego la agarra con fuerza por los hombros y la vuelve hacia él. Respira con violencia. La cara le tiembla.

HENRIK: *¡Habla conmigo!*
ANNA: Te has cortado con el plato. Te sangra el dedo.
HENRIK: Me importa un huevo.
ANNA (tranquila): Ven, vámonos de aquí. No hay necesidad de que nos oigan las muchachas.

Se seca las manos en el delantal y entra delante de Henrik en el cuarto de estar. Hace un frío horroroso.

HENRIK: ¿No podemos subir a mi despacho? Aquí hace un frío espantoso.

ANNA: No. He pasado a Dag a nuestra habitación. Solo vamos a encender el dormitorio y tu despacho. ¿Qué querías decir?

HENRIK: Tienes que hablar conmigo.

ANNA: No sirve para nada.

HENRIK: Lo que sea, Anna. Cualquier cosa es mejor que el silencio.

ANNA: ¿Y eso lo dices *tú*?

Henrik respira, el aliento forma nubes de humo. Anna está con la espalda contra la ventana, las manos metidas en las bocamangas de la chaqueta y los brazos cruzados. El delantal azul de Mejan le queda grande. El pelo está despeinado, la cara, cenicienta.

HENRIK: Lo que sea.

ANNA: Yo tengo una responsabilidad. Tengo la responsabilidad de Dag y del hijo que viene. *Mi responsabilidad* me dice que tengo que irme de aquí. Mi responsabilidad para con los hijos es más importante que mi lealtad hacia ti.

HENRIK: No entiendo.

ANNA: Tengo que agarrar a Dag y marcharme de aquí. Tú quieres quedarte porque esa es tu convicción. Yo respeto tu convicción, pero no la comparto.

HENRIK: Y ¿adónde vas a ir?

ANNA: ¿Adónde voy a ir? Voy a casa, naturalmente.

HENRIK: Tu casa es esta.

ANNA (calla).

HENRIK: No puedes hacerme tanto daño.
ANNA: Ya le he escrito a mamá.
HENRIK: Qué triunfo para ella.
ANNA: Eso es lo primero que se te ocurre.
HENRIK: Te prohíbo que te vayas.
ANNA: Tú no me prohíbes nada, Henrik.
HENRIK: ¿Cuánto tiempo piensas estar fuera?
ANNA: Cuando hayas recuperado el sentido común hablaremos del futuro.
HENRIK: ¿Qué futuro?
ANNA: He hablado con el párroco. Mejor dicho, el párroco habló conmigo. Me dijo que el ofrecimiento seguía en pie.
HENRIK: Así que has andado a mis espaldas.
ANNA: Sí, puede decirse que sí.

Les humea la boca. El frío presiona sus rostros y sus cuerpos. Permanecen inflexibles. Anna con la espalda contra la ventana, Henrik junto a la puerta.

HENRIK (tranquilo): Esto no te lo perdonaré nunca.
ANNA: Bueno, pues ya lo sabemos. Voy a la cocina a terminar de fregar.

Pasa por delante de él, él se vuelve y la sujeta con dureza del brazo para detenerla, ella se suelta y se echa a reír. Él le pega en la cara, ella se detiene y lo mira fijamente.

HENRIK (pánico): ¡Vete! (Grita). ¡Vete de una *puta vez*! ¡No quiero volver a verte! ¡Márchate! Has mentido y me has rehuido, has intrigado a mis espaldas. ¡Márchate! (Grita). ¡Vete de aquí inmediatamente!

Vuelve a pegarle. Ella retrocede y se lleva despacio la mano a la mejilla. Lo mira fijamente, no le quita los ojos de encima, más sorprendida que asustada.

ANNA (en voz baja): Tú no estás bien de la cabeza.
HENRIK: Ya sabía yo que acabaría así. Sabía que me dejarías. *¡Lo sabía!*

Ella no le escucha, sino que va a la cocina y cierra la puerta detrás de sí. Henrik empieza a pasear, el frío de las tablas del piso le penetra por las piernas, el vientre y el pecho hasta llegarle a la garganta, a la boca, a los ojos.

Tres días más tarde ya está todo organizado para una partida nada dramática. Anna dice que lleva a su hijo a visitar a su madre en Upsala, cosa que todo el mundo encuentra natural. Los esposos hablan entre ellos con amabilidad y educación, Jack llora en silencio sobre las maletas. Anna se sorprende a sí misma cantando mientras hace el equipaje. Mia y Mejan ya están bien y el orden doméstico habitual está más o menos restablecido.

El pastor acompaña a su esposa a la estación. Hace viento, la nieve suelta se arremolina en nubes, el sol está rojo como una herida, son las nueve y media de la mañana. Se han refugiado en la sala de espera, una gran habitación con las paredes pintadas de marrón, bancos fijos y una enorme estufa de hierro que arde más que calienta. Mia está facturando las múltiples maletas, luego las pone en el andén, donde para el vagón de mercancías. Henrik y Anna están solos en la sala de espera. Están sentados uno al lado de otro en el banco de madera. Henrik tiene a Dag en las rodillas, pero él quiere bajarse. No hablan. Se oye la señal del tren que entra con estrépito por las vías, gruesas nubes blancas de vapor se forman en el frío.

El oratorio es una habitación fría con cuatro altas ventanas contra la tormenta de nieve y la noche ártica. Las paredes de madera, sin adornos, están pintadas de verde. En el podio hay un púlpito y un armonio. Detrás del púlpito cuelga una cruz de madera pintada de negro. Dos altas estufas de hierro se ocupan de la calefacción. Ocho lámparas de carburo cuelgan de clavos de hierro en el techo, irradiando un fuerte resplandor blanquiazul. En la sala hay quince bancos largos sin respaldo. A pesar de la tormenta, han venido todos, está lleno, más que lleno, hay gente por los pasillos y sentada en el suelo, hace un calor asfixiante y los amigos de Pentecostés sudan.

Están cantando: Cuando el pecador, ciego de temeridad, se precipita a la perdición, es precavido por Tu Gracia. Tú te adelantas a su encuentro y le gritas: ¡Detente, esclavo del pecado! ¡Busca la salvación de tu pobre alma! ¡Despierta y contempla el peligro!.

Henrik mira a su alrededor, está de pie, incrustado contra la pared. Todos cantan, la tormenta arroja nieve en las ventanas, las lámparas de carburo alumbran con luz penetrante los pálidos rostros: viejos, chicas jóvenes, familias con hijos, muchachos de uniforme, personas solas. Los vecinos de su parroquia.

Se sientan, corriéndose y apretándose, con un murmullo de toses ahogadas. El pastor Levander sube al púlpito y ora en voz baja. Luego levanta la vista y contempla a los reunidos sin halago, habla con voz clara y aguda.

LEVANDER: Y le llevaron a uno que estaba sordo y casi mudo y le pidieron a Jesús que pusiera su mano sobre él.

FIELES: ¡Sí, sí, bendito sea el Señor!

LEVANDER: Entonces él lo apartó del gentío y metió los dedos en sus orejas y escupió y tocó su lengua…

GRITOS: ¡Aleluya! Alabado sea el Señor.

LEVANDER: …y mirando al cielo, suspiró y le dijo: «Effata» (que significa «ábrete»).

GRITOS: ¡*Effata*, Jesús, salvador mío!

LEVANDER: Entonces se abrieron sus oídos y se soltaron las ataduras de su boca y pudo hablar.

GRITOS: Pudo hablar, pudo hablar. ¡Oh, Jesús, Jesús!

LEVANDER: Y Jesús les prohibió que contaran esto a otros, pero cuanto más se lo prohibía, más propagaban lo que había sucedido.

GRITOS: ¡Ven a mí, Jesús! ¡Abre mi corazón!

LEVANDER: Y la gente se llenaba de asombro y decía: «Todo lo hace bien, hace que los sordos oigan y los mudos hablen». Aleluya, hermanas y hermanos, alabemos juntos a Nuestro Señor Jesucristo por los milagros que hace con nosotros todos los días y en todos los momentos. Elevemos con alegría nuestras voces en alabanza y oración.

El armonio silba y chilla, pero es acallado por las voces rápidamente.

TODOS (cantan): «Contrito bajo el peso de la ley, soy guiado por tu mano hasta el trono de la gracia, hasta el pie de la cruz, donde la salvación se ofrece. ¡Aquí me purifico en la sangre de Jesús! ¡Aquí me lleno de fortaleza! ¡Aquí se te dona vida en la fe!».

LEVANDER: La gracia y la paz del Señor sea con todos vosotros, pero sobre todo contigo que sales de las tinieblas más profundas, sobre todo contigo que eres esclavo de tus pecados, sobre todo contigo que te crees excluido y lloras lágrimas de sangre, tú que te ahogas en tus malas palabras y en tus malos pensamientos, tú que llevas tierra en la boca y el veneno de la serpiente en tu espíritu. ¡La gracia sea contigo! La gracia de Jesucristo sea contigo. Que él se apiade de ti esta noche y te dé paz.

FIELES: ¡Aleluya! ¡Gracia de Dios! ¡Amor de Cristo!

LEVANDER: Tú que te has extraviado, que te acoja la mano del Padre. Tú que estás solo y te crees rechazado, que esta noche misma veas una gran luz en el nombre del Padre, del Hijo y del Espíritu Santo. Amén.

FIELES (gritan): Amén, amén, amén.

Henrik intenta abrirse paso hacia la salida, está a punto de ahogarse por el calor y la aglomeración. Los congregados se ponen de pie, un trompetista ocupa el podio. Es Tor Axelin, el de la tienda, que es miembro del cuerpo de música de la Defensa Voluntaria.

FIELES (retumban): La sangre de Jesús cancela mi deuda. Jesús me ha perdonado todo. Jesús me inspira todo lo bueno. La gracia del perdón me ha sido concedida. Tengo refugio seguro en las profundas heridas de Jesús. Jesús ayuda en la necesidad. En la vida y en la muerte.

Henrik ha llegado hasta la puerta y se abre paso. Ve caras sorprendidas, una sonrisa, alguien cuchichea. Por fin logra salir de la enorme muchedumbre enigmática, de los cuerpos del gentío. Agujas de hielo en la cara. El dolor como liberación.

Doña Karin Åkerblom está esperando el tren, que llega con retraso a causa de una tormenta de nieve en el norte de Uppland. Las dos mujeres se encuentran en el andén, pero no hay tiempo para exteriorizar sentimientos. El nieto lloriquea, hay que dirigir: un mozo apalabrado de antemano se hace cargo del recibo de facturación, el coche de alquiler está esperando.

En la puerta del vestíbulo está Lisen, más sentimientos aún: ella no ha visto al hijo, luz por todas partes, calor. La cena está en la mesa, con el servicio de té inglés pintado a mano. Anna y doña Karin dan una vuelta rápida por la casa, está desconocida, más sentimientos todavía. El comedor está partido por la mitad y transformado en despacho con una mesa escritorio y librerías, un sofá cama ya preparado para la noche: Ahí dormiré yo, dice doña Karin. El niño y tú dormiréis en mi habitación. ¿Has visto qué habitación tan bonita? Quité una tercera parte del salón para tener un dormitorio agradable. Hemos comprado una cama para el chico, espero que esté a gusto.

Después de cenar, Dag tiene que irse a la cama, se queda dormido sin rezar sus oraciones. Lisen está arreglando su habitación (la única que ha permanecido como estaba). Doña Karin y Anna se han encerrado: Ahora tengo que verte, por fin, dice la madre tomando a Anna por la cintura, ahora tengo que verte.

Ambas mujeres están en la alfombra verde del salón, la luz de la araña de cristal está apagada, los espejos de los candelabros de pared reflejan las tenues llamas de las velas: He echado esto terriblemente de menos, dice Anna. La madre asiente con la cabeza y acaricia la frente y las mejillas de su hija: Ahora te tengo aquí, de todos modos.

ANNA: Estaba tan cansada, ¿sabes?
KARIN: Es natural, es que estás en el tercer mes.
ANNA: Todos estaban enfermos, yo me asusté.
KARIN: ¿Para cuándo es?
ANNA: El médico provincial cree que para julio.
KARIN: Tendrás que ir a Fürstenberg. He hablado con él. Te recibe el lunes.
ANNA: ¿Mamá?
KARIN: ¿Qué?
ANNA: Es mejor que… (Calla).
KARIN (tras una pausa, con tiento): ¿Qué pasa?
ANNA: Estoy desconcertada, no tengo más que ganas de llorar.
KARIN: Has estado todo el día de viaje.
ANNA: No pienso romper mi matrimonio. No pienso dejar a Henrik. Mis cartas te dieron una impresión equivocada.

KARIN (en voz baja): Ven, Anna, ven que nos sentemos aquí, en el sofá. Como en los viejos tiempos. ¿Quieres una copita de jerez o un coñac? Yo pienso tomarme un buen coñac... Tú también, ¿verdad? Después de tanto alboroto sentimental...

La madre sirve y coloca las copas en platitos de plata. Luego se sientan en el acogedor sofá verde. Doña Karin se pone un taburete bajo los pies, Anna se quita las zapatillas (ambas están ya vestidas y peinadas para dormir). Recoge los pies debajo de ella. En la mesa del sofá hay una lamparita con la pantalla pintada. Las portezuelas de la estufa de azulejos están abiertas por las brasas, que hacen guiños y oscilan. Tras las pantallas bordadas de las dobles ventanas se divisan flores de escarcha. Anna cierra los ojos. Doña Karin espera. Un trineo tintinea en la calle. La catedral da los tres cuartos, a lo lejos.

El 20 de diciembre de 1917 quiebra la explotación y hace suspensión de pagos. La misma mañana se encuentra al señor Nordenson muerto en su cuarto de estar. Se ha disparado un tiro en la boca con su escopeta de cazar alces. La mitad de la parte posterior de la cabeza está pegada a la librería.

A la vacilante y helada luz de la mañana se juntan más de cien hombres delante de las oficinas de la explotación, cuyas puertas están cerradas. En el tablón de anuncios hay un cartel cuidadosamente escrito en letras mayúsculas: NO SE EFECTÚAN PAGOS. Fuera de las verjas de la finca están apostados dos policías venidos de Valbo. El comisario de distrito y sus ayudantes están sentados en el salón grande y prueban a mantener una conversación con doña Elin que, con cara absorta e inexpresiva y una leve sonrisa de cortesía, contesta sí y no y no sé. Él no hablaba conmigo de sus problemas, estos últimos tiempos no hablaba nada. Mi esposo no quería inquietarme, yo no sé nada.

En la oficina parroquial hace un frío de todos los diablos. Para repartir con algo de fraternidad el insignificante calor, que combate contra el aire helado que se cuela por las ventanas mal ajustadas, el párroco ha dejado entreabierta la puerta de su despacho. Por el momento, el vicario está ocupado en un acto de servicio y el sochantre va camino de la iglesia para ver si es posible arreglar una tecla hundida. En cuanto el armonio tiene aire, suena el agudo y angustiado tono, hay que acallarlo.

El párroco llama a su adjunto: ¿Quiere Henrik Bergman tener la amabilidad de venir aquí y cerrar la puerta? Haz el favor de sentarte. ¿Dónde está el nuevo sochantre? No puede irse así, sin más ni más y sin decir adónde va. Pero es nuevo, claro, y canta bien. Tiene buena voz, el muchacho.

HENRIK: Fue a la iglesia a arreglar el armonio. Hay una tecla en el teclado superior que se ha hundido. Cree que va a poder arreglarla.

GRANSJÖ: Henrik, tendrás que ir a la explotación a ver si puedes ayudar en algo, fuera o dentro. Yo me quedo aquí, resistiendo. Cuando hace frío me duelen las caderas y apenas puedo moverme, no haría más que estorbar allí.

HENRIK: Voy enseguida. (Se levanta).

GRANSJÖ: ¿Sabes si las chicas Nordenson están en casa o se fueron a casa de su abuela?

HENRIK: Se fueron.

GRANSJÖ: Siéntate un momento.

HENRIK: Bueno.

GRANSJÖ: ¿Cómo te va?

HENRIK: Muy bien.

GRANSJÖ: He oído que Anna se ha ido a Upsala.

HENRIK: Sí, así es.

GRANSJÖ: ¿Con el chico?

HENRIK: La madre de Anna quería ver al nieto por fin.

GRANSJÖ: ¿Estará de regreso para Navidad?

HENRIK: No lo sé.

GRANSJÖ: ¿Tienes, Henrik, *alguna idea* de cuándo regresa Anna?

HENRIK: No.

GRANSJÖ: ¿Qué ha pasado?

HENRIK: Perdón, pero no estoy dispuesto a hacer ninguna confesión. ¿Puedo irme ahora?

GRANSJÖ: Desde luego.

HENRIK: No quiero ser descortés y le agradezco el interés, pero me parece mal escogido el momento de discutir mis desdichas privadas, cuando la explotación está al borde de la catástrofe.

GRANSJÖ: La catástrofe de la explotación es un hecho. Tu catástrofe puede tal vez evitarse.

HENRIK: ¿Algo más?

GRANSJÖ: Quiero que sepas que el ofrecimiento se mantiene.

HENRIK: ¿El ofrecimiento? Por mí es como si no existiera.

GRANSJÖ: Así que puedo escribir al susodicho comunicándole que no te interesa de ninguna manera. ¿Es eso lo que quieres, Henrik?

HENRIK: Le estaría sumamente agradecido.
GRANSJÖ: Sumamente agradecido. Tomo nota.
HENRIK: Yo sé dónde está mi sitio.
GRANSJÖ: ¿Y tu esposa?
HENRIK: Ella también se ha decidido.
GRANSJÖ: Vete, pues, Henrik Bergman. Y a ser útil.

Henrik se inclina cortésmente ante el anciano y cruza la oficina parroquial. Se abotona la zamarra y se pone los guantes, en el vestíbulo se pone el gorro de piel. Tiene los ojos secos y le escuecen de no dormir. Abajo, en el desvío a la explotación, se encuentra con Magda Säll, que lo saluda amigablemente.

MAGDA: ¿Vas a la explotación?
HENRIK: Me manda el tío Samuel.
MAGDA: Hablan de mandar al ejército.
HENRIK: ¿Tan grave es?
MAGDA: No sé. Algo de eso se dijo. ¿Cuándo vuelve Anna?
HENRIK: No sé muy bien.
MAGDA: Tenemos que hablar de la tómbola. Ahora no habrá más remedio que aplazarla.
HENRIK: Tío Samuel sigue en la oficina.
MAGDA: Iba justamente a recogerlo. Anda muy mal cuando hace frío. Y tiene dolores constantemente, el pobre.
HENRIK: Ya daré noticias.

Magda dice algo, pero Henrik ya ha echado a andar por el empinado camino de la explotación. En la estación de ferrocarril hay una locomotora y unos cuantos vagones vacíos.

No se ve un alma. El día entra en su ocaso. La luz es gris como el plomo.

En la explanada delante de la oficina y el exterior de los muros de la finca está todo negro de gente. El comisario se ha subido a una escalera de mano que está apoyada en la pared del almacén. Habla en voz alta y dice que es inútil permanecer allí. Todos deben regresar a sus casas y esperar noticias, que pueden llegar mañana o pasado mañana. Un enviado de la Comisión de Desempleo estatal está en camino y se discute la posibilidad de reanudar el trabajo para Año Nuevo. La explotación tiene muchos pedidos y los acreedores están en este momento reunidos en Gävle planeando cómo continuar la producción. Les pido, pues, que vuelvan a sus casas. Les pido que vuelvan a sus casas. Tengan la bondad de irse a sus casas. No hay ningún motivo especial de preocupación. Y, sobre todo, evitemos los tumultos.

Una dura bola de nieve se estrella contra la pared. El comisario mira sorprendido el lugar donde ha golpeado y mira después a la silenciosa multitud. Tal vez piensa decir algo más, pero se calla y se baja de la escalera. La gente se aparta. Henrik se queda parado, acobardado. Reconoce a los habitantes de su parroquia, pero no se atreve a acercarse. Pasa a través de los silenciosos corros, a veces saluda, le devuelven el saludo.

El señor Nordenson yace en el sofá de piel de su despacho. Tiene la cabeza vendada, la cara le asoma por el vendaje, la gran nariz sobresale más que de costumbre, los finos labios están entreabiertos, dejando ver la dentadura superior, la piel está descolorida, la sombra de la barba, negra, los párpados, rojos. Lleva todavía su batín manchado, camisa sin cuello, pantalones abolsados y zapatillas. La lámpara del techo está encendida, los rincones de la habitación ya están sumidos en la oscuridad.

Doña Elin se acerca a Henrik y le toca el brazo. Tiene una carta en la mano, escrita con la minuciosa letra de Nordenson.

ELIN: Esta es su carta de despedida. Quizá le interese al pastor oír lo que dice. (No espera respuesta, empieza a leer con voz serena). «Los últimos años, puedo decir que los dos últimos años, he entrado en mi despacho casi cada día, he cerrado la puerta y me he metido el cañón de la escopeta en la boca. No pretendo afirmar que haya estado especialmente angustiado. He tenido, únicamente, el deseo de entrenar mi voluntad ante lo inevitable. Será un gran alivio llegar a la definitiva y, como imagino, absoluta soledad. Me he preocupado de los míos, de Elin y de las chicas; no se verán afectadas por la situación económica. No tengo ningún motivo para pedir perdón por mi muerte, aunque va a dar lugar a molestias prácticas e higiénicas. Tampoco tengo ningún motivo para pedir perdón por mi vida. Como es sabido, me atraía toda clase de juego. Alguna vez gané, fue entretenido, pero, en realidad, me era indiferente. La vida misma fue uno de los juegos más insulsos, un juego que, las más de las veces, me vi obligado a jugar bajo condiciones impuestas por otros. Ni siquiera fue cuestión de azar. En alguna ocasión yo fui quizá mi propio contrincante. En ese caso, habrá sido lo único verdaderamente cómico. Ahora estoy borracho, bastante borracho, y pongo, por eso, punto».

Doña Elin baja la carta y respira entrecortadamente, es como un sollozo seco. Sonríe avergonzada.

ELIN: ¿Desea el pastor decir una oración?
HENRIK: No, no creo.
ELIN: ¿No cree usted que…?
HENRIK: No creo que al señor Nordenson le gustara que yo estuviera aquí leyendo oraciones. (Pausa). ¿Ha hablado usted con las niñas?
ELIN: Van a pasar la Navidad con su abuela.
HENRIK: ¿Puedo serle útil en algo? (Indeciso).
ELIN: No. No, gracias. Dígale al párroco Gransjö que mañana por la mañana me pasaré por la oficina para discutir sobre el entierro.
HENRIK: Se lo diré de su parte.
ELIN: Bien. Entonces, le agradezco que se tomara la molestia de venir.

Henrik no contesta, le estrecha la mano y se inclina. En el camino a casa pasa por la oficina de la explotación. Sigue cerrada, pero hay luz en las ventanas y señores venidos de fuera con sombrero y abrigo se mueven allí dentro, hablan, abren cuadernos, se sientan a las mesas y hojean. Ha despejado y la nieve cae sin rumbo en densos fragmentos en la oscura extensión helada del lago Storsjön. Una franja de luz, verdosa y vacilante, se demora sobre la cenefa del bosque. La explanada y el camino están desiertos. La gente se ha ido a casa. No llegó a haber tumulto. Solo alguien que tiró una bola de nieve que no dio en el blanco.

Anna se ha puesto un vestido de seda azul claro que le llega a los tobillos, con el talle alto y un ancho cinturón bajo el pecho, mangas anchas, escote ovalado, zapatos de tacón con hebilla, medias de seda perforadas, collar y pendientes. Ha peinado su espeso cabello en una trenza que le llega a la cintura, se ha perfumado y se ha oscurecido las pestañas. Su hijo Dag lleva por primera vez un traje marinero blanco, calcetines blancos hasta la rodilla y relucientes zapatos nuevos. Doña Karin se ha puesto un traje gris de fina lana con cuello de encaje y puños altos. Ha recogido su pelo blanco en un artístico moño en lo alto de la cabeza. Lisen lleva, en honor del día, su traje negro de fiesta con un broche, pequeños aros de oro en las orejas, una peineta de carey auténtico en el pelo y crujientes botines.

Así ataviadas piensan celebrar las tres mujeres y el niño la Nochebuena más lamentable de la historia de la casa. El abeto colocado entre las ventanas del salón está revestido de los adornos tradicionales. A pesar de la crisis y del racionamiento, hay muchas luces encendidas. Debajo del árbol están los regalos de Navidad en paquetes de muchos colores. La araña de cristal centellea y los espejos de las cornucopias multiplican las llamas. Sobre una mesa hay un nacimiento con el escenario bíblico representado por figuras de diez centímetros. Una lámpara escondida, envuelta en papel de seda rojo, deja que la luz vaya de la Virgen al Niño. Una fogata crepita y chisporrotea contra la pantalla protectora.

A las cinco en punto se oyen fuertes golpes en la puerta y el tío Carl entra dando traspiés, vestido de duende: ¿No es terrible?, grita. ¿No es terrible? ¡Voy a volverme loco! ¿Qué?

Vaya, vaya. ¿Hay algún niño bueno por aquí? ¿O solo hay viejas ruines y esposas perdidas? No, no, *mammchen*, me pondré serio, pero es que casi me muero de risa cuando veo tanto desvelo, es un disparate. Así que *firmes*: ¿hay algún niño bueno por aquí? El tío Carl vuelve su espantosa máscara de duende hacia el niño, que se echa a llorar inmediatamente. Carl se quita la máscara, sienta a Dag en sus rodillas y empieza a silbar al tiempo que trompetea con la nariz. El niño enmudece y clava los ojos, fascinado, en la hinchada y bonachona cara que gesticula y produce melodías. Ahora me merezco un trago, suspira tío Carl poniéndose los quevedos. ¡Coño, qué elegantes se han puesto las señoras! Es increíble.

Vamos a la mesa, dice doña Karin tomando al niño de la mano. Tú te sientas con la abuela.

En la cocina está todo como ha estado siempre. Aquí no se vislumbra la crisis ni el hambre, dice Carl juntando sus gordezuelas manos. Primero decidimos que este año no íbamos a celebrar la Navidad, dice doña Karin. Pero luego cambiamos de opinión. El niño debe pasar las Navidades como de costumbre.

Unas horas más tarde todos han agotado sus fuerzas y las máscaras se han hecho añicos, las velas oscilan y mueren en candelabros y palmatorias, la fogata se consume y arde, penumbra. El niño Dag se ha dormido en su cama, todavía demasiado grande para él, rodeado de sus regalos de Navidad. Tío Carl se ha desplomado en el sofá verde. Habla tartamudeando, de vez en cuando se duerme. Lisen está sentada en una silla de respaldo alto con las manos posadas en la seda del vestido. Mira fijamente una vela en el abeto que llamea y se apaga, vuelve a llamear, súbitamente la llama es azulada.

Doña Karin y Anna están sentadas en las butacas de cara a la estufa de azulejos, mirando las brasas, dejándose envolver por el calor que ya huele a ceniza.

KARIN: He empezado a tomar una copa de coñac antes de irme a la cama. Me ayuda y me entona.

ANNA: ¿Te ayuda?

KARIN: Me cuesta dormirme.

ANNA: Pues siempre has dormido bien.

KARIN: Ya no. Cuando había mucho jaleo dormía bien. Ahora es más difícil. (Bebe).

ANNA: Gracias, mamá querida, por una bonita Nochebuena.

KARIN: A mí me pareció horrible.

ANNA: Dag estaba encantado.

CARL (gruñe): Yo también estoy encantado, *mammchen*.

KARIN: Gracias, querido Carl, te lo agradezco. (Se estira). Yo no soy muy sensible, no lo soy. Pero he tenido ganas de llorar. Varias veces. Y entonces me dije a mí misma: Pero estás loca, Karin Åkerblom, ¿de qué te quejas?

CARL: Hay que ser valiente. (Se ríe bajito).

ANNA: Llegó carta de Henrik esta mañana.

KARIN: No he querido preguntar.

ANNA: Dice que todo va bien.

KARIN: Qué bien.

ANNA: Manda saludos.

KARIN: Gracias. Devuélveselos cuando le escribas.

CARL (gangueando): Yo se lo advertí. Ten mucho cuidado con la familia Åkerblom, le dije.

ANNA (sin hacerle caso): Iba a predicar en la iglesia grande en la misa de Nochebuena. Han cerrado la capilla por ahora. Se ha estropeado la estufa.

KARIN: Entonces está bastante bien.

ANNA: Eso parece. Ha mandado a Mejan y a Mia a casa durante las fiestas. Da largos paseos esquiando, con Jack.

KARIN: ¿Cómo se arregla con la comida?

ANNA: Lo invitan muchas veces a cenar a casa del párroco.

KARIN (bebe): Me alegro de que esté bien.

ANNA (llora).

KARIN (mira a su hija).

LISEN (vuelve la cabeza y mira hacia ANNA).

CARL: Ahora es el momento justo de que el duende se vaya a su hotel. Gracias por esta noche, querida *mammchen*. Gracias por esta noche, Lisen. Gracias por esta noche, Anna, llorona. (Con ternura). Estás hecha un lío. Ahí tienes un gran beso húmedo. ¡Llora, corazón! Las mujeres lloran para tener los ojos más bonitos. Sí, sí, *mammchen*. Me voy. Y mañana no nos veremos porque me voy a Estocolmo en el tren de la mañana. No, no, me las arreglo. Quedaos sentadas. No os levantéis, coño. No estoy muy borracho. Dejaré el traje de duende en el hotel. Saludos a los hermanos, por cierto, y deseadles feliz año de mi parte. No, no les digáis *nada* a los hermanos. Mi hipocresía tiene un límite. Hoy lo he alcanzado y rebasado. No tendré repuesto hasta el nuevo año.

La puerta del vestíbulo se cierra. Carl baja silbando las escaleras. Lisen se sube a una silla y apaga las últimas velas del árbol de Navidad. Luego da las buenas noches y desaparece en la cocina, donde quita la mesa y recoge. Karin extiende su mano y toma la de su hija.

KARIN: ¿Tienes frío?
ANNA: No, no; estoy muy bien.
KARIN: Tu mano.
ANNA: Sí, ya sé. Cuando estoy triste se me quedan las manos y los pies helados. Tú te acordarás. (Sin transición). Estoy tan angustiada por Henrik… Tengo una mala conciencia terrible.

Henrik ha mandado a sus casas a Mia y a Mejan por tiempo indefinido. Muestra, al mismo tiempo, talentos prácticos y organizativos: ha tomado, entre otras cosas, una eficaz medida de simplificación trasladándose al abandonado cuarto de servicio. De esa manera puede combatir el cósmico frío. El fogón está encendido todo el día, la pared del fogón y la estufa de azulejos mantienen el calor. Por lo demás, el orden de la casa es minucioso: friega todos los días, se hace la cama del sofá, el queroseno se raciona y se rellena, se cepilla la sotana, se hace una comida bien hecha al día. Los artículos de primera necesidad los trae el vecino, que tiene que ir todos los días al comercio. Todas las mañana va esquiando a la oficina parroquial, un paseo de media hora si el camino está en buenas condiciones. Vuelve a casa al anochecer. Jack lo sigue y vigila; sufre, ciertamente, la inexplicable ausencia de alguien, pero cumple con lo que tiene que hacer.

Henrik escribe sus sermones en la mesa de la cocina, lleva a diario una larga chaqueta con largas mangas y cuello; es tan caliente como una piel. Las perneras del pantalón las lleva metidas en unos calcetines grises y va con zuecos. Se ha dejado crecer la barba, pero se la cuida con las tijeras de uñas que Anna se ha dejado olvidadas. Ha puesto una librería en la alcoba y la ha llenado de libros indispensables. Tolstói, Rydberg, Fröding, Lagerlöf, Walter Scott, Julio Verne, Albert Engström y Nathan Söderblom.

El despertador mide el tiempo, es un viejo monstruo de latón y bronce, la señal es capaz de resucitar a los muertos, pero ahora hace tictac pacíficamente. El fuego retumba en el fogón; el pastor, sentado a la mesa de la cocina, prepara su sermón del día de Año Nuevo. Trata de la higuera reacia y del viñador esmerado: «Señor, déjala todavía este año y cavaré alrededor de ella y le echaré estiércol, a ver si así da frutos».

Enciende su bien quemada pipa: tabaco auténtico, regalo de Navidad del párroco, que acaba de dejar de fumar, aspira el suave aroma dulzón. Jack está durmiendo en su trozo de alfombra debajo de la mesa, se le mueven las patas y gruñe débilmente. De repente se levanta corriendo y se coloca junto a la puerta, alguien se acerca a la verja, alguien en trineo de patín. Henrik abre el zaguán de la cocina y cierra detrás por el calor. Magda Säll tira de la puerta exterior, las escaleras de la cocina se han convertido en un montón de nieve durante la tormenta nocturna.

MAGDA: Buenos días, Henrik, y felices fiestas. Traigo algunas golosinas para ti y para Jack. Tío Samuel dice que te espera para celebrar la Nochevieja con nosotros. No seremos muchos, siete u ocho.

Magda Säll tiende el cesto que ha traído. La alta figura, ancha de hombros, ocupa el zaguán de la cocina. El pelo entrecano le asoma por debajo del chal y se le riza en la frente; las mejillas y la majestuosa nariz están rojas de frío. Los ojos, oscurísimos, contemplan a Henrik sin disimulo, la boca sonríe: Supongo que no vamos a quedarnos aquí de pie, dice riendo amigablemente. ¿Me invitas a tomar algo caliente, Henrik? Se quita las botas de fieltro. Tengo los dedos de los pies helados. A pesar de las botas. ¿Puedo ponerlas ahí, delante del fogón? Aquí hace calor y se está muy bien. ¡Ah! Así que te has instalado en el cuarto de servicio y usas la cocina como despacho. ¡Vaya! Ahora veo que el pastor está preparando su sermón y me doy cuenta de que molesto, pero me iré enseguida. Me siento un momento para recuperar el aliento. La cafetera está caliente. ¿Puedo tomar una taza? Ya veo que lo tienes todo muy ordenado. Y que friegas también, a fe mía.

Se ha despojado del grueso abrigo de invierno y el chal, que deja cruzado sobre el pecho. La chaqueta se la he robado a tío Samuel y la falda tiene veinte años, pero viene bien para este tiempo. ¿Por qué gruñe Jack? ¿Está enfadado porque vengo a molestar?

MAGDA: ¿Qué tal?
HENRIK: Bien. Estupendamente.
MAGDA (sonríe): Me alegro.
HENRIK: Ya veo por tu sonrisa que no te lo crees.
MAGDA: Pero, Henrik, por favor…
HENRIK: ¿Cómo *iba* un hombre a arreglárselas solo, abandonado por su esposa? Es impensable, ¿verdad?

MAGDA: No fue más que una pregunta de cortesía.

HENRIK: Y recibes una respuesta cortés. Bien. Estoy bien. Lo paso bien. Me he adaptado.

MAGDA: Pareces enfadado.

HENRIK: Yo no tengo la culpa de mi tono. Vienes impetuosamente en tu trineo, llena hasta las narices de compasión. Eso a mí me cohíbe. No puedo estar a la altura de tus expectativas.

MAGDA: ¡Pero, Henrik, por favor! (Risas).

HENRIK: Voy a decirte una cosa, Magda. Yo pertenezco a la especie de los solitarios. Yo, en realidad, siempre he estado solo. El tiempo con Anna y con mi hijo me desconcertó. No se parecía en nada a mis experiencias anteriores. Me figuraba, por ejemplo, que había una felicidad especial que estaba reservada para mí esperando a la vuelta de la esquina durante todos los años. Anna me hizo creer algo así. Anna y Dag. Yo me sentía casi cómicamente agradecido. Y, como he dicho, desconcertado.

MAGDA: Pareces convincente pero… pero creo de todas maneras…

HENRIK: ¡No hay peros que valgan, Magda! Como ves, estoy completamente tranquilo, hablo tranquilamente. Si te di la impresión de estar irritado, fue solo un momento. No me gusta que me vengan con disimulos. Deja de andar con disimulos y verás que puedo resultar agradable y conversador.

MAGDA (sonríe): No tengo inconveniente en reconocer que me esperaba a un semejante sumido en el dolor al que yo consolaría con palabras amables y sobras de jamón de Navidad.

HENRIK (sonríe): Has sido muy amable en tomarte la molestia. Me alegro de que hayas venido.

Magda deja la taza de café en el fogón, acerca una silla y se sienta frente a Henrik, mirándolo pensativa.

MAGDA: Estuve hablando con tío Samuel. Ya sabes que te tiene cariño. Empieza a estar bastante achacoso. Bueno, hablamos de ti y de que empezamos a darnos cuenta de que estás firmemente decidido a quedarte aquí, en la parroquia, a pesar de todos los problemas. (Henrik quiere decir algo). Espera un momento, Henrik, déjame acabar. Tío Samuel y yo llegamos a una propuesta. Ahora tú tienes que preguntar: ¿Qué clase de propuesta?, y además, preferiblemente, manifestar un poco de interés.

HENRIK (condescendiente): ¿Qué clase de propuesta?

MAGDA: Que te traslades a vivir con nosotros en la residencia, sencillamente. Con medios simples y coste reducido podemos convertir el ala derecha en una vivienda para ti. (Con entusiasmo contenido). Te quedan el cuarto de estar y la cocina, abajo, y, en el piso de arriba, el dormitorio y, al otro lado del rellano, el despacho con vistas al lago. Podríamos emplear a una criada que haga la limpieza y la comida. Ella podría vivir en la casa grande, tenemos varias habitaciones pequeñas en la buhardilla. (Domina su entusiasmo). Yo creo que tanto el consejo parroquial como los del Ayuntamiento se alegrarían mucho. Así pueden cerrar la capilla y esta casa rectoral sin mala conciencia.

HENRIK: ¿Van a cerrar la capilla?

MAGDA: Por lo menos durante el invierno.

HENRIK: No sabía nada.

MAGDA: Jacobsson visitó ayer a tío Samuel. Hablaron de la posibilidad de cerrar. En invierno. Calentarla cuesta mucho dinero.

HENRIK: Pues son novedades sorprendentes.

MAGDA: No lo tomes a mal. No son novedades, solo lo están discutiendo. No se va a decidir nada sin contar contigo. ¿O no lo comprendes?

HENRIK: ¿Y si vuelve Anna?

MAGDA: ¿Crees que Anna va a volver?

HENRIK: No hay nada definitivo. Se ha ido a Upsala a pasar unos meses. El niño nacerá en julio.

MAGDA: ¿Y después volverá?

HENRIK: No seas tan desconfiada, querida Magda. ¿Por qué no iba a volver? ¿Por qué dos personas jóvenes no van a tener derecho a estar separados unos meses para probar a solas sus sentimientos?

MAGDA: Hace un momento parecías muy convencido.

HENRIK: ¿Convencido?

MAGDA: Convencido de tu soledad. «Yo siempre he estado solo, siempre estaré solo. La convivencia con Anna me desconcertó». Y así.

HENRIK: Eso, exactamente, es lo que siento ahora, en *este momento*. Dentro de unos meses, o unas semanas o quizá mañana, puede ser que piense de otra forma.

MAGDA: A ti te gusta llevar la contraria, ¿a que sí?

HENRIK (se ríe): A riesgo de llevar la contraria contesto: No, no, de ningún modo. En la vida cotidiana solo soy confuso, complaciente y un poco cobarde. Casi siempre me parece que todos los demás tienen razón y que yo estoy equivocado.

MAGDA: Te sienta bien la barba.

HENRIK: ¿Una expresión de mi verdadera personalidad? O tal vez no sea más que pereza, no tengo que calentar agua todas las mañanas. No tengo que afeitarme.

MAGDA: ¿No te parece que lo pasaríamos bien si te mudases a la residencia?

HENRIK: ¿Tú crees?

MAGDA (sonriendo): Jugar al ajedrez, a las cartas, tocar música, leer en voz alta, comer bien. ¿Estar juntos? ¿Henrik?

HENRIK: Sí, claro. Claro.

MAGDA: ¿En qué piensas?

HENRIK: Pienso en lo que iba a decir cuando me confundiste al hablar de mi barba.

MAGDA: Perdón. (Sonríe). ¿Qué ibas a decir?

HENRIK: Yo creo que lo mejor para mí es vivir en El Último Extremo. En sentido propio como en sentido figurado. Es así cuando alcanzo esa dureza, esa agudeza… Solo encuentro palabras banales para una cuestión importante. Magda, trata de entenderme, tengo que vivir en la privación. Entonces, *solo entonces*, tendré la posibilidad de ser un buen sacerdote. Como yo *quiero* serlo, pero nunca he *podido* ser. No estoy hecho para las grandes cosas, no soy especialmente listo… Lo digo sin coquetería. Pero sé que llegaría a ser un buen trabajador en la viña si viviera sin mirar de reojo.

MAGDA: Ahora eres muy convincente. Me retiro.

HENRIK: Parece que lo dices con ironía.

MAGDA (suavemente): No es ironía, estoy a punto de llorar.

HENRIK: Sí, llorar hay mucho que llorar.

MAGDA (le acaricia la cara): Me voy antes de que se haga demasiado tarde. Quiero decir, ya ha empezado a oscurecer. Suerte con el sermón.

HENRIK: La epístola trata de la higuera que no daba fruto. Y el amo dijo: «Que corten el árbol, que está ahí año tras año chupando de mi tierra».

MAGDA: Ya sé, ya. El viñador dijo: «Déjame cuidar la higuera bien, veremos si da fruto...».

Henrik la abraza, están unos segundos vacilantes, mudos. Luego ella se suelta, se retira el pelo de la frente con su gran mano.

HENRIK: Esto va bien. Magda. No es muy agradable, pero está bien. Me obligo cada día a enfrentarme conmigo mismo. Es una experiencia bastante triste, pero impagable.

MAGDA: ¿Vendrás a cenar para Año Nuevo de todas formas?

HENRIK (sonríe): No lo creo.

MAGDA: Adiós, pues.

HENRIK: Gracias por venir a verme.

Magda ha empezado a ponerse la ropa. Las botas. El chal en la cabeza, el pesado abrigo, los guantes, Jack se ha incorporado, está contento de que la invitada, por lo que se ve, tenga intención de irse.

MAGDA: El entierro de Nordenson será en Sundsvall, allí hay crematorio. El tío Samuel está empeñado en que vayamos. Eran amigos, de algún modo raro. Yo los veía inclinados sobre el tablero de ajedrez, y era algo muy singular, te lo puedo asegurar: tío Samuel, tan dulce y angelical. Y Nordenson, un condenado del infierno, un demonio. Tu barba es preciosa, de veras. Espero que Anna pueda disfrutarla.

HENRIK: A Anna no le gusta que lleve barba.

MAGDA: ¡Qué lástima!

HENRIK: Seguro que llegas a casa antes de que oscurezca.

La puerta de la cocina se cierra. La puerta exterior se resiste, la pila de nieve ha crecido. Se cierra con un golpe sordo. Magda va a paso rápido hacia la verja, coloca el trineo de patín delante.

Y Henrik se queda solo.

¿Grita? No.

¿Empieza a llorar, inclinado sobre la mesa de la cocina? Es posible.

¿Pasea arriba y abajo por el helado comedor?

Podría pensarse, pero no lo hace.

¿Qué podría hacer?

Se sienta a la mesa de la cocina y se inclina sobre el sermón a medio escribir.

Enciende la pipa. Enciende la lámpara de queroseno.

Mira un momento por la ventana.

El envolvente ocaso, la nieve.

El frío.

Aquí podría terminar el juego, todo final y todo principio tienen que ser arbitrarios, puesto que lo que cuento es un trozo de vida, no una invención. No obstante, me he decidido a añadir un epílogo, imaginado en su totalidad. No hay ninguna documentación de la primera mitad del año 1918.

En todo caso, ya es primavera, casi verano, mes de junio. Los estudiantes se han examinado, han celebrado, festejado, cantado y desaparecido, los catedráticos y los profesores han bajado las persianas y se han ido al campo. Las calles están silenciosas y los parques exhalan aroma. La sombra de los árboles se hace más profunda. El río Fyris mana blandamente. El tranvía reduce su horario a la mitad y las viejecitas vestidas de negro, que han permanecido en casa todo el invierno, aparecen súbitamente. Rastrillan las sepulturas, miran en los espejos de cotilleo tras las cortinas, se sientan en los bancos del jardín Botánico o del parque Municipal y dejan que les entre el sol en las articulaciones y en las vértebras.

A las siete de la mañana, un soleado jueves de principios de junio, llega un tren de mercancías de Norrland a la plataforma de carga de la estación Central de Upsala. Al final del tren hay (así era en aquellos tiempos) dos viejos vagones de pasajeros, con asientos de madera, escupideras y una estufa de hierro, pero sin el menor rastro de comodidades. Desciende un solo pasajero. El restaurante acaba de abrir, entra y pide un desayuno sencillo (no hay mucho donde elegir, la crisis se ha acentuado). A continuación va al servicio y se lava, se afeita y se cambia de camisa. Lleva un pulcro traje oscuro. Guarda sus pertenencias en un gastado maletín negro que, junto con el sombrero y el impermeable, deja en la consigna.

Después se encamina sin prisas por Drottninggatan y tuerce por Trädgårdsgatan. Allí se aposta frente a la casa número 12, bien oculto tras las verjas del patio del instituto. No se ve a nadie. El pequeño tranvía desaparece chirriando, por la cuesta. Los patos silvestres graznan en el estanque de los Cisnes. El sol brilla, las sombras se achican. En la catedral dan las diez.

La puerta se abre y Karin Åkerblom sale a la intensa luz blanca. Empuja una sillita de niño, Dag va a su lado y se agarra firmemente al brazo de la silla. Luego aparece la que ha sostenido la puerta. Es Anna. El embarazo está muy avanzado; lleva un traje claro y botines blancos. La cabeza al aire. El abrigo de verano lo ha puesto en la sillita. El pequeño grupo tuerce a la izquierda y van andando sin prisas hacia el estanque Svan. No ven a Henrik, que los sigue despacio por la acera de enfrente, oculto por las profundas sombras de los árboles y las casas. Las dos mujeres se detienen y doña Karin pone al niño en la sillita, está de rodillas, vuelto hacia delante, y mira el mundo a su alrededor con gesto satisfecho. Vuelven a ponerse en movimiento. Doña Karin le dice algo a su hija, Anna vuelve la cabeza hacia la izquierda y sonríe, contesta. Ambas sonríen, seguramente hablan del niño.

Dan la vuelta al estanque de los Cisnes y se paran delante del restaurante Flustret, que acaba de abrir la terraza. El viento sopla en los grandes árboles. Henrik está al otro lado del estanque. Dag echa de comer a los patos. Anna le va dando trocitos de pan de una bolsa de papel. Doña Karin dice alguna cosa y Anna se echa a reír. Puede oír su risa, aunque está bastante lejos. Hace viento y el viento se lleva la risa.

Anna toma el abrigo de la sillita y un libro, se agacha y se ata un cordón de los botines, se vuelve hacia el hijo y le dice algo, lo besa. Luego se incorpora, le hace un gesto con la cabeza a su madre y va paseando lentamente hacia la frondosa calma de los jardines municipales. Henrik la sigue.

Ella se sienta en un banco, a la sombra de los tilos. Al otro lado del camino de gravilla chapotea un surtidor rodeado de esplendorosos macizos de flores. Se sienta pesadamente, dobla la espalda hacia atrás, se aparta el pelo de la frente (es que hace viento) y abre el libro.

Henrik se esconde en la proximidad. Tal vez es invisible, tal vez está allí solo en sus pensamientos, tal vez esto es un sueño. La contempla: la nuca inclinada, las oscuras pestañas, la dulce boca, la trenza en la espalda, las manos que sostienen el libro, el enorme vientre, qué vientre más enorme, el botín bajo la bastilla de la falda. Ella pasa la hoja, deja de leer, levanta la mirada, el surtidor chapotea, el viento sopla sobre los tilos, se oyen zumbidos entre las flores de los arriates, un tordo repite obstinadamente la misma tonada, a lo lejos silba una sirena. Estoy aquí, muy cerca, ¿no me ves? Ella baja el libro, lo deja en el banco, posa las palmas en el banco. ¿No me ves? No. Sí. Ella vuelve la mirada en su dirección, lo ve, se tapa la cara con las manos, inmóvil.

ANNA: ¿Qué quieres?

HENRIK: Un impulso. Oí que había un mercancías por la noche.

ANNA: ¿Qué quieres?

HENRIK: No sé. Quiero decir que… (Calla).

ANNA (calla).

HENRIK: Pienso todo el tiempo en ti y en el niño. Tengo demasiada nostalgia.

ANNA: Yo no volveré nunca.

HENRIK: Ya lo sé.

ANNA: Nunca, digas lo que digas.

HENRIK: Lo sé.

ANNA: He sufrido una angustia espantosa. Me he sentido como una traidora. Ya estoy mejor. No vengas a destruirlo todo de nuevo. No tengo fuerzas.

HENRIK: No tendrás que volver, Anna. Te lo prometo. Le he escrito al pastor primarius aceptando. En otoño nos trasladamos a Estocolmo.

Calla y mira hacia el surtidor. Anna espera. Están emocionados y temblorosos, pero hablan tranquilamente, las voces son tranquilas. Ella está sentada y él está sentado ahí. Cada uno en su banco.

ANNA: ¿Qué querías decir?

HENRIK (sonríe): Yo no tengo madera de mártir. No basta con buena voluntad.

ANNA: Tal vez no nos perdonemos nunca.

HENRIK: ¿No quieres, pues, que continuemos?

ANNA: Entiende que sí quiero. No quiero otra cosa. Eso es lo único que quiero.

Después, no saben qué decir. Por eso se quedan sentados, en silencio, un largo rato, cada uno en su banco y con sus pensamientos. Anna está seguramente ocupada con consideraciones prácticas relacionadas con el próximo traslado. Henrik piensa en cómo poder mirar a los ojos a los habitantes de su parroquia el tiempo que le queda.

Fårö, 29 de octubre de 1988

Se terminó de imprimir un 23 de diciembre 2025,
XVIII aniversario de la joven poeta Rafaela Sánchez Olave.

La principal
FULGENCIO PIMENTEL

Otros títulos de la colección:

8.	WILLIAM CARLOS WILLIAMS	*Los relatos de médicos*
9.	ANDRÉI PLATÓNOV	*Dzhan*
10.	CHICHO S. FERLOSIO *et al.*	*El cantar tiene sentido*
11.	ION NEGOIȚESCU	*Cuartel de los dragones*
12.	JAIME DE ARMIÑÁN	*Juncal*
13.	GUEORGUI GOSPODÍNOV	*Física de la tristeza*
14.	SERGUÉI DOVLÁTOV	*La maleta*
15.	MARÍA BASTARÓS	*Hª de E. contada a las niñas*
16.	MICHAEL CAINE	*La gran vida*
17.	UNDINĖ RADZEVIČIŪTĖ	*Peces y dragones*
18.	SERGUÉI DOVLÁTOV	*Los nuestros*
19.	EDUARD LIMÓNOV	*El libro de las aguas*
20.	GUSTAVO BUENO	*Conversaciones*
21.	GUEORGUI GOSPODÍNOV	*Novela natural*
22.	PHILIPPE DJIAN	*Los incidentes*
23.	EDUARD LIMÓNOV	*El hombre sin amor*
24.	ROQUE LARRAQUY	*La telepatía nacional*
25.	INGMAR BERGMAN	*La buena voluntad*
26.	ANDRÉ LORANT	*El loro de Budapest*
27.	SERGUÉI DOVLÁTOV	*Filial*
28.	INGMAR BERGMAN	*Niños de domingo*
29.	CHOTARO KAWASAKI	*El barrio del incienso*
30.	EZEQUIEL ZAIDENWERG	50 *Estados*
31	ALEJANDRO MORELLÓN	*El peor escenario posible*
32.	GUEORGUI GOSPODÍNOV	*Las tempestálidas*
33.	JAIME DE ARMIÑÁN	*Los amantes encuadernados*
34.	ROQUE LARRAQUY	*La comemadre*
35.	MARCELO DONADELLO	*Chéljelon*
36.	CHOTARO KAWASAKI	*Árbol desnudo*
37.	RUBÉN LARDÍN	*Las ocasiones*
38.	INGMAR BERGMAN	*Confesiones privadas*
39.	SCOTT MCCLANAHAN	*Trapalacha*
40.	INGMAR BERGMAN	*Las palabras nunca están ahí…*
41.	JUAN MONTIEL	*Cada Lunes de Aguas*
42.	GUSTAVO FAVERÓN PATRIAU	*Madame Vargas Llosa*

Título original: *Den goda viljan*, publicado en 1991
por Norstedts Förlag
Publicado en acuerdo con Hedlund Agency
y Casanovas & Lynch Literary Agency

www.fulgenciopimentel.com

Primera edición: enero de 2021
Segunda edición: enero de 2026
Editor: César Sánchez
Editores adjuntos: Joana Carro y Alberto Gª Marcos
Comunicación: Félix González
prensa@fulgenciopimentel.com

ISBN: 978-84-17617-56-1
Depósito legal: LG G 00093-2021

Impreso en España, U. E.